MODERN MISCELLANY
PRESENTED TO EUGÈNE VINAVER

Frontispiece

EUGÈNE VINAVER

Modern Miscellany

PRESENTED TO

Eugène Vinaver

by

PUPILS, COLLEAGUES
AND FRIENDS

edited by

T. E. LAWRENSON
F. E. SUTCLIFFE
AND
G. F. A. GADOFFRE

MANCHESTER UNIVERSITY PRESS
BARNES & NOBLE, NEW YORK

Published by the University of Manchester at
The University Press
316–324 Oxford Road, Manchester 13

U.S.A.
Barnes & Noble, Inc.
105 Fifth Avenue, New York 10003, N.Y.

G.B. SBN 7190 0364 4

Printed in Great Britain by Butler & Tanner Ltd, Frome and London

FOREWORD

THE editors of *Mediaeval Miscellany*, of which the present volume is the complement, sought to honour Professor Eugène Vinaver for his work in the mediaeval field. *Modern Miscellany* seeks to complete the tribute for the modern field. The two publications may indeed be regarded as parts of a single work, and that despite the obvious disparity of content.

For Vinaver's mediaeval and modern interests are complementary in the sense that they combine to convey a picture of aesthetic and scholarly integrity; an integrity best demonstrated by the manner in which certain remarks made by the author of the prologue to *Mediaeval Miscellany* apply, without let or hindrance, to the Racinian scholar. He was attracted to his master, Bédier, we are told, by a singular blend of aesthetic feeling and genuine scholarship. And it was that rare blend that Vinaver was to carry over to his Racinian studies.

At the moment when he was completing his edition of the *Morte Darthur* and was minded to turn his attention to Jean Racine, fate confronted him with the Winchester manuscript of Malory, and his Malory, recast, did not appear till 1947. His first ranging shot—*Principes de la tragédie en marge de la Poétique d'Aristote*—did not appear until 1944. But that is merely the outward scholarly story. From at least 1935 he had been bewitching successive generations of students with his seminars on Racine. By the appearance of *Racine et la poésie tragique* in 1951 they could not doubt that the true quest for the Racinian tragic experience lay in an understanding of the nature of tragic poesy. Not in the *in vacuo* absolutes of the Fille-de-Minos-et-de-Pasiphaé metaphysicals, nor in the construction of an externally determined 'écrivain qui s'explique par ce qui n'est pas lui', but[1] in 'l'écho de ces voix qui plient

[1] *L'Action poétique dans le théâtre de Racine* (The Zaharoff Lecture, 1960), p. 18.

le discours aux secrètes cadences du chant et font jaillir le chant des mouvements les plus fugitifs du discours.'

Eugène Vinaver is persuaded that Racine wrote for a voice: that of la Champmeslé. It seems a singularly condign justice for him that thirty or so undergraduate generations should henceforth hear the tragic song of Andromaque and Phèdre through another voice — his own.

Some at least of the contributors (their geographical range runs from Ghana to Aberdeen), colleagues, pupils, and the pupils of his pupils, speak that paternity in a loud voice: downstage centre.

T. E. L.

Lancaster,
1969

CONTENTS

Portrait Frontispiece

Foreword v

Select Bibliography of the Works of Eugène Vinaver ix

R. F. AMONOO, *Senior Lecturer in French in the University of Ghana* 1
La résurrection de Corneille au début du 19e siècle

L. J. AUSTIN, *Drapers Professor of French in the University of Cambridge* 12
Mallarmé et le réel

JEAN BEAUFRET, *Professeur de Philosophie at the Lycée Condorcet* 25
La naissance de la philosophie

P. F. BUTLER, *Professor of French at University College, Cardiff* 48
Tartuffe et la direction spirituelle au XVIIe siècle

LILIAN R. FURST, *Senior Lecturer in Comparative Literature in the University of Manchester* 65
Two versions of Schiller's *Wallenstein*

G. F. A. GADOFFRE, *Professor of Modern French Literature in the University of Manchester* 79
Le *Discours de la Méthode* et la Querelle des Anciens

JEAN GAUDON, *Professor of French at Royal Holloway College, London* 85
Talma et ses auteurs

C. M. GIRDLESTONE, *Sometime Professor of French at King's College, Newcastle upon Tyne (University of Durham)* 97
Phèdre without the Queen of Athens

ROBERT GUIETTE, *Professor Emeritus in the University of Ghent* 109
Le titre des *Petits poèmes en prose*

G. E. GWYNNE, *Lecturer in French in the University of Manchester* 117
Cabanis and his *Lettre a M. F****: a little known aspect of the Idéologues' views on religion

C. A. HACKETT, *Professor of French in the University of Southampton* 126
André Frénaud and the theme of the quest

P. MANSELL JONES,† *Sometime Professor of Modern French Literature in the University of Manchester* 137
Baudelaire as a critic of contemporary poetry

R. C. KNIGHT, *Professor of French at University College, Swansea* 154
The rejected source in Racine

T. E. LAWRENSON, *Professor of French in the University of Lancaster* 167
The contemporary staging of Théophile's *Pyrame et Thisbé*: the open stage imprisoned

ROBERT NIKLAUS, *Professor of French in the University of Exeter* 180
Diderot and the *Leçons de clavecin et principes d'harmonie* par Bemetzrieder (1771)

MARIO PRAZ, *Sometime Professor of English Language and Literature in the University of Rome* 195
What is a classic?

GARNET REES, *Professor of French in the University of Hull* 203
Baudelaire and the imagination

F. W. SAUNDERS, *Senior Lecturer in French in the University of Manchester* 216
The mythical background to Henri Bosco's *Un rameau de la nuit*

W. McC. STEWART, *Emeritus Professor of French in the University of Bristol* 230
Racine's untranslatability and the art of the Alexandrine

F. E. SUTCLIFFE, *Professor of Classical French Literature in the University of Manchester* 243
Le pardon d'Auguste: politique et morale dans *Cinna*

BERNARD SWIFT, *Lecturer in French in the University of Aberdeen* 254
Mallarmé and the novel

JACQUES VOISINE, *Professeur de Littérature comparée at the Sorbonne* 276
Rousseau ou le Socrate moderne

T. B. L. WEBSTER, *Professor of Greek at Stanford University* 294
The classical background to Racine's *Phèdre*

LIST OF SUBSCRIBERS 305

The Portrait Frontispiece of Eugène Vinaver has been reproduced by kind permission of Lotte Meitner-Graf, A.R.P.S., London.

Select bibliography of the works of EUGÈNE VINAVER

PERIODICALS:

Arthuriana: Proceedings of the Oxford Arthurian Society (1928–1930), edited by E. Vinaver and H. J. B. Gray (superseded in 1930 by *Medium Ævum*).

French Studies, A Quarterly Review, [founded in 1947 and originally edited by] A. Ewert (General Editor), G. T. Clapton, J. Dechamps, F. C. Green, G. Rudler and E. Vinaver [until 1966].

TEXT SERIES:

'French Classics' (Manchester University Press), General Editor: Eugène Vinaver, 1942–1967.

'Les Ouvrages de l'Esprit, collection de textes dirigée par Eugène Vinaver' (Editions de l'Université de Manchester, 1934–1967).

BOOKS AND ARTICLES (exclusive of short reviews and unsigned contributions to periodicals):

1925

Etudes sur le Tristan en prose: les sources, les manuscrits, bibliographie critique (Champion, Paris).

Le Roman de Tristan et Iseut dans l'œuvre de Thomas Malory (Champion, Paris).

1927

'The Love Potion in the Primitive Tristan Romance' in *Medieval Studies in Memory of Gertrude Schoepperle Loomis* (Champion, Paris; Columbia University Press, New York). [First printed at Le Puy-en-Velay in 1924.]

1928

'Notes on Malory's Sources', *Arthuriana* I (1928–9), pp. 64–6.

1929

Malory (Clarendon Press, Oxford).

1930

'Fragment d'un roman en vers du XIIIe siècle', *Arthuriana* II.

1932

'A Romance of Gaheret', *Medium Ævum* I.

1933

'The Legend of Wade in the *Morte Darthur*', *Medium Ævum* II.

Ernest Renan, *Prière sur l'Acropole*, edited with variants from the original manuscript in collaboration with T. B. L. Webster (Manchester University Press, *Les Ouvrages de l'Esprit*).

Reviews of C. B. Lewis, *Classical Mythology and Arthurian Romance* and C. C. Abbot, *Early Medieval Lyric Poetry*, *Medium Ævum* III.

1935

'Malory's *Morte Darthur* in the Light of a Recent Discovery', *Bulletin of the John Rylands Library* XIX, No. 2 (July 1935).

1936

'New Light on Malory's *Morte Darthur*', *Yorkshire Society for Celtic Studies* (Session 1935–6), Leeds.

1937

'New Light on the Text of the Alliterative *Morte Arthure*', *Medium Ævum* VI (in collaboration with E. V. Gordon).

1939

Principles of Textual Emendation (Manchester University Press), first published in *Studies in French Language and Literature presented to Professor M. K. Pope.*

'A Note on the Earliest Printed Editions of Malory's *Morte Darthur*', *Bulletin of the John Rylands Library*, XXIII, No. 1 (April 1939).

1940

Reviews of Margaret J. C. Reid, *The Arthurian Legend* and J. C. Coyajee, *Iranian and Indian Analogues of the Legend of the Holy Grail*, in *Review of English Studies*, XVI.

1942

Le Roman de Balain, A Prose Romance of the Thirteenth Century, edited by M. Dominica Legge with an Introduction by Eugène Vinaver (Manchester University Press, *French Classics*).

Hommage à Bédier (Editions du Calame), Collection 'La Belle Feuille', Manchester, 100 exemplaires sur pur chiffon numérotés par l'auteur.

1944

Racine, *Principes de la Tragédie en marge de la Poétique d'Aristote* (Editions de l'Université de Manchester, *Les Ouvrages de l'Esprit*).

1946

'The Children of France', *Manchester Evening News*, 26 March 1946.

1947

The Works of Sir Thomas Malory in three volumes (Clarendon Press, Oxford).

'Un inédit de Flaubert', *French Studies*, I.

1948

'André Gide', *Manchester Guardian*, 20 January 1948.

'André Gide in English', *Manchester Guardian*, 29 November 1948.

The Works of Sir Thomas Malory in three volumes. (Clarendon Press, Oxford; reprinted with corrections.)

1949

'La Genèse de la *Suite du Merlin*', in *Mélanges de philologie romane et de littérature médiévale offerts à M. Ernest Hoepffner* (Les Belles Lettres, Paris).

1950

'Malory' in *Chambers's Encyclopædia.*

1951

Racine et la poésie tragique (Nizet, Paris).

Racine, *Principes de la Tragédie en marge de la Poétique d'Aristote, deuxième édition revue et corrigée* (Nizet, Paris; Editions de l'Université de Manchester, Manchester).

'Le Manuscrit de Winchester', *Bulletin Bibliographique de la Société Internationale Arthurienne*, No. 3.

Review of Alvin A. Eustis, *Racine devant la critique française*, in *French Studies* V.

1952

Review of Jacques Scherer, *La Dramaturgie classique en France*, in *French Studies* VI.

1953

'Flaubert and the Legend of Saint Julian', *Bulletin of the John Rylands Library*, XXXVI, No 1 (September 1953).

'Adaptation'; 'Arthurian Legend', in Cassell's *Encyclopædia of Literature*, edited by S. H. Steinberg (London).

Review of Jean Marx, *La Légende arthurienne et le Graal*, in *Medium Ævum* XXII.

1954

The Works of Sir Thomas Malory in one volume (Oxford University Press, London; *Oxford Standard Authors*).

Racine and Poetic Tragedy, translated by P. Mansell Jones [from a revised text of the first edition] (Manchester University Press).

1955

Sir Thomas Malory, *The Tale of the Death of King Arthur* (Clarendon Press, Oxford).

1956

King Arthur and His Knights. Selections from the Works of Sir Thomas Malory (Houghton Mifflin, Boston).

'The Dolorous Stroke', *Medium Ævum* XXV (Anniversary issue in honour of C. T. Onions).

1957

Review of Sir Maurice Bowra, *The Simplicity of Racine*, in *French Studies* XI.

1958

'King Arthur's Sword or the Making of a Medieval Romance', *Bulletin of the John Rylands Library*, XL, No. 2 (March 1958).

1959

'A la Recherche d'une poétique médiévale: I. *L'Exemple de Bédier*; II. *Vers une définition*', *Cahiers de Civilisation Médiévale*, II (No. 1), Université de Poitiers [included in the book published in 1969 under the same title].

'The Prose *Tristan*', Chapter 26 in *Arthurian Literature in the Middle Ages, A Collaborative History* edited by Roger Sherman Loomis (Clarendon Press, Oxford).

'Sir Thomas Malory', *ibid.*, Chapter 40.

Reviews of J. D. Hubert, *Essai d'exégèse racinienne: les secrets témoins* and J. C. Lapp, *Aspects of Racinian Tragedy*, in *Revue d'Histoire littéraire de la France*, LIX.

1960

L'Action poétique dans le théâtre de Racine (Clarendon Press, Oxford; *Zaharoff Lecture for 1960*).

1961

'Racine et le temps poétique', *Studies in Modern French Literature presented to P. Mansell Jones* (Manchester University Press).

'Pour le commentaire du vers 1650 du *Tristan* de Béroul' in *Studies in Medieval French presented to Alfred Ewert* (Clarendon Press, Oxford).

'Le Chêne et le Roseau' (The Presidential Address of the Modern Language Association), *Modern Languages*, XLII, No. 1, March 1961.

Tristan et Iseut à travers le temps, Discours de MM. Maurice Delbouille, Eugène Vinaver et Denis de Rougemont lors de la réception de M. Eugène Vinaver à l'Académie Royale de Langue et de Littérature françaises (Palais des Académies, Bruxelles).

'Malory' in *Collier's Encyclopedia*, vol. 15.

1962

'Amorce d'un dialogue sur *La Thébaïde*', *Actes du premier Congrès International racinien*, Uzès, 7–10 septembre 1961.

Review of Sir Maurice Bowra, *Medieval Love Song*, in *French Studies*, XVI.

1963

Racine et la poésie tragique, deuxième édition revue et augmentée (Nizet, Paris).

'On Art and Nature', Chapter 3 in *Essays on Malory* edited by J. A. W. Bennett (Clarendon Press, Oxford).

1964

'From Epic to Romance', *Bulletin of the John Rylands Library*, XLVI, No. 1 (March 1964).

'La Mort de Roland', *Cahiers de Civilisation Médiévale*, VII, No. 2 (Université de Poitiers).

'Un chevalier errant à la recherche du sens du monde: quelques remarques sur le caractère de Dinadan dans le *Tristan* en prose' in *Mélanges de linguistique romane et de philologie médiévale offerts à M. Maurice Delbouille*, t. II, Gembloux (J. Duculot).

'*Lancelot-Graal*'; 'Malory'; '*Tristan de Léonois*' in *Dictionnaire des Lettres fran-*

çaises: Le Moyen Age, volume préparé par Robert Bossuat, Mgr Louis Pichard et Guy Raynaud de Lage (Arthème Fayard, Paris).

1965

'Critical Approaches to Medieval Romance', in *Literary History and Literary Criticism, Acta of the Ninth Congress, International Federation of Modern Languages and Literature* (New York University).

'Bédier'; 'Tristan' in *Encyclopædia Britannica.*

Review of Bernard Weinberg, *The Art of Jean Racine*, in *Modern Language Review*, LX.

1966

L'Eclosion du tragique dans le théâtre de Racine (Académie Royale de langue et de littérature françaises, Bruxelles).

Form and Meaning in Medieval Romance, the Presidential Address of the Modern Humanities Research Association (MHRA, Cambridge).

'Tragic and Epic Patterns in Malory', *Friendship's Garland, Essays presented to Mario Praz* (Edizione di Storia e Letteratura, Rome).

The Grail Castle and Its Mysteries by Leonardo Olschki, translated from the Italian by J. A. Scott and edited, with a foreword, by Eugène Vinaver (Manchester University Press).

1967

The Works of Sir Thomas Malory in three volumes, second edition [thoroughly revised] (Clarendon Press, Oxford).

'Poésie et spectacle', *Hommage à Marcel Thiry* (Georges Thones, Liège).

'Racine' in vol. I of *Littérature française*, [ed. by] Antoine Adam, Georges Lerminier et Edouard Morot-Sir (Larousse, Paris).

'Roger Sherman Loomis', *Bulletin Bibliographique de la Société Internationale Arthurienne*, No. 19.

1968

'La Forêt de Morois', *Cahiers de Civilisation Médiévale* XI, No. 1, Janvier-Mars 1968 (Université de Poitiers).

'Poésie et Histoire (à propos de quelques vers de la *Chanson de Roland*)', in *Endurance de la pensée* (*pour saluer Jean Beaufret*) (Plon, Paris).

King Arthur and His Knights, Selected Tales by Sir Thomas Malory, second enlarged edition (Houghton Mifflin, Boston).

'Romance' (in collaboration with F. Whitehead) in *Encyclopædia Britannica.*

1969

A la Recherche d'une Poétique Médiévale (Nizet, Paris).

'Note sur le vers 2900 de la *Chanson de Roland*', *Mélanges de philologie romane et de littérature médiévale offerts à Mme Rita Lejeune* (J. Duculot, Gembloux).

'Les deux pas de Lancelot' in *Mélanges de philologie et de littérature du moyen âge offerts à M. Jean Fourquet* (Klincsieck, Paris).

'The Historical Method in the Study of Literature', in *Acta of the Jubilee Congress of the Modern Humanities Research Association*, Cambridge.

LA RÉSURRECTION DE CORNEILLE AU DÉBUT DU 19E SIÈCLE

par

R. F. AMONOO

LE 30 mai 1799, pour fêter la réunion générale de la Comédie-Française après les vicissitudes révolutionnaires, on monta *Le Cid* de Corneille et *L'Ecole des maris* de Molière. Un correspondant du *Journal de Paris* se signant «Le vieil amateur du café Procope» affirma:

> J'ai été charmé, je dois le dire, de voir les beautés du grand Corneille senties enfin par le public et dignement exprimées par les acteurs. La Révolution a trempé nos âmes: les choses fortes et grandes ont sur nous plus d'empire qu'autrefois; et Corneille va devenir pour nous un poète nouveau.[1]

Surprenant témoignage du renouveau d'intérêt pour un théâtre tombé en discrédit depuis si longtemps.

Qui ignorait alors les jugements de Voltaire à propos du père de la tragédie française? Avant la parution du fameux *Commentaire sur Corneille* des confidences avaient exprimé l'attitude ambiguë du critique. Voltaire écrit au Comte d'Argental le 31 août 1761: «Je traite Corneille tantôt comme un dieu, tantôt comme un cheval de carrosse.»[2] A l'abbé d'Olivet il confie le 16 septembre de la même année: «Je donne quelquefois des coups de pied dans le ventre à Corneille, l'encensoir à la main.»[3] Le *Commentaire*, publié en 1764, contient surtout une critique vétilleuse de la psychologie et du style cornéliens déclarés vieillis. Cà et là quelques éloges dithyrambiques sont adressés au sublime de Corneille. De l'abondante œuvre il reste seulement les quatre grandes pièces, et parmi tant de vétustés, quelques bonnes scènes. Par contre Racine incarne la perfection poétique et tragique. Voilà donc tranchée, et cavalièrement, la question débattue dès la réussite éclatante d'*Andromaque*, entre les amateurs de Racine et les partisans de Corneille.

Que le 18e siècle, dans l'ensemble, ait peu goûté Corneille n'étonne pas beaucoup. Les austérités de l'héroïsme cornélien ne pouvaient guère enthousiasmer un public friand de plaisirs faciles. Les frivolités de la Régence trouvaient leur pendant littéraire dans les mièvreries du marivaudage. Au seuil de la Révolution, même les sujets graves comme les revendications du tiers état ne pouvaient se passer d'une folle gaîté chez un Beaumarchais. Voltaire auteur dramatique, successeur de Racine, rival heureux de Crébillon et de La Motte-Houdart, éprouvait le besoin d'*animer* la tragédie et ce faisant, semait les graines du drame romantique futur.

Entre 1750 et la Révolution, Voltaire accapare la scène française. De 1761 à 1790, il est affiché plus de fois que Corneille et Racine au Théâtre-Français. Et c'est surtout Corneille qui pâtit de cet essor de Voltaire qui ainsi influait sur les goûts littéraires par ses préceptes et exemples.[4] Le *Commentaire* est le point de départ de mainte opinion critique sur Corneille pendant la deuxième moitié du 18e siècle et même sous Napoléon. D'Alembert, avec plus de circonspection, dénigre Corneille.[5] Madame du Deffant traite l'auteur de *Cinna* de «petit esprit.»[6] Diderot n'aime pas, dans les tragédies françaises, les «fanfaronnades à la Corneille.»[7] Sensible qu'il était aux mérites de Corneille, Marmontel applaudit le *Commentaire* de Voltaire. L'*Encyclopédie*, malgré les audaces personnelles, ne penche pas pour Corneille.[8] Le grand continuateur de l'œuvre de Voltaire critique dramatique, c'était La Harpe. Le *Lycée*, manuel littéraire très répandu au début du 19e siècle, rabaisse le prestige de Corneille. Les palmes sont accordées à Racine et naturellement à Voltaire: «[Racine] fut, dans le genre qu'il choisit, autant au-dessus de Corneille que de tous les autres poètes dramatiques.»[9] «Voltaire, pour avoir su pousser encore plus loin les effets de la terreur et de la pitié a été enfin reconnu, même de son vivant, pour le plus tragique de tous les poètes.»[10]

La réaction contre Voltaire s'amorça de son vivant. La polémique systématiquement anti-voltairienne de Fréron est suspecte mais symptomatique. Disciple, collaborateur et continuateur de Fréron, le célèbre feuilletoniste du Consulat et de l'Empire, Geoffroy s'acharnera à son tour contre Voltaire et contribuera à la restauration du père de la tragédie française. De même, Palissot, hostile aux philosophes, aidera à réhabiliter Corneille.

Vers la fin du 18e siècle, un autre facteur jouait indirectement en faveur de l'auteur d'*Horace*: le retour à l'antique. Corneille, peintre de la vertu romaine, ne pouvait ne pas plaire aux nouveaux patriotes de l'ère révolutionnaire. Ce regain de goût pour l'antiquité authentique se fit sentir dans le domaine artistique («Serment des Horaces» de David, 1784), au théâtre (réformes du décor et du costume ébauchées par Lekain et Mlle Clairon et achevées par Talma fin 18e et début 19e siècles) et dans les monuments (Arc de triomphe du Carrousel, Colonne Vendôme, le Temple de la Gloire devenu La Madeleine). Cette renaissance de l'antiquité laisse une empreinte sur les institutions politiques gérées par des sénateurs, tribuns et consuls et bientôt par l'Empereur rappelant «l'antique Imperator à la fois Pontife et Roi.»[11] Et le poète préféré de ce Napoléon aux allures antiquisantes, c'est Corneille.

A un des couchers de Saint-Cloud, Bonaparte aurait soutenu: «La tragédie échauffe l'âme, élève le cœur, peut et doit créer des héros. Sous ce rapport, peut-être, la France doit à *Corneille* une partie de ses belles actions; *aussi, Messieurs, s'il vivait, je le ferais prince.*»[12] Le Corneille vieilli du 18e siècle devient le poète national, inspirateur en partie de l'épopée impériale. Par contre, Napoléon se méfie de Racine, coupable d'avoir répandu partout dans ses œuvres «une perpétuelle fadeur, un éternel amour.» «C'est toujours le lot des sociétés oisives», observait-il. «Pour nous, nous en avons été brutalement détournés par la Révolution et ses grandes affaires.»[13] Quant à Voltaire: «Voltaire n'a connu ni les choses, ni les hommes, ni les grandes passions.»[14] A vrai dire le maître du jour n'aimait guère les philosophes et leurs successeurs aux 19e siècle, les «idéologues» et les esprits indépendants, les Mme de Staël, Benjamin Constant, Chateaubriand, Népomucène Lemercier etc. Le retour à l'ordre, après les soubresauts révolutionnaires, comportait inévitablement l'imposition de la discipline qui retardait le développement de la littérature personnelle. En attendant, la restauration des fastes théâtraux d'ancien régime entreprise par Napoléon profitait à la fortune posthume de Corneille.

Ce cornélianisme officiel inspirait des sympathies plus ou moins courtisanes dans les milieux officiels et officieux. L'Institut, par le truchement de Marie-Joseph Chénier[15] et de Raynouard[16] chanta Corneille redevenu poète à la mode. Naturellement les concurrents de l'*Eloge de Corneille*[17] imposé par l'Institut en 1808, ne manquèrent pas de célébrer l'actualisation de Corneille, alléguant comme facteurs la Révolution, les temps nouveaux et la prédilection connue de l'Empereur. Souvent, dans ces exercises, le théâtre de Corneille est assimilé à une école de vertu, de civisme et de patriotisme. Les journaux proches du pouvoir, *le Journal de l'Empire* en tête, firent les applications les plus flatteuses entre le théâtre cornélien et le drame politique napoléonien.

Mais ne concluons pas vite au caractère factice de cette résurrection de Corneille. Des esprits largement indépendants témoignèrent du goût renouvelé pour Corneille. Népomucène Lemercier, sage quand il professait son *Cours de littérature analytique*, cite l'auteur de *Cinna* comme le plus éminent représentant du génie théâtral français, louant chez lui — et c'est un signe des temps — la politique, les vertus publiques et le sens historique.

Stendhal, esprit très indépendant, manifeste dans ses écrits intimes une vive admiration pour la tragédie cornélienne. Dans la *Vie de Henry Brulard* il maintient:

> Un pauvre qui ne m'adresse pas la parole, et qui ne pousse pas des cris lamentables et *tragiques* comme c'est l'usage à Rome, et mange une pomme en se traînant à terre..., me touche presque jusqu'aux larmes à l'instant.
>
> De là mon complet éloignement pour la tragédie, mon éloignement jusqu'à l'*ironie* pour la tragédie en vers.
>
> Il y a exception pour cet homme simple et grand, Pierre Corneille, suivant moi immensément supérieur à Racine, ce courtisan rempli d'adresse et de bien-dire. Les règles d'Aristote ou prétendues telles, étaient un obstacle ainsi que les vers pour ce poète original. Racine n'est original aux yeux des Allemands, Anglais, etc que parce qu'ils n'ont pas eu encore une cour spirituelle, comme celle de L[ouis] XIV, obligeant tous les gens riches et nobles d'un pays à passer tous les jours huit heures ensemble dans les salons de Versailles.[18]

Stendhal romantique préconisa le drame en prose (Dumas le tenta avec succès dans *Henri III et sa cour*). Parmi tant d'autres, il fit de Corneille un romantique avant la lettre. En jugeant Racine, il se laissa influencer par son appréciation de l'homme: «*Je méprise sincèrement Racine*; je vois d'ici toutes les platitudes qu'il faisait à la cour de Louis XIV.»[19] Les spectacles raciniens ne lui plaisaient guère: «Je persiste dans mon opinion qu'*Iphigénie* est une mauvaise pièce.»[20] «J'ai vu *Athalie*, ennui...»[21] Voltaire est franchement déprécié: «J'ai étudié Louis XIV ces jours-ci, nommé le Grand par les bas coquins Voltaire et compagnie,...»[22] «Je méprisais sincèrement et souverainement le talent de Voltaire: je le trouvais *puéril*.»[23] Stendhal amateur du théâtre note dans son *Journal* les réactions du public aux spectacles cornéliens: «Jamais peut-être *Cinna* n'avait été écouté par des spectateurs plus attentifs.»[24] «J'étais environné de jeunes commis qui aidés par les circonstances sentaient les vers de Corneille et disaient *Sacrebleu* à la fin de chaque.»[25]

Du côté des éditeurs aussi se manifestent des indices du renouveau d'intérêt pour Corneille. En 1801, Palissot dédie son édition complète des œuvres de Corneille au premier consul. Ses annotations s'imprègnent du cornélianisme de l'époque; elles attaquent le *Commentaire* de Voltaire. Mais Racine n'est pas négligé non plus. La maison Didot lui consacre une magnifique édition in-folio avec un album de gravures dues en grande partie à Girodet, Gérard et Chaudet. Une telle entreprise révèle l'existence des bibliophiles et amateurs aisés.

Les éditions destinées à la représentation,[26] renseignent sur les attitudes diverses à l'égard du texte des maîtres. Racine est habituellement respecté, à quelques découpages scéniques près. Corneille, victime des observations grammaticales de Voltaire, est l'objet des rajeunissements sacrilèges. Les *Six tragédies de Pierre Corneille retouchées pour le théâtre* (1802) fournissent de curieux exemples. L'ordre des tragédies est désinvolte: *Sertorius*, *Nicomède*, *La Mort de Pompée*, *Polyeucte*, les *Horaces* en deux actes (sic!) *Rodogune* et *Héraclius*. Le poète Andrieux à son tour améliore le rôle de Félix de *Polyeucte* et refait la *Suite du Menteur*. Le cornélien Napoléon ne se fait pas faute de prescrire des modifications. Un document intéressant préservé aux Archives Nationales enregistre les remaniements faits sur *Héraclius* afin de prévenir les applications hostiles au régime.[27]

La Comédie-Française, connaissant bien les goûts du premier magistrat de l'état ne manqua pas de rendre les honneurs dûs au père de la tragédie française. Quatre grands noms dominaient les activités théâtrales de toute cette époque: Talma, Lafon, Mlles Georges et Duchesnois. Seul Lafon se proclamait cornélien: il obtenait un certain succès dans le rôle de Rodrigue. Le plus prestigieux, Talma, affectionnait les personnages shakespeariens et raciniens. Mlle Georges, éclectique, et qui jouera par la suite un rôle considérable dans le drame romantique, incarna avec éclat Emilie et Cléopâtre (de *Rodogune*). Sur son lit de mort elle était drapée dans le manteau tragique de cette extraordinaire reine de Syrie! Mlle Duchesnois était décidément racinienne. Les goûts individuels étaient assez variés, mais les talents de ces grands artistes contribuèrent à la restauration de l'ancien répertoire y compris les tragédies de Corneille.

Sous Napoléon l'œuvre de Corneille était considérablement réduite par rapport à l'ensemble de sa production dramatique. On montait régulièrement les quatre grandes pièces, et aussi *Le Menteur*, *Héraclius*, *Nicomède* et *Rodogune*. Il faut y adjoindre d'intéressantes reprises de *La Mort de Pompée* et de *Sertorius*. Le déchet avait été important. Mais le répertoire actif de Corneille est encore plus restreint de nos jours. Au début du 19e siècle toutes les tragédies de Racine étaient à l'affiche, exception faite de *Bérénice* et d'*Esther*, et naturellement de la *Thébaïde* et d'*Alexandre*. Racine avait mieux résisté à l'érosion du temps. Quant à Voltaire l'éclipse prochaine de son théâtre se faisait pressentir.

D'après les données statistiques de la fréquence des spectacles à la Comédie-Française la cote de Corneille était nettement en hausse au début du 19e siècle. *Le Cid* par exemple qui avait été joué 15, 34 et 33 fois au cours des trois décennies 1761 à 1790 fut monté 77, 48 et 52 fois pendant une période correspondante, de 1801 à 1830.[28] *Cinna*: 19, 28 et 25 fois à partir de 1761; 61, 39 et 27 fois au commencement du 19e siècle, etc.[29] Même amélioration du sort théâtral des pièces de Racine. Mais son prestige ayant moins souffert à l'époque de Voltaire, cette remontée était moins remarquable. Et c'est Voltaire qui cette fois-ci pâtit de l'essor de Corneille redevenu actuel.

L'éclat de *Cinna* est une des meilleures preuves de la résurrection de Corneille sous Napoléon:

> ...enfin, nous avons revu le *grand Corneille*,... et le public, accoutumé depuis quelque temps à lui contester son ancienne prééminence, va réparer une trop honteuse injustice en le replaçant sur son trône tragique au-dessus de tous ses rivaux.[30]
>
> Le succès de cette reprise de *Cinna* honore tout à la fois l'auteur, le public et les acteurs. Les beautés mâles de ce puissant génie n'ont point vieilli, malgré les rides de l'âge et la rouille du siècle:...[31]

De prestigieux talents assuraient la réussite théâtrale: Monvel (Auguste) Mlles Raucourt et Georges (Emilie) et surtout Talma (Cinna).

On n'ignorait pas que *Cinna* était le spectacle tragique favori de Napoléon.[32] Ces suffrages illustres inspiraient des rapprochements entre la tragédie cornélienne et le drame politique de l'époque. Après une représentation de *Cinna* Geoffroy opina:

> ...les terribles catastrophes, dont la mémoire est encore récente, répandent le plus vif intérêt sur la sublime et profonde politique de Corneille.[33]

Une autre fois:

> C'est aujourd'hui le seul des chefs-d'œuvre de Corneille qui soit universellement senti; il semble nous toucher de près...nous y retrouvons ce que nous avons été, ce que nous sommes: un grand empire, longtemps déchiré par des factions, enfin rendu à l'ordre, au bonheur, à la gloire...
>
> *Cinna* nous appartient; c'est un genre de tragédie qu'on peut appeler national, et dont les Grecs n'offrent aucun modèle: c'est la véritable tragédie française dans toute sa force et toute sa majesté.[34]

En effet l'actualité de Cinna est démontrable. Les fins des conjurés (I, iii) avaient leur pendant historique dans le dessein des Révolutionnaires de 1789. Les proscriptions dénoncées par Cinna évoquaient la Terreur: dans l'*Epître à Talma* Lemercier affirma: «Quand tu puisais parmi nos querelles publiques Des récits de Cinna les couleurs si tragiques...»[35] Cette éloquence de Cinna, éloquence d'un républicanisme douteux, rappelait l'art oratoire des tribuns révolutionnaires, les Mirabeau, Danton, Robespierre et Saint-Just, satirisés dans les pièces à succès de l'époque, *Les Aristides modernes*... et l'*Ami des lois* de Laya. Emilie avait des correspondances révolutionnaires: les Madame Roland, Claire Lacombe et Charlotte Corday, cornélienne par son courage et par son ascendance.

La censure des périodiques ne permet guère d'étudier les sympathies républicaines de certains secteurs de l'auditoire de la Comédie-Française. Stendhal note dans son *Journal* que les loges manifestaient bruyamment leur approbation pour l'entreprise des conspirateurs.[36]

La grande scène de délibération politique (II, i) avait été rendue actuelle par la Révolution et ses sequelles. Les changements de régime politique, l'expérience de la démocratie directe de l'an 2, les séances parfois houleuses des assemblées, les circonstances particulières de l'avènement au pouvoir du premier consul, tout cela aidait à sensibiliser les esprits:

> ...la Révolution nous a expliqué cette tragédie; elle en a fait un commentaire un peu plus instructif que celui de Voltaire...
>
> Depuis que nous sentons à quel point l'existence de chaque citoyen tient à celle du gouvernement... les derniers siècles de la république romaine, et son passage de l'aristocratie à l'unité de son chef sont devenus pour nous des torrents de lumière...
>
> Enfin, jamais cette tragédie n'a été mieux entendue, écoutée avec plus de fruit et d'intérêt; et cet intérêt est le plus vif de tous, puisque c'est le nôtre: ce sont les retours sur nous-mêmes, sur notre situation; ce sont nos espérances et nos craintes; c'est tout ce que nous avons vu, tout ce que nous voyons, qui prête à cet ouvrage un charme particulier et local, indépendant du prestige dramatique et du génie du poète.[37]

La clémence d'Auguste était interprétée dans un sens machiavélique par Napoléon, éclairé par le jeu de Monvel.[38] A un moment critique de l'affaire du duc d'Enghien Bonaparte aurait récité le *Soyons amis, Cinna*.[39] L'exécution sommaire du malheureux duc prouvait pour certains que Napoléon n'était pas un autre Auguste, malgré les fréquentes applications. Devant Narbonne-Lara il s'exclama:

> Quel chef-d'œuvre que Cinna! comme cela est construit! comme il est évident qu'Octave, malgré les taches de sang du Triumvirat, est nécessaire à l'Empire, et l'Empire à Rome![40]

Entendez: malgré le châtiment politique du duc d'Enghien, Napoléon était toujours indispensable! *Cinna* fournit au maître du jour l'apologie du pouvoir absolu et personnel. Au rendez-vous d'Erfurt où il fit jouer Talma et la Comédie-Française devant «un parterre de rois» il aurait tenu ces propos:

> ...il y a de grands intérêts en action, et puis une scène de clémence, ce qui est toujours bon. J'ai su presque tout *Cinna* par cœur, mais je n'ai jamais bien déclamé. Rémusat, n'est-ce pas dans *Cinna* qu'il y a:
>
> «Tous ces crimes d'Etat qu'on fait pour la couronne,
> Le ciel nous en absout, *lorsqu'il* nous la donne»
>
> (Rémusat ayant rectifié la citation déclama la tirade jusqu'à:
>
> «Quoi qu'il ait fait ou fasse, il est inviolable»)
>
> C'est excellent, et surtout pour ces Allemands qui restent toujours sur les mêmes idées, et qui parlent encore de la mort du duc d'Enghien: il faut agrandir leur morale.[41]

De tels rapprochements ajoutaient à l'intérêt dramatique de *Cinna*. Les autres tragédies romaines de Corneille bénéficiaient à des degrés variés de ces applications.

Ce côté anecdotique ne doit pas masquer l'appréciation profonde pour l'œuvre de Corneille au commencement du 19e siècle. L'actualisation de la tragédie cornélienne fut opérée par les cataclysmes politiques et par l'apparition sur la scène du monde de grands hommes, les Masséna, Desaix, Kléber, Napoléon et tant d'autres.

Le regain de goût pour Corneille ne survécut guère à l'Empire. A vrai dire l'ensemble de l'ancien répertoire était en déclin sous la Restauration et la Monarchie de juillet. Il a fallu attendre les débuts brillants de Rachel en 1837 pour ramener les amateurs aux spectacles cornéliens et raciniens. Mais en plein romantisme

Corneille fut cité à plusieurs reprises comme l'exemple d'un génie qui eût dû aller plus loin, devenir un autre Shakespeare, n'eussent été l'Académie, Scudéry et autres! Certes quand ces amateurs romantiques de Corneille entrent dans les détails nous constatons qu'ils goûtent surtout l'esprit d'indépendance et les éléments préclassiques. Ce n'est plus le Corneille impérial assimilé à l'ordre.[42] Interprétations paradoxales qui se complètent. Nonobstant l'appréciation souvent politisée des contemporains de Napoléon, la fortune posthume de Corneille atteignit, sous le Consulat et l'Empire, un apogée qu'elle n'a plus connu par la suite.

NOTES

[1] 13 prairial an 7 (1er juin 1799). Le goût renouvelé pour Corneille devança le Consulat qui commença le 9 novembre 1799.

[2] *Œuvres* de Voltaire, édition Grands Ecrivains de France, t. 41, p. 426.

[3] *Ibid.*, p. 444.

[4] Acteur amateur, il fit construire un théâtre particulier. Il donna des conseils à ses interprètes, Lekain et Mlle Clairon, sur le jeu, la déclamation, le décor, le bruitage etc.

[5] *Lettre* à Voltaire, 8 septembre 1761. *Œuvres* de Voltaire, G.E.F., t. 41, pp. 434–5.

[6] *Lettre* à Voltaire, 29 mai 1764. *Œuvres* de Voltaire, G.E.F., t. 43, p. 230.

[7] *Paradoxe sur le comédien* (Paris, Dupuy 1902), p. 69.

[8] Cf. les articles «Acte» et «Unité», t. I et Supplémentaire IV.

[9] *Le Lycée...* (Paris 1799), t. V, p. 237

[10] *Ibid.*, p. 253.

[11] Louis Bertrand: *La fin du classicisme et le retour à l'antique* (Paris, Hachette 1897), p. 170.

[12] Las Cases: *Mémorial de Sainte-Hélène*, édition Pléïade, t. I, p. 385.

[13] *Ibid.*, t. II, p. 348.

[14] *Ibid.*, t. I, p. 736.

[15] *Discours sur la littérature française devant sa Majesté*, 27 février 1808, pp. 28–9.

[16] *Discours de réception à l'Académie*, 24 novembre 1807.

[17] Un petit échantillon donnera le ton général: «Pendant les orages d'une longue révolution, nous avons tous été comme Achille *plongés dans les eaux du Styx*; les âmes en ont reçu une trempe plus vigoureuse; et Corneille a retrouvé un public...» Victorin Fabre, Lauréat du concours.

[18] *Œuvres intimes*, Pléiade, p. 351.

[19] *Lettre* à Pauline, 3 juin 1807. *Correspondance*, Pléiade, p. 353.

[20] *Journal*, 19 juillet 1804. *Œuvres intimes*, Pléiade, pp. 484–5.

[21] *Journal*, 17 octobre 1806. *Ibid.*, p. 827.

[22] *Lettre* à Pauline (juillet) 1804. *Correspondance*, Pléiade, p. 130.
[23] *Vie de Henry Brulard. Œuvres intimes*, Pléiade, p. 260.
[24] *Journal*, 4 août 1804. *Ibid.*, p. 494.
[25] *Journal*, 30 décembre 1804. *Ibid.*, p. 539.
[26] Collection Rondel, Bibliothèque de l'Arsenal.
[27] Cf. H. de Curzon: «Comment on retouchait Corneille pour le rendre digne de Napoléon. *Héraclius* à la cour», *Bulletin de la Société de l'Histoire du theâtre*, 1902, 2, pp. 113–21.
[28] Cf. Joannidès: *La Comédie-Française de 1680 à 1920...* (Paris 1921).
[29] La désorganisation de l'activité théâtrale ne permet pas d'utiliser les statistiques pour la décennie révolutionnaire.
[30] *Journal de Paris*, 19 germinal an 10.
[31] *Journal des débats*, 1er floréal an 10.
[32] Cf. *Courrier de l'Europe*, 21 juin 1810.
[33] *Journal des débats*, 1er floréal an 10.
[34] Même périodique, 7 août 1804.
[35] (Paris, Collin 1807), p. 7.
[36] 7 août 1804. *Œuvres intimes*, Pléiade, p. 495 par exemple.
[37] *Journal des débats*, 4 février 1803.
[38] Cf. Madame de Rémusat, *Mémoires* (Paris, Calmann-Lévy 1879–80) t. 1er, pp. 278–80.
[39] Cf. L-H. Lecomte, *Napoléon et le monde dramatique* (Paris, Daragon 1912), pp. 489–90.
[40] Villemain, *Souvenirs contemporains d'histoire et de littérature* (Paris 1862), t. 1er, p. 157.
[41] Talleyrand, *Mémoires* (Paris, Broglie 1891), t. 1er, p. 404.
[42] Cette fortune romantique est étudiée dans la thèse que nous présentons à la Sorbonne: «La fortune du théâtre cornélien en France, sous le Consulat, l'Empire et la Restauration.» C'est à cet ouvrage que nous empruntons ces quelques notes sur la résurrection de Corneille au 19e siècle.

MALLARMÉ ET LE RÉEL

par

L. J. AUSTIN

C'EST bien de «Mallarmé et le réel» que j'entends parler, et non pas de «Mallarmé et l'actuel».[1] Les mots sont des couleuvres qui nous glissent entre les mains, des amis perfides qui nous trahissent, des organismes fissipares qui se propagent en se scindant en deux. A New York, il fut annoncé que notre Congrès de Strasbourg se pencherait sur le problème du «réel dans la littérature et dans la langue». La rubrique générale s'est maintenue, mais celle de la première section s'intitule «la part de l'*actuel* dans la création littéraire»: le «réel» s'est transmué en l'«actuel», ce qui n'est pas la même chose. Le mot «réel» s'est volatilisé, subtilisé ou babélisé en passant par les différentes langues pratiquées par notre Fédération. Je soupçonnerais volontiers la perfidie notoire de la langue anglaise: car le mot anglais «actual» signifie bien «réel», mais jamais «actuel» dans l'usage courant. L'équivoque qui en résulte se reflète dans le programme du Congrès, où le «réel» et l'«actuel» se succèdent en une alternance impartiale et un équilibre miraculeux.

Un «nettoyage de la situation verbale» s'impose donc, et j'y reviendrai avant de conclure. Mais si j'écarte le sujet «Mallarmé et l'actuel», ce n'est pas que je le récuse, pas plus que je ne conteste l'intérêt et l'importance de l'«actuel» dans la création littéraire en général. Jacques Scherer a dit très justement: «On doit attribuer à la circonstance la plus grande partie des *Poésies* et la totalité des *Divagations*» de Mallarmé.[2] Mais la «circonstance», ou l'«actualité», ne sont qu'une petite partie du domaine immense du «réel»: c'est pourquoi je préfère essayer de poser le problème dans toute sa généralité.

Laissons donc de côté, pour le moment, la pétition de principe que recèle le mot «réel», comme tant de concepts généraux, et acceptons provisoirement la définition courante du mot. «*Réel*: qui existe en fait», dit le dictionnaire de Robert. Dans ce sens, le mot «réel» s'oppose à toute une série d'antonymes: «idéal», «apparent», «illusoire», «fictif», «imaginaire», «fantastique», «possible», et bien d'autres encore. Respectant provisoirement l'usage courant, je pose d'abord deux questions: quelle était l'attitude théorique de Mallarmé envers le réel? et quelle était son attitude «réelle»? Enfin, dépassant l'usage courant, je pose la troisième question, la seule essentielle: qu'est-ce donc que «le réel»? Car tout est là.

Répondre à la première question — l'attitude théorique de Mallarmé envers le réel — c'est vider le sac des idées reçues. Tout le monde sait que «Mallarmé n'aimait pas la réalité». Mais il faut regarder les faits d'un peu plus près: car dans cette attitude de Mallarmé il y a au moins trois éléments distincts: d'abord une révulsion comme instinctive devant la vie qui avait très tôt froissé une sensibilité très vive; ensuite l'adoption consciente d'une attitude exprimée, avec plus de force et de netteté qu'il n'en était encore capable lui-même, par ses deux maîtres de prédilection, Edgar Poe et Baudelaire; et plus tard, un choix esthétique qui, par opposition envers ce qu'on appelait le Parnasse ou le Réalisme ou le Naturalisme, assignait à la littérature un autre but que la reproduction fidèle d'une réalité donnée.

«Moi qui n'ai jamais pu comprendre ce que c'était que les réalités de la vie», dit Mallarmé à vingt ans, en se moquant de ce cliché conventionnel.[3] «Ce qui me manque», dit-il quelques années plus tard, «c'est de la réalité» (*Correspondance*, I, p. 324). Et encore: «Les choses de la vie m'apparaissent trop vaguement pour que je les aime et je ne crois vivre que lorsque je fais des vers» (*ibid.*, p. 149). Il condamne des Essarts qui «confond trop l'Idéal et le Réel», et il va jusqu'à dénoncer la «sottise» de Baudelaire qui se désolait que «l'Action ne fût pas la sœur du Rêve» (*ibid.*, p. 90). Mallarmé se classe lui-même parmi «les malheureux que la terre dégoûte et qui n'[ont] que le Rêve pour refuge» (*ibid.*): prélude en une sourdine mélancolique à sa future apothéose du Rêve. Mais

Baudelaire dit-il autre chose? Lui qui devant le tableau de Delacroix, *Le Tasse en prison*, s'était écrié:

> Voilà bien ton emblème, Ame aux songes obscurs,
> Que le Réel étouffe entre ses quatre murs!

Baudelaire, lui aussi, se comptait parmi ceux, chers à Edgar Poe, «qui ont mis leur foi dans les rêves comme dans les seules réalités»,[4] et il reprend à son compte cette formule même: «Le bon sens [c'est-à-dire Edgar Poe!] nous dit que les choses de la terre n'existent que bien peu, et que la vraie réalité n'est que dans les rêves».[5] La plupart des premiers poèmes de Mallarmé sont des variations sur ce thème emprunté à Poe et à Baudelaire: le refus du réel et la recherche d'un idéal tyrannique et inaccessible, exprimé parfois sur un ton élégiaque, parfois avec une truculence outrancière:

> Ainsi, pris du dégoût de l'homme à l'âme dure
> Vautré dans le bonheur, où ses seuls appétits
> Mangent, et qui s'entête à chercher cette ordure
> Pour l'offrir à la femme allaitant ses petits,
>
> Je fuis et je m'accroche à toutes les croisées
> D'où l'on tourne l'épaule à la vie... (*Les Fenêtres*)

L'attitude envers le réel du Mallarmé de la maturité est bien plus sereine, reflétant un choix esthétique lucide et conscient. Les vers de son petit art poétique badin de 1895, *Toute l'âme résumée*..., sont dans toutes les mémoires. Ayant rappelé qu'un cigare ne brûle «savamment» que si «la cendre se sépare / De ce clair baiser de feu», Mallarmé adresse au poète ce conseil:

> Ainsi le chœur des romances
> A la lèvre vole-t-il
> Exclus-en si tu commences
> Le réel parce que vil

Mais prenons garde: le «réel» qui est rejeté ici n'est que le «déchet de l'expérience» purificatrice qu'est la création poétique, le résidu laissé après que le tabac a été transformé en une fumée aromatique, dont les ronds successifs se fondent les uns dans les autres, en une belle fantasmagorie. Paradoxalement, c'est son sens aigu de la plénitude du réel et sa crainte de l'ennui que dégageraient les choses «si elles s'établissaient solides et prépondérantes» (*Œuvres complètes*, p. 647), qui induisirent Mallarmé à vouloir exclure de la littérature toute tentative de reproduire telle quelle cette réalité. «Les monuments, la mer, la face humaine, dans leur plénitude, natifs, conserv[ent]», dit-il, «une vertu autrement attrayante que ne les voilera une description» (*OC*, p. 645). C'est pourquoi il rejette l'art des Parnassiens, qui «présentent les objets directement», qui «prennent la chose entièrement et la montrent» (*OC*, p. 869). C'est pourquoi il rejette aussi le Naturalisme, malgré l'admiration grande et sincère qu'il témoignait pour Zola, dont il loue les «qualités puissantes»: «son sens inouï de la vie, ses mouvements de foule, la peau de Nana, dont nous avons tous caressé le grain, tout cela peint en de prodigieux lavis, c'est l'œuvre d'une organisation admirable» (*OC*, p. 871). A cette indéniable réussite, Mallarmé oppose néanmoins son propre idéal: «Mais la littérature a quelque chose de plus intellectuel que cela: les choses existent, nous n'avons pas à les créer; nous n'avons qu'à en saisir les rapports; et ce sont les fils de ces rapports qui forment les vers et les orchestres» (*ibid.*). Car «l'esprit [...] n'a que faire de rien outre la musicalité de tout» (*OC*, p. 645). Le «sortilège» de la littérature n'est pas d'«enclore, au livre, même comme texte», la «poussière» qu'est la réalité, mais de «libérer [...] la dispersion volatile» de l'esprit (*ibid.*). Pour Mallarmé, la poésie consistait en «la contemplation des objets, l'image s'envolant des rêveries suscitées par eux» (*OC*, p. 869). «A cette condition s'élance le chant», dit-il, «qu'[il soit] une joie allégée» (*OC*, p. 366). Ce qui compte, ce ne sont pas les choses en elles-mêmes, mais les rapports unissant les choses entre elles, ou les rapports que l'on peut établir entre les choses et l'âme humaine: il s'agit de «peindre, non la chose, mais l'effet qu'elle produit» (*Corr.*, I, p. 137).

Mais pour qu'une chose produise un effet, il faut d'abord qu'elle existe. Au commencement, il y a l'objet, même si la fin est un état d'âme. Et cela m'amène à ma seconde question: l'attitude «réelle» de Mallarmé devant le réel. Or, le réel n'est pas du tout exclu de l'œuvre de Mallarmé. Sa poétique suppose le réel comme point de départ. Son «univers imaginaire», Jean-Pierre Richard l'a brillamment démontré, est édifié à partir d'une expérience fort concrète et fort riche de l'univers réel, perçu et senti par des sens d'une extrême finesse et capables de rendre les impressions les plus subtiles et les plus complexes.[6] Bien loin de viser l'abstraction comme but, Mallarmé s'en sert comme d'un moyen paradoxal de communiquer les sensations les plus concrètes. On a beaucoup trop insisté sur «hantise d'abolir», sur les «valeurs négatives» chez Mallarmé. Dès le début de sa poétique consciente, il a assigné à la sensation un rôle dominant. «Toutes les paroles doivent s'effacer devant la sensation», dit-il dès 1864 (*Corr.* I, p. 137). Parfois il emploie le mot «impression»: les deux mots sont pour lui synonymes, indiquant sa volonté d'échapper aux mots-étiquettes pour trouver les mots évocateurs.

Mallarmé dit d'un de ses premiers poèmes: «Les effets matériels, du sang, des nerfs, [y] sont analysés et mêlés aux effets moraux, de l'esprit, de l'âme». Il y visait, dit-il, une «combinaison [...] bien harmonisée», où «l'œuvre n'est ni trop physique ni trop spirituelle» (*Corr.*, I, p. 30–1). Voici quelques vers de ce poème où Mallarmé essaie d'évoquer l'effet produit sur lui par le «printemps maladif»:

> Des crépuscules blancs tiédissent sous mon crâne
> Qu'un cercle de fer serre ainsi qu'un vieux tombeau
> Et triste, j'erre après un rêve vague et beau,
> Par les champs où la sève immense se pavane
>
> Puis je tombe énervé de parfums d'arbres, las,
> Et creusant de ma face une fosse à mon rêve,
> Mordant la terre chaude où poussent les lilas...
>
> (*Renouveau*)

Mais ici Mallarmé ne parvient pas encore à réaliser son intention: le résultat reste maladroit et trop évidemment tributaire de Baudelaire. Ce n'est que lorsqu'il aura mieux maîtrisé l'abstraction originale qu'il saura faire ressortir avec leur pleine intensité les sensations correspondantes. Alors ces sensations et ces impressions atteindront une force évocatrice extraordinaire, comme dans ces vers de *L'Après-midi d'un Faune*:

Tu sais, ma passion, que, pourpre et déjà mûre,
Chaque grenade éclate et d'abeilles murmure;
Et notre sang, épris de qui le va saisir,
Coule pour tout l'essaim éternel du désir.

Une symétrie savante fait succéder ici un mot abstrait («passion»), deux images concrètes (la grenade, l'essaim d'abeilles), et un dernier mot abstrait («désir»). Dans l'image concrète même, Mallarmé communique d'abord la sensation («pourpre et déjà mûre») qui suggère l'objet, avant de le nommer («grenade»). Voici un autre exemple de cette méthode où la sensation précède la désignation, tiré du *Pitre châtié* (version définitive):

Hilare or de cymbale à des poings irrité,
Tout à coup le soleil frappe la nudité
Qui pure s'exhala de ma fraîcheur de nacre...

Évocation extraordinaire, par une apposition anticipée, de la lumière et de la chaleur du soleil qui sèche le corps d'un nageur. La radieuse vision est suggérée au moyen de l'image d'une cymbale frappée à coups redoublés par les poings du timbalier d'un orchestre. L'instrument disparaît dans un mirage doré, dans une explosion de lumière et de joie. Ce n'est qu'après le choc initial de cette sensation rendue que Mallarmé nomme l'objet qui a été suggéré, disant directement «tout à coup le soleil...» Puis, nouvelle juxtaposition du concret et de l'abstrait dans les mots: «frappe la nudité». Mais immédiatement la sensation intervient de nouveau avec la fraîcheur et la texture nacrée de la chair purifiée. Le premier état de ces vers est plus clair mais plus banal. Mallarmé y nomme les sensations, mais ne parvient pas à les suggérer avec la même intensité:

Le soleil du matin séchait mon corps nouveau
Et je sentais fraîchir loin de ta tyrannie
La neige des glaciers dans ma chair assainie...

La «mémorable crise» de 1866–7 n'avait pas aboli cette esthétique de la sensation: elle l'avait seulement approfondie. Certes, la terrible ascèse dont *Igitur* et *Hérodiade* portent la trace, et que tentent de décrire plus précisément les lettres magnifiques et si souvent citées, semble mener vers une abstraction meurtrière. Mais ici encore, à bien lire ces textes, on est frappé par le rôle prépondérant que jouent toujours la sensation, l'impression, l'image concrète, dans les tentatives de Mallarmé pour communiquer à ses amis son expérience, ou pour l'exprimer dans ses œuvres proprement littéraires. Mallarmé a beau prodiguer les termes techniques de la philosophie idéaliste allemande («jonglez-vous toujours», lui demanda Lefébure, «avec l'Absolu, l'Etre et le Néant qui sont vos couleuvres de poche?»),[7] ces concepts, il les sentait autant qu'il les pensait, en poète qu'il était. Dans les lettres racontant sa crise, il insiste inlassablement sur le rôle capital joué par la sensibilité dans son expérience métaphysique (*cf. Corr.*, I, pp. 241, 246). C'est à Villiers de l'Isle-Adam qu'il définit le plus nettement sa démarche fort originale:

> J'avais, à la faveur d'une grande sensibilité, compris la corrélation intime de la Poésie avec l'univers et, pour qu'elle fût pure, conçu le dessein de la sortir du Rêve et du Hasard et de la juxtaposer à la conception de l'Univers. Malheureusement, âme organisée simplement pour la jouissance poétique, je n'ai pu, dans la tâche préalable de cette conception, comme vous disposer d'un Esprit — et vous serez terrifié d'apprendre que je suis arrivé à l'Idée de l'Univers par la seule sensation (et que, par exemple, pour garder une notion ineffaçable du Néant pur, j'ai dû imposer à mon cerveau la sensation du vide absolu).
> (*Corr.*, I, p. 259)

Le but de cette ascèse était de parvenir à une impersonnalité totale, de devenir le «Moi pur» d'*Igitur*, «aux yeux nuls pareils au miroir», de cet «hôte, dénué de toute signification que de présence» (*OC*, p. 435). Mais ce miroir est capable de refléter l'univers tout entier. La destruction de la personnalité est la condition de la création d'un nouveau moi, pur, général, universel. «Je n'ai créé mon œuvre que par *élimination*», dit Mallarmé, «et toute vérité acquise ne naissait que de la perte d'une impression qui, ayant étincelé, s'était consumée et me permettait, grâce à ses ténèbres dégagées, d'avancer profondément dans la sensation des Ténèbres absolues. La destruction fut ma Béatrice» (*Corr.*, I, pp. 245–6). «C'est t'apprendre», dit-il encore, «que je suis maintenant impersonnel et non plus Stéphane que tu as connu, — mais une aptitude qu'a l'Univers spirituel à se voir et à se développer, à travers ce qui fut moi» (*ibid.*, p. 242). Il se proposait, dit-il enfin, de se «sentir un diamant qui réfléchit, mais n'est pas par lui-même» (*ibid.*, p. 249).

Le sonnet *Ses purs ongles...* reflète cette expérience, et montre comment Mallarmé sait rendre la sensation paradoxale du vide absolu que vient remplir la vision magique et musicale d'une constellation. Dans ce «Sonnet allégorique de lui-même», «le sens [...] est évoqué par un mirage interne des mots mêmes» (*ibid.*, p. 278). Tout en affirmant l'absence d'un objet d'ailleurs purement imaginaire, Mallarmé communique la sensation puissante de sa présence: «nul ptyx/Aboli bibelot d'inanité sonore». Ce «salon vide» devient ainsi un «creux néant musicien» où se fait entendre enfin la musique des sphères. L'évocation finale de la grande Ourse comme «De scintillations sitôt le septuor» suggère la double notion de l'éclat étincelant des étoiles et de leur ordonnance en constellation imposée par l'imagination créatrice de l'homme: car dans la musique aussi la note ou l'instrument individuels ne possèdent aucun sens en eux-mêmes: ce qui importe, ce sont leurs rapports et la structure ordonnée qui en résulte.

Mallarmé sortit de son épreuve avec la conviction que «les pensées partant du seul cerveau» manquent de résonance et sont éphémères. Rimbaud, en sortant de sa *Saison en Enfer*, espérait qu'il lui serait «loisible de posséder la vérité dans une âme et un corps».[8] Mallarmé exprime une conviction analogue, que la vérité, pour être plénière, suppose l'union intime de l'esprit et du corps. Il l'exprime par une métaphore admirable, tirée de la musique: «Je crois que pour être bien l'homme, *la nature en pensant*, il faut penser de tout son corps, ce qui donne une pensée pleine et à l'unisson comme ces cordes de violon vibrant immédiatement avec sa boîte de bois creux». Quant aux «pensées partant du seul cerveau», Mallarmé reconnaît en avoir abusé, et il déclare qu'elles lui «font maintenant l'effet d'airs joués sur la partie aiguë de la chanterelle dont le son ne réconforte pas dans la boîte, — qui passent et s'en vont sans se créer, sans laisser de traces d'elles» (*Corr.*, I, p. 249: c'est moi qui souligne).

La recherche de la pureté absolue de l'esprit ne fut alors pour

Mallarmé que le point de départ: il cherchait «l'Idée de l'Univers» à partir du «Néant pur». Mais après être «devenu le Néant», Mallarmé croyait devoir «subir [...] les développements absolument nécessaires pour que l'Univers retrouve, en ce moi, son identité» (*ibid.*, p. 242). L'Esprit et la Nature se réunissent dans l'Homme, qu'il définissait (on vient de le voir) «la nature en pensant». Il voulait devenir suprêmement conscient. Pour atteindre cette synthèse ultime, il lui fallait «reconstituer [son] *moi*», et c'est ce qu'il s'est mis patiemment à faire. Il avait confiance que «[son] rêve, [l]'ayant détruit [le] reconstruira[it]» (*Corr.*, I, pp. 288–99). «La première phase de ma vie a été finie», écrivit-il. «La conscience, excédée d'ombres, se réveille, lentement, formant un homme nouveau, et doit retrouver mon Rêve après la création de ce dernier. Cela durera quelques années pendant lesquelles j'ai à revivre la vie de l'humanité depuis son enfance et prenant conscience d'elle-même» (*ibid.*, p. 301).

Revenant à la vie, Mallarmé s'est ainsi «recréé» lui-même (*cf.* *OC*, p. 646). Il retrouve la santé du corps et de l'esprit, il devient cet exemplaire de l'humanité qu'admirait si profondément un cercle toujours grandissant de disciples et d'amis. Ce Mallarmé participait pleinement à la vie de Paris et se révélait également, à Valvins, un amateur passionné de la forêt et du fleuve. Jean-Pierre Richard a, ici encore, illuminé le centre de la recherche mallarméenne. «La jouissance immédiate de la vie», écrit-il, «devient ainsi pour [Mallarmé] le prix d'une véritable ascèse» (*op. cit.*, p. 602); et encore et surtout: «Le vrai bonheur mallarméen... n'est pas celui d'un vide en lequel le monde entier tendrait à disparaître; il n'est pas non plus celui d'une abstraction figée, ni d'une éternité sans forme ni saveur: c'est celui d'une vie qui jouit, en toute conscience, en tout savoir, de la seule grâce qui lui soit évidemment accordée, celle de vivre» (*op. cit.*, p. 601). J'ajouterais simplement que pour Mallarmé la vie humaine supposait comme son couronnement l'exercice souverain de l'imagination créatrice ou ordonnatrice.

Car il ne fait pas de doute que, pour Mallarmé, le but de l'art est de raffiner, de sublimer, de purifier le réel. Pour lui comme pour Flaubert, «la Réalité... ne doit être qu'un tremplin».[9] Mais pour l'un comme pour l'autre le réel est le point de départ indispensable. «Il faut beaucoup de réel pour faire un conte de fées», dit André Malraux, «mais il faut que ce réel y perde son poids».[10] Paul Valéry dit, fort justement (et ceci pourrait être la conclusion de notre Congrès) que «Le seul réel dans l'art, c'est l'art».[11] Mais si l'on se rappelle les antonymes du mot «réel» que j'ai cités au début, il est évident que l'art peut partir, soit de quelque chose dont l'existence est indubitable ou concevable, soit au contraire d'une chose purement illusoire ou fantastique. Le monde de Breughel n'est pas celui de Chardin. Or même les poèmes les plus énigmatiques de Mallarmé ressemblent bien plus aux natures mortes de Chardin qu'aux cauchemars apocalyptiques de Breughel ou de Bosch. Léonard de Vinci, avec ses «anges charmants» au «doux souris / Tout chargé de mystère», ou Rembrandt, avec son clair-obscur aux profondeurs insondables, offrent également des analogies: le réel le plus incontestable y subit une transmutation magique, une transposition dans un domaine de mystère et de magie suggestive. Le triptyque de sonnets, *Tout Orgueil...*, *Surgi de la croupe...*, et *Une dentelle s'abolit...* illustrerait admirablement la création du mystère à partir d'un intérieur très concret et très simple, où les objets évoqués, soit dans leur présence «réelle», soit dans leur virtualité idéale, sont comme suspendus sur le bord du néant, mais n'en acquièrement pas moins, et par là même, une existence d'autant plus émouvante qu'elle est plus précaire: «La fulgurante console», la «verrerie éphémère» où ne paraîtra jamais «Une rose dans les ténèbres» (mais comme elle existe puissamment, cette «absente de tous bouquets» !), et enfin, tiré d'une «absence éternelle de lit», l'espoir d'une naissance éventuelle, magique et musicale, lorsque les premiers rayons dorés du soleil levant éclairent le ventre comme gravide d'un instrument de musique:

Mais, chez qui du rêve se dore
Tristement dort une mandore
Au creux néant musicien

Telle que vers quelque fenêtre
Selon nul ventre que le sien,
Filial on aurait pu naître.

Tels sont quelques exemples de ce que Mallarmé appelle «la merveille de la transposition d'un fait de nature en sa presque disparition vibratoire, selon le jeu de la parole» (*OC*, p. 368). Sans m'arrêter ici sur les mots «sa presque disparition vibratoire», où la résonance musicale soutient encore l'objet en une existence qui, pour être idéale, n'en est pas moins perceptible aux sens, j'insiste sur la primauté du «fait de nature», du fait naturel, primauté qui se retrouve dans la phrase célèbre: «*La divine transposition*, pour l'accomplissement de quoi existe l'homme, *va du fait à l'idéal*» (*OC*, p. 522).

Mais nous voici devant notre troisième et dernière question: qu'est-ce que le réel? Car tout est là. Le «réel» est-il donné, une fois pour toutes, le même pour tous? Mallarmé ne le croit pas. Il dénonce le mythe naïf du positivisme simpliste qui postule une réalité unique. «Artifice que la *réalité*», dit-il, «bon à fixer l'intellect moyen entre les mirages d'un fait» (*OC*, p. 276). Le monde ne devient réel que par une prise de conscience humaine, dont la littérature, et surtout la poésie, est pour Mallarmé la plus haute expression. Le langage ordinaire n'atteint pas la réalité des choses, ce n'est qu'un moyen d'échange presque commercial, ou de «reportage», n'ayant qu'une «fonction de numéraire facile et représentatif» (*OC*, p. 368). La poésie rend au langage sa valeur intrinsèque, sa vertu créatrice, ce que Mallarmé appelle sa «virtualité». C'est pourquoi la poésie ne doit pas «nommer un objet», c'est-à-dire y coller une étiquette, mais le «suggérer», c'est-à-dire faire surgir dans l'esprit du lecteur la notion ou l'idée de l'objet en termes de «l'effet qu'il produit». Il s'agit de saisir les rapports entre les choses, de «simplifier le monde», «d'après quelque état intérieur et que l'on veuille à son gré étendre» (*OC*, p. 647). Flaubert avait déjà dit: «Il n'y a de vrai que les «rapports», c'est-à-dire la façon dont nous percevons les objets» (*Corr.*, VIII, p. 135). Proust, plus tard, proclama le même principe, récusant de même la notion d'une réalité unique et donnée sans la chercher, d'une réalité qui ne serait qu'une «espèce de déchet de l'expérience, à peu près identique pour chacun».[12] Il a montré avec force que pour chacun de nous la «réalité» est faite de «sensations multiples et différentes», et surtout d'un certain rapport entre les sensations et les souvenirs qui nous entourent simultanément, «rapport unique que l'écrivain doit retrouver pour en enchaîner à jamais dans sa phrase les deux termes différents», les enfermant «dans les anneaux nécessaires d'un beau style» (*ibid.*, III, p. 889). Pour Proust comme pour Mallarmé, le style est «la révélation [...] de la différence qualitative qu'il y a dans la façon dont nous apparaît le monde» (*ibid.*, III, p. 895). Mallarmé affirme que «la Littérature existe et, si l'on veut, seule, à l'exception de tout» (*OC*, p. 646). Proust ne fera que le suivre lorsque, approfondissant ainsi le problème de l'expression, il dira que «la vraie vie, la vie enfin découverte et éclaircie, la seule vie par conséquent réellement vécue, c'est la littérature» (*Corr.*, III, p. 895). Baudelaire avait dit: «La Poésie est ce qu'il y a de plus réel» (*OC*, p. 637).

Entouré par tous ces intercesseurs (dont, par ailleurs, il diffère beaucoup, cela va de soi), Mallarmé était moins paradoxal qu'il ne l'avait peut-être semblé, lorsqu'il fit deux de ses déclarations les plus oraculaires, qui seront ma conclusion. Et d'abord, sa définition de la poésie, dont on commence maintenant à voir la portée:

> La Poésie est l'expression, par le langage humain ramené à son rythme essentiel, du sens mystérieux des aspects de l'existence: elle doue ainsi d'authenticité notre séjour et constitue la seule tâche spirituelle.[13]

Et enfin, sa définition du «Livre» suprême:

> Tout, au monde, existe pour aboutir à un livre [...] l'hymne, harmonie et joie [...] des relations entre tout. (*OC*, p. 378.)

NOTES

[1] Texte d'une communication faite à Strasbourg le 30 août 1966, au Xe Congrès International de la Fédération Internationale des Langues et Littératures Modernes, et dont un résumé paraît dans les actes du Congrès (*Le Réel dans la littérature et dans la langue*, Actes [...] publiés par Paul Vernois, Klincksieck, Paris, 1967, p. 166).

[2] *Le «Livre» de Mallarmé* (Gallimard, Paris 1957), pp. 16–17.

[3] Stéphane Mallarmé, *Correspondance*, I (1862–71), éd. H. Mondor et J.-P. Richard (Gallimard 1959), p. 54. Désigné ci-dessous dans le texte par *Corr.*, I. — Le sigle *OC* dans le texte désigne pour Mallarmé les *Œuvres complètes*, éd. H. Mondor et G. Jean-Aubry (Gallimard, Pléiade 1961).

[4] E. A. Poe, *Œuvres en prose*, trad. Baudelaire (Gallimard, Pléiade 1961), p. 703 (Dédicace d'*Eurêka*).

[5] Baudelaire, *Œuvres complètes*. éd. Y-G. Le Dantec et Claude Pichois (Gallimard, Pléiade 1961), p. 345 (Dédicace des *Paradis artificiels*). Désigné également par le sigle *OC*.

[6] *L'Univers imaginaire de Mallarmé* (Editions du Seuil 1961).

[7] H. Mondor, *Eugène Lefébure, sa vie — ses lettres à Mallarmé* (Gallimard 1951), p. 221.

[8] *Œuvres complètes*, éd. Rolland de Renéville (Gallimard, Pléiade 1946), p. 230.

[9] *Correspondance* (*Supplément*), t. IV (Conard 1954), p. 52. Le tome VIII de la *Correspondance* est cité également ci-dessous d'après l'édition Conard.

[10] *Les Voix du Silence* (Gallimard 1951), p. 442 (cité par Robert).

[11] *Œuvres*, éd. J. Hytier (Gallimard, Pléiade 1957), t. I, p. 613.

[12] *A la Recherche...*, éd. P. Clarac et A. Ferré (Gallimard, Pléiade 1954), t. III, p. 890.

[13] S. Mallarmé, *Correspondance*, II, 1871–85, éd. H. Mondor et L.-J. Austin (Gallimard 1965), p. 266 et n.

LA NAISSANCE DE LA PHILOSOPHIE

par

JEAN BEAUFRET

LE titre ainsi proposé abrite une question. Nous nous interrogeons sur la naissance possible de la philosophie. Mais tout de suite, une autre question se pose: notre première question ne serait-elle pas une pseudo-question, comme celles de l'origine du langage ou de l'inégalité parmi les hommes? La philosophie en effet a-t-elle vraiment une naissance? Ou, comme le langage et peut-être l'inégalité, n'est-elle pas toujours déjà là, si loin que l'on remonte, et même un peu partout? En d'autres termes, n'y a-t-il pas des choses qui sont sans origine? Et la philosophie ne serait-elle pas l'une d'elles?

Si évidemment on nomme philosophie l'art de développer sur n'importe quel sujet des idées plus ou moins générales et généralement contradictoires entre elles, comme on en trouve dans les proverbes qui nous apprennent à la fois que l'habit ne fait pas le moine et que la plume fait l'oiseau, il est à présumer que la philosophie est aussi vieille que le monde, et que, depuis qu'il y a des hommes et qui pensent ou qui parlent, c'est immémorialement qu'ils ont dû commencer à philosopher. Mais si la philosophie n'est pas tout uniment l'exercice de la pensée, si elle est, comme le dira Hegel, une manière très particulière de penser, alors les choses pourraient bien en aller autrement. Il se pourrait que les hommes aient pensé, et même avec ampleur et profondeur, sans cependant avoir encore été des philosophes.

Cette deuxième possibilité, c'est elle qui passe au premier plan, dès que nous sommes attentifs au mot philosophie. Il est, dans notre langue, la transposition directe et littérale d'un mot grec. Cela n'a au premier abord rien d'original. La plupart des mots français viennent du grec ou du latin, ou du grec à travers le latin qui a lui-même beaucoup emprunté au grec. Mais ce qu'il y a ici de curieux, c'est que ce n'est pas seulement dans notre langue, mais dans toutes les langues que la philosophie s'appelle philosophie. Non pas seulement en anglais ou en allemand, en italien et en espagnol, mais tout aussi bien en russe, en arabe et sans doute en chinois. Et d'autre part même en grec, le mot *φιλοσοφία* n'a pas toujours existé. Précedé de l'adjectif *φιλόσοφος* que l'on trouve dans Héraclite vers le début du V° siècle, et du verbe *φιλοσοφεῖν* — on le trouve dans Hérodote, c'est-à-dire dans l'autre moitié du même siècle, il ne fait son entrée dans la langue qu'avec Platon, c'est-à-dire au IV° siècle. A cette époque, l'*Iliade* et l'*Odyssée* doivent bien avoir déjà cinq siècles. On a bien parlé et pensé dans l'intervalle, sans cependant philosopher. La philosophie, qu'il baptise comme telle, Platon la présente d'ailleurs comme une nouveauté originale. La chose se passe à la fin du *Phèdre*, où, sans prétendre à une *σοφία*, qui serait plutôt le langage des dieux que des hommes, les hommes apparaissent cependant capables de *φιλοσοφία*, c'est-à-dire capables sinon de posséder ce que dit le mot *σοφία* du moins de s'appliquer à en acquérir quelque chose, si les dieux le permettent, et sans pour autant devenir leur égal.

Mais que dit le mot *σοφία*? On le traduit ordinairement par *sagesse*, ce qui permet de traduire *φιλοσοφία* par *amour de la sagesse*. Nous voilà bien avancés, ou plutôt nous avons avancé de la Grèce jusqu'à Rome. Ce sont en effet les Romains, non les Grecs, qui ont opposé *sagesse* et *science*, l'unité des deux se retrouvant d'ailleurs dans le verbe *savoir* qui, bien que de la même famille que sagesse, signifie aussi la possession de la science. Quand on dit par exemple aujourd'hui un savant, c'est à un homme de science que l'on pense, et non pas à un sage. En réalité les Grecs sont très étrangers à la distinction de la *science* et de la *sagesse*, qu'une manie bien moderne est parfois d'opposer l'une à l'autre comme la *théorie* à la *pratique*. Rien n'est plus antigrec que cette opposition. La théorie, au sens grec, n'est nullement opposée à la pratique ou, comme on dit en reprenant de l'allemand de Marx un mot qui n'y était qu'un décalque du grec, à la *Praxis*. Autrement dit, les Grecs n'étaient nullement les hommes de la Théorie contre la

Praxis, mais bien plutôt ceux pour qui la Théorie était la plus haute Praxis — la théorie ne signifiant pas pour eux qu'ils étaient cantonnés dans des occupations «purement théoriques», mais qu'ils avaient vraiment en vue, et comme leur faisant face, ce qui était proprement en question ou ce à quoi ils avaient *affaire*. *θεωρεῖν*, dans leur langue, c'était la manière la plus haute d'être au fait, d'avoir, pour ainsi dire, les yeux fixés sur l'essentiel, et nullement de se réfugier dans le monde des spéculations — mot latin et non grec — pour échapper aux dures nécessités de la pratique. Autrement allez comprendre que, pour Platon, l'homme libre avait non pas *une*, mais *deux* occupations essentielles: la philosophie *et* la politique, telle qu'elle sera, pour Marx, le sommet même de la Praxis! Et que le même Platon ait pu donner à son dialogue philosophique le plus long et le plus soutenu le titre de *Politique*, latinisé en français sous le nom de *République*.

Mais alors, pour Platon, le philosophe est essentiellement un politicien? Bien sûr; et quel politicien: un vrai communiste! Il ne s'agit sans doute pas encore, comme pour Marx, de la socialisation des instruments de production, mais de la relégation de la production en bas de l'échelle, où elle fonctionne cependant socialement grâce à la pression du supérieur sur l'inférieur, c'est-à-dire du politique sur l'économique, d'où résultera que, si le sol n'est pas cultivé en commun, il l'est cependant dans la pensée que le lot attribué à chacun lui est commun avec l'Etat tout entier, ce qui suppose que les producteurs soient à l'abri aussi bien de la richesse que de la pauvreté. Mais, au dessus de ce niveau, tout devient expressément commun, même les femmes, aussi bien chez les gardiens de l'Etat que, plus haut encore, chez ceux qui, hommes et femmes (car Platon est aussi féministe à ses heures), sélectionnés dans toutes les classes en vue du savoir, c'est-à-dire en vue de la philosophie, consacreront à tour de rôle leur peine aux affaires politiques et prendront successivement la barre dans la seule vue du bien public, non comme on reçoit un honneur, mais comme on s'acquitte d'une tâche, un des aspects essentiels de cette tâche étant, pour les gouvernants, le choix et la formation de leurs successeurs. Tel était le fameux *Etat* de Platon, dont la structure inusitée fera dire à Aristote de son maître qu'il le fait penser à quelqu'un qui confondrait à tous coups «symphonie et unisson, rythme et pas cadencé». Mais enfin, pour Platon, comme le disait très bien M. Léon Robin au temps de mes études «être philosophe ou être homme d'Etat, c'est tout un».

Il est donc clair que pour les Grecs aucune barrière ne vient séparer la théorie de la pratique. Si le privilège des dieux est d'être exempts de la seconde, chez les hommes en revanche, de l'une à l'autre, le courant ne cesse de passer, et ceci à tous les niveaux. Mais le propre de la pratique humaine est de s'établir à un niveau *théorique* dont est bien heureusement préservée la nature animale. C'est pourquoi, disait Sophocle:

> Si multiple est partout ce qui répand le trouble
> Rien de plus étonnant que l'homme ne se dresse.

Cette percée de l'homme dans le monde est-elle cependant spécifiquement grecque? L'homme n'y a-t-il pas percé un peu partout, avant la Grèce et en dehors d'elle? Ou faut-il dire qu'il a *autrement* et peut-être *mieux* percé en Grèce que partout ailleurs? C'était la pensée de Hegel, dans le contraste qu'il établissait, au cours de ses leçons sur l'*Esthétique*, entre la Grèce et l'Egypte, où la percée de l'homme n'avait encore donné lieu qu'à l'apparition de l'*énigme*, symbolisée par le *Sphinx*. Dans le mythe grec au contraire, ajoute-t-il, le Sphinx est lui-même interprété comme le monstre posant des énigmes:

> ...on sait la question énigmatique qu'il avait posée: quel est l'animal qui marche le matin sur quatre pattes, à midi sur deux, et sur trois le soir. Œdipe trouva le mot de cette énigme en disant que c'était *l'homme*, et précipita le Sphinx au bas du rocher.

A la réponse d'Œdipe, fait écho le *connais-toi*, que Socrate, bien plus tard, lisait méditativement sur l'inscription de Delphes. Ce n'était pas, à son sens, un conseil, mais un salut, *ἀντὶ τοῦ χαῖρε*, «à la place du simple bonjour». Au lieu de: «porte-toi bien» le dieu dit de plus haut: «sache te connaître» et par là «deviens qui tu es», à savoir un homme. Mais qu'est-ce qu'être un homme? Comment devenir tel? Un homme, c'était, par exemple, aux yeux de Platon, Périclès, dont la parole savait si bien «prendre de la hauteur» dans son «libre envol» sans cependant se perdre dans les nuages. C'était non moins, par opposition à Lysias, Isocrate. Mais pourquoi? Parce que, explique Socrate à Phèdre dans le dialogue qui porte ce nom, «il y a, de nature, comme une sorte de *philosophie* dans la pensée d'un tel homme». Si l'homme est homme, c'est donc par cette énigmatique «philosophie». La question: qu'est-ce que l'homme? nous renvoie donc à la question: qu'est-ce que la philosophie? L'homme ne *perce* vraiment comme homme que par la *percée*, en lui, de la philosophie!

Qu'est-ce donc que la philosophie, qui fait ainsi aux yeux d'un Grec du IVe siècle, l'humanité même de l'homme? Avons-nous une définition de la *parole* philosophique, car il s'agit bien d'une parole, celle qui sait si bien, nous l'avons vu, s'élever au dessus du terre à terre et prendre de la hauteur sans cependant se perdre dans les nuages? En avons-nous une définition proprement grecque? Oui. Mais cette définition, nous la tenons moins de Platon que de son disciple Aristote. Il y a, dit-il, un certain savoir — disons une certaine optique — qui, *d'ensemble, prend en vue l'étant par où il est.* Etre capable d'une telle optique, c'est être philosophe. Mais comment entendre cette définition si sobre de la philosophie: «d'ensemble, prendre en vue l'étant par où il est»? *D'ensemble,* — en grec *καθόλου*, d'où vient notre mot catholique. L'*étant*: cet emploi du participe présent est, en français, aussi inusuel qu'il est fréquent au contraire en allemand: *das Seiende* — ou en anglais: *a being.* L'*étant,* c'est n'importe quoi qui est — une montagne ou un animal, cette montre-ci, chacun de nous, un fleuve ou un caillou, l'obélisque de la Concorde etc.... Mais il s'agit de le prendre en vue *par où* il est. Ici nous restons en suspens. Comment en effet le prendre en vue autrement? Que peut faire d'autre l'étant que d'être? Prendre en vue l'étant, n'est-ce pas, de toute nécessité, le prendre en vue *par où il est*? La chose, à vrai dire, n'est pas si simple. On peut en effet être face à l'étant ou aux prises avec lui sans nécessairement le prendre en vue par où il est. L'étant, on peut en effet le manger ou le boire, s'asseoir dessus, s'habiller avec, se loger dedans, le décrire ou le raconter, et même attendre de lui, si on le prend à un niveau suffisant, le salut éternel de son âme. Mais est-ce pour autant le prendre en vue *par où* il est? Autrement dit, l'aborder selon la dimension de son *être*? Ou, au contraire, un tel abordage de l'étant ne suppose-t-il pas beaucoup plus de recul devant lui? Ne suppose-t-il pas qu'on le laisse d'abord à lui-même, de telle sorte qu'il apparaisse *lui*, en ce qu'il est et comme il est, la parole ayant alors pour tâche de nommer, dit Aristote, «ce que lui était être», avant même qu'il se soit concrétisé devant nous en telle ou telle figure familière: cet homme, ce chien, ce livre, cette maison, cet arbre? Autrement dit, dans la Grèce du V° siècle, s'est produit un pivotement.

Notre question n'est plus celle d'un certain étant comme montagne, comme maison, comme arbre, au sens où nous avons à gravir une montagne, où il nous revient d'habiter une maison, où nous nous affairons à planter un arbre. Elle est celle, au contraire, de la montagne, de la maison, de l'arbre comme *étant*, pour ne plus prendre en vue que ceci, à savoir ce qui se tient en retrait dans le mot *étant*, qu'il s'agisse de la montagne, de l'arbre ou de la maison.

Ainsi parlait, il y a quelques années, Heidegger, l'essentiel étant de bien voir qu'*étant* n'est plus ici une *qualité* que l'on puisse *englober* dans une définition de la maison, comme quand on dit par exemple qu'une maison est une *construction* que l'on peut occuper bourgeoisement, ou qu'un arbre est un *végétal* comportant des racines, un tronc et des branches. Sans doute, toute construction n'est pas maison, tout végétal n'est pas arbre; construction et végétal, c'est quelque chose de plus général qu'arbre ou que maison. Mais *être* est encore au delà de ce qui n'est que général. Où donc réside l'être? Ni au premier plan de ce qui est, comme quand je dis: cet arbre est en fleur, ni à l'arrière-plan comme quand je dis: c'est un pommier. Mais dans la proximité beaucoup plus insolite dans laquelle l'arbre apparaît devant moi pour simplement s'y laisser voir comme celui qu'il est. En d'autres termes, la question ne s'interroge ici ni sur un *premier plan*, ni sur un *arrière plan* mais sur le *plan* lui-même, qui porte aussi bien l'un que l'autre sans s'identifier pourtant à aucun des deux, et, qui, de ce fait demeure en retrait dans l'un aussi bien que dans l'autre.

Voilà, dira-t-on peut-être, trop de subtilités. Or c'est précisément de ces subtilités que les Grecs se sont avisés de faire une question fondamentale, et c'est le déploiement de cette question qu'ils ont nommée philosophie. Ils ne se sont laissé provoquer aux questions que sous la puissance et l'urgence d'une question unique, à savoir la question de l'être. C'est ce qui, bien avant Platon et Aristote, éclate déjà dans la parole de ceux que l'érudition moderne a nommés, non sans quelque dédain, Présocratiques, au sens où l'on dit Précolombiens, Préraphaélites ou Préhominiens. Autant dire, bien sûr, que Ronsard est un prémalherbien et Victor Hugo un prémallarméen. Qui n'est pas, relativement à quelque autre, dans la situation que dit le préfixe *Pré-* ? Le tout est évidemment de savoir si ce *Pré-* n'est qu'un *pas encore*, s'il est le *Pré-* d'un primitivisme encore fruste, ou au contraire celui du précurseur, autrement dit de l'initiateur qui ouvre la voie avec une soudaineté et une désinvolture à jamais dépassante, bien que provisoirement méconnue par ceux qui lui font suite. Après tout, Aristote lui-même n'était pas loin de traiter de *Présocratiques* ceux qui le précédèrent, lorsqu'il les présentait comme n'ayant fait encore, dit-il, que «balbutier». Mais enfin, Aristote lui-même n'est peut-être pas clairvoyant sur ce point. Tout ceci n'est pas là pour dire que ce qui est avant est normalement plus parfait que ce qui vient ensuite et qui n'en serait que la décadence, comme il est parfois de mode de le dire, mais que, dans l'usage que l'on fait des notions antagonistes de *progrès* et de *décadence*, peut-être faudrait-il apporter un peu plus de circonspection qu'il n'est de coutume de le faire.

Pour revenir aux *Présocratiques* qui ne sont nullement des primitifs dans le domaine de la pensée, je vous proposerais que nous lisions ensemble le Fragment 18 d'Héraclite. On peut le traduire ainsi:

Qui pour lui-même n'espère pas l'inespéré, il ne trouvera pas: c'est introuvable autant qu'inaccessible.

Trouvables et accessibles ne sont en effet jamais que les qualités que présente l'étant, soit en premier plan, soit en arrière plan. Introuvable au contraire est le plan qui les porte aussi bien l'un que l'autre. Il faut donc que l'espérance ou l'attente se porte au delà de ce à quoi on peut s'attendre, quelque circonspect que l'on soit, pour qu'advienne l'Inattendu, le *est* lui-même qui règne secrètement dans toute présence de l'étant. Mais comment nommer ce dont nous sommes ainsi plus profondément *visités* que par le fait que tel étant se présente comme tel ou tel? Cette porte-ci, par exemple, comme ouverte ou fermée, ou cet homme que voici comme bienvenu ou importun? Son «inattendu», Héraclite le nomme à vrai dire de *plusieurs* manières dont l'une est le mot grec *κόσμος*. Il dit par exemple:

Ce cosmos que je dis, en tant qu'il est le même pour tous, aucun des dieux pas plus qu'aucun des hommes ne l'a produit, mais, toujours il était déjà, lui qui est et sera; feu sans cesse vivant, il s'allume et s'éteint en gardant la mesure. (Fragment 30.)

Parlant ainsi, que dit au juste Héraclite? Rien ne nous éloigne plus de sa parole que la traduction courante de *κόσμος* par *monde*. Héraclite nous dirait alors que le Grand Tout du monde est antérieur aux dieux et aux hommes, qui ne seraient eux-mêmes que des détails dans le grand Tout. Mais la traduction de *κόσμος* par monde, ou par univers, nous porte aux antipodes de la parole d'Héraclite. *Κόσμος* évoque bien plutôt un arrangement, une disposition des choses dont on parle. Non pas cependant n'importe laquelle. Il s'agit d'une disposition grâce à laquelle elles apparaissent au comble de leur éclat. C'est bien pourquoi, dans Homère, le mot signifie *parure*, le propre de la *parure* n'étant pas seulement de briller par elle-même, mais surtout de mettre en valeur celui ou celle qui porte la parure. La parure brille moins pour elle-même que pour autre chose.

La très chère était nue, et connaissant mon cœur,
Elle n'avait gardé que ses bijoux sonores
Dont le riche attirail lui donnait l'air vainqueur
Qu'ont dans leurs jours heureux les esclaves des Maures.

Ici nous avons, avec la poésie de Baudelaire, le *κόσμος* à l'état pur, qui n'est évidemment pas celui des cosmonautes, mais qui est au plus proche du *κόσμος* d'Héraclite, bien que ce dernier, loin de s'ajouter du dehors à ce qu'il fait paraître au comble de son éclat, lui soit essentiel, au point que, sans lui, plus rien n'apparaîtrait. Mais quel est donc ce joyau primordial qui étincelle en tout et d'où tout étincelle? Il est l'identité secrète de ce que les esprits faibles s'évertuent au contraire à séparer et à opposer comme incompatibles: «Jour-nuit, guerre-paix, hiver-été, abondance-disette» (Fragment 67). Le joyau, la parure, le *κόσμος*, c'est l'ajointement antagoniste de toutes choses, grâce auquel elles ressemblent secrètement à l'arc, qui ne *propulse* la flèche que par le *retrait* de la corde, ou à la lyre qui ne résonne qu'en vibrant. Même les dieux tiennent de là leur divinité:

Si ce n'était pour Dionysos qu'ils déploient le cortège et qu'ils chantent l'hymne phallique, ils ne pourraient s'y prendre avec plus d'impudeur. Mais ils sont le Même, Hadès et Dionysos, à qui va leur délire quand bat son plein la fête du pressoir. (Fragment 15.)

Ils sont le Même, Hadès et Dionysos — Hadès, le maître de *ceux d'en dessous*, dit, dans l'Iliade, Homère, qui, le jour du Partage de tout, «a eu pour lot l'ombre brumeuse» (XV, 187 sqq.), et Dionysos, peu connu d'Homère, mais dont les vivants réclament la manifestation, le dieu qui donne la joie de vivre telle que la célèbre le dernier chœur d'Antigone. Ici, l'identité des contrastes culmine en un sommet que taisait encore le fragment que nous lisions tout à l'heure, vu qu'il ne proclamait l'identité que pour le *jour-nuit, la guerre-paix, l'hiver-été, l'abondance-disette*. Voilà qu'elle est maintenant l'Identité de la vie et de la mort. D'où le Fragment 58:

Même est, là dedans, ce qui vit et ce qui est mort, l'éveillé et l'endormi, le jeune et le vieux; partout l'un est le virage de l'autre qui une fois là retourne au premier.

Tel est le *plan* fondamental qui, hors de quoi que ce soit qui puisse se concrétiser en un étant, les fait *tous* apparaître et les porte *tous*, avec leurs *premiers plans* et leurs *arrière plans*. Le *κόσμος* d'Héraclite n'est rien qui puisse être *insularisé* dans l'étant. Il est l'ajointement secret de ce qui ne diffère qu'unitivement, la folie des hommes étant au contraire de séparer les deux côtés de l'Un en ne s'attachant qu'à l'un des deux pour en être aussitôt délogés par l'autre.

Ainsi vont-ils ça et là,
Sourds qu'ils sont et non moins aveugles, ébahis, races indécises,
Dont le lot est de dire aussi bien: «c'est» que «ce n'est pas», «c'est même» et «ce n'est pas du tout même»,
Tous tant qu'ils sont, ils n'avancent jamais qu'en rebroussant chemin.

Cette fois, ce n'est plus la parole d'Héraclite, mais celle de Parménide, qu'une tradition plus que bimillénaire oppose à la parole d'Héraclite, mais qui, vers la même époque, bien qu'à l'autre bout du monde grec, lui répond sans le savoir, disant aussi en une autre guise l'unité du Même dans l'Autre, dont le règne est celui du *κόσμος*.

Le *κόσμος* d'Héraclite et de Parménide qui, avons-nous dit, n'est pas le «grand Tout», mais l'étincellement partout de la merveille d'être ou, si l'on veut, du diadème de l'être, et ceci, dira Aristote, jusque dans les choses les plus infimes, c'est encore la poésie de Baudelaire qui lui fait écho, lorsqu'enfin Baudelaire écrit:

> Mais les bijoux perdus de l'antique Palmyre
> Les métaux inconnus, les perles de la mer,
> Montés par votre main ne pourraient pas suffire
> A ce beau diadème éblouissant et clair...

Au cœur du paysage de ce que nous avons nommé l'*étant* s'ouvre en secret un autre paysage qui est celui de l'*être*, d'où seulement le premier prend figure. Le paysage de l'être, dans son inapparence, est le *κόσμος*, le *diadème* qui ne cesse de transparaître partout, dès que devant nous quoi que ce soit se manifeste comme il est. Toute la pensée d'Héraclite et de Parménide est celle du double paysage dont le plus secret porte le plus manifeste en se déployant en lui, mais à la mesure de la discrétion qui convient au secret de l'inapparent. Heidegger disait un jour:

> Quand, dans la jeunesse de l'année, les prairies couvrent de leur vert la campagne, alors, dans l'apparition des vertes prairies, c'est l'être même de la nature qui se déploie, s'est son règne qui étincelle. Mais ce n'est pourtant qu'à travers les prairies verdoyantes que nous portons nos pas, sans que jamais la nature elle-même se produise à nos yeux comme étant la nature. Et même là où nous pressentons l'être de la nature, même là où nous commençons à nous représenter ce que nous pressentons, même si nous nous en faisons un concept, l'être de la nature se maintient à l'abri dans le secret qui lui est propre.

Ces lignes, il les écrivait en écho à un distique d'Angélus Silésius, qu'avant lui célébrèrent, chacun à sa façon, Leibniz et Hegel:

La rose est sans pourquoi; elle fleurit d'être en sa fleur,
Insoucieuse d'elle-même, sans demander si on la voit

La floraison de la rose qui n'est aucune des roses en fleur, mais d'où seulement chacune advient à ce qu'elle est, et qui, dès lors, nous les donne toutes sans s'identifier à aucune, c'est à quoi savait répondre, à l'aube de notre monde, une pensée plus matinale que la nôtre et qui fut celle des plus matinaux des penseurs de la Grèce. Peut-être est-il permis ici de se demander si leur parole, du fond de l'oubli qui est devenu son séjour, n'a pas dit ce qui était à dire avec plus d'ampleur et de profondeur que n'en peut comporter l'exactitude des sciences, y compris, en l'espèce, celle de la botanique.

Comprenons bien ici l'extraordinaire différence qui sépare la nouvelle parole, celle d'Héraclite et de Parménide, de l'antique parole qui, bien avant eux, fut celle des poètes, celle surtout de cet initiateur de la parole poétique que fut Homère. Nous pouvons dire que la nouvelle parole s'attache expressément à dire ce à l'intérieur de quoi seulement les poètes voyaient ce qu'ils nommaient, mais sans jamais le dire comme tel. Homère voit bien *dans* le *κόσμος*, mais il ne le voit pas *comme κόσμος*, car le voir comme *κόσμος*, cela ne commence qu'avec Héraclite ou avec Parménide, à la faveur, disions-nous, d'un *pivotement* tel que le regard ne va plus tout droit, *καταντικρύ*, dira Platon, à ce qui apparaît, mais bien au mode d'apparition de ce qui apparaît. C'est de là que sort toute la philosophie. Elle prend naissance de ce regard fixé sur le mode d'apparaître de l'apparaissant, qu'il détermine d'abord selon la détermination qui convient à un tel mode d'apparaître, c'est-à-dire, au sens grec, à un tel mode d'être, à savoir selon la merveilleuse apesanteur du *verbe*, et non selon la détermination plus massive qui convient à la fixation de l'apparaissant, à savoir celle du *nom*. D'où le goût singulier des penseurs grecs pour ce que les grammairiens nommeront bien plus tard le mode *participe*. Le participe — étant, chantant, vivant, marchant — est en effet un *nom* et un *verbe* à la fois. Mais ce qu'il nomme, c'est à partir du verbe qu'il le nomme. Il s'agit donc d'une dénomination à dominante verbale. En ce sens, l'étant, en grec *τὸ ὄν*, est moins le *singulier* du pluriel: les étants (*τὰ ὄντα*) qu'il ne dit, d'un bout à l'autre des étants, la singularité d'être dans ce qu'elle a d'unique. Cette double participation, au nominal et au verbal, de ce qui est à penser, mais avec prédominance du verbal sur le nominal, et qui prend son essor de ce verbe des verbes qu'est le verbe *être*, telle fut peut-être la plus ailée des pensées que formèrent les Grecs. Elle détermine alors une scission de la parole qui est peut-être unique au monde. Jusque là, la parole pouvait être plus ou moins superficielle ou profonde, chantante ou narrative, approximative ou exacte, novice ou experte, comme elle l'est restée partout où l'humanité est restée elle-même à l'abri du coup d'envoi grec. Elle n'avait pas atteint ce dédoublement auquel elle atteint seulement lorsque les Grecs devinrent ceux à qui la langue fut déliée pour une toute autre parole que celle que parlaient leurs poètes.

Pour mieux nous expliquer, prenons ici un exemple. Nous allons rapprocher deux paroles qui pourtant se firent entendre presque en même temps. La première est celle de Tchouang-tsé, qui fut, dans l'ancienne Chine, l'un des continuateurs de Lao-tsé, et qui vivait à peu près au temps où, en Grèce, vivait Platon. Voici un texte de Tchouang-tsé, tel que j'ai pu en traduire quelque chose, non pas, bien sûr, à partir du chinois, mais sur la base d'une traduction allemande et d'une traduction française. Nous pouvons l'intituler:

L'ARBRE INUTILE

HUI-TSE, s'adressant à TCHOUANG-TSE, lui dit: «J'ai, dans mon bien, un arbre de grande taille. Son tronc est si noueux et si tordu qu'on ne peut pas le scier correctement. Ses branches sont si voûtées et vont tellement de travers qu'on ne peut pas les travailler d'après le compas et l'équerre. Il est là au bord du chemin, mais aucun charpentier ne le regarde. Telles sont vos paroles, ô maître, grandes et inutilisables, et tout le monde se détourne unanimement de vous.»

TCHOUANG-TSE dit à son tour: «N'avez-vous jamais vu une martre qui, s'aplatissant, est aux aguets en attendant que quelque chose arrive? Elle va sautant de place en place et n'a pas peur de sauter trop haut jusqu'à ce qu'elle tombe dans un piège ou se laisse prendre au lacet. Mais il y a encore le yack. Il est aussi grand qu'une nuée d'orage. Il se dresse, considérable. Seulement, il n'est même pas capable d'attraper des souris. Vous avez, dites-vous, un arbre de grande taille et déplorez qu'il ne serve à rien. Pourquoi ne le plantez-vous pas dans une lande déserte ou au beau milieu d'une terre vacante? Alors vous pourriez rôder oisivement autour ou, n'ayant rien à faire, dormir sous ses branches. Aucune scie, aucune hache ne sont là pour le menacer d'une fin prématurée, et nul ne saurait lui porter dommage.

Que quelque chose ne serve à rien, en quoi faut-il vraiment s'en mettre en peine?»

Voilà une page qui, à coup sûr, donne à penser, et c'est bien pourquoi, sans doute, elle nous fut transmise. Mais est-ce une page de philosophie? Ou au contraire, issue de cet autre monde que nous est la Chine, donne-t-elle à penser sans nullement nous inviter à philosopher? Nous sommes en tous cas très loin de l'entreprise de ce contemporain de notre Chinois que fut Platon, et qui dans le *Sophiste* — c'est le titre du dialogue — après avoir rattaché à l'*être*, pris, dit-il, comme «faisant le plus escorte à tout», quatre déterminations qui lui font à leur tour escorte, mais en s'opposant deux à deux: la Station et le Mouvement, le Même et l'Autre, cherche à discerner quelles associations ou quelles combinaisons sont possibles entre ces cinq figures. Dès lors s'ouvre panoramiquement tout un jeu de passages et d'impasses, l'un des passages fondamentaux étant que l'*être* lui-même peut s'entendre avec l'*autre* jusqu'à se présenter comme autre qu'il n'est, si bien que s'attacher à l'être, c'est être sans cesse exposé au risque de l'erreur. Il n'y a d'erreur possible qu'au pays de l'être vu qu'il est aussi le pays de l'autre, que ce soit le fragile qui se donne pour solide quand une trop mince couche de glace recouvre la surface de l'eau, ou le chemin qui apparaît comme viable alors qu'il est obstrué plus loin par un éboulement encore hors de vue. Rien n'est plus grec que cette interprétation de l'erreur. Il est facile de dire avec Descartes que tout est de notre faute et que c'est *nous* qui *nous* trompons. Mais il est plus grec de dire qu'il nous arrive souvent d'être trompés par une ambiguïté qui fait partie de la présence des choses. Est-il bon? Est-il méchant? se demande Diderot jusqu'à en faire le titre d'une comédie. Comment le savoir au juste sans sortir de l'indistinction relative qui tient à l'affinité platonicienne de l'être pour l'autre. Autour de nous foisonnent les professionnels de l'infaillibilité. Les Grecs, à la naissance de leur pensée, étaient moins arrogants. C'est bien pourquoi, après les catastrophes et même après les crimes, ils étaient généralement plus enclins à plaindre des victimes qu'à distribuer des culpabilités rétrospectives, ce qui ne les rendaient d'ailleurs pas plus indulgents. Mais rien ne leur était plus étranger que ce que Nietzsche nommera bien plus tard l'«esprit de ressentiment».

Cela n'est, bien sûr, qu'une parenthèse. L'essentiel est de voir qu'avec Platon, nous sommes dans un tout autre monde que celui d'où nous parvient, pourtant si présente, la parole de Tchouang-tsé. Avant donc de parler de «philosophie chinoise», comme on le fait si couramment, il faudrait peut-être se demander: qu'est-ce au juste que la philosophie? Il se pourrait même que *les* pensées de Mao-tsé-toung soient aujourd'hui beaucoup moins *philosophiques* que *la* pensée de Marx, telle qu'elle est portée par l'interprétation hégelienne, c'est-à-dire *dialectique*, de l'être. Elles n'en sont pas pour autant dénuées de sens, ni même de profondeur. Elles viennent simplement d'un monde où la philosophie, loin d'y avoir pris naissance, a été exportée *très tardivement* sous l'une de ses formes elle même *tardive*, à savoir sous la forme du matérialisme dialectique. Il n'y a d'ailleurs pas que le marxisme qui ait été exporté en Chine. Elle a non moins reçu par exportation l'extraordinaire conjonction du *savoir* et de la *puissance* telle que, voilà trois cents ans, elle avait été formulée presque en même temps, en latin par Bacon et en français par Descartes. Devenir par la science «maîtres et possesseurs de la nature», c'était un programme bien étranger à la philosophie grecque, bien que ce soit peut-être seulement sur la base du virage grec de la pensée en philosophie qu'un tel programme ait pu ultérieurement se formuler, et sa réalisation se déchaîner d'un bout à l'autre du monde — déchaînement dont nous ne vivons que l'extrême début. Car ce que les Grecs ont mis en route il y a déjà plus de deux millénaires, peut-être est-ce l'origine radicale de ce dont aujourd'hui nous sommes universellement saisis, à savoir la transformation croissante de notre monde en un monde de la technique. L'avènement de la technique au sens moderne ne va nullement de soi, et c'est peut-être se contenter à peu de frais que de n'en faire, avec pourtant l'un des plus grands savants de notre temps, le physicien

Werner Heisenberg, qui a si bien ébranlé le monde de la physique avec ses «relations d'incertitude» — qu'un «*évènement biologique à grande échelle*» comme il dit — analogue sans doute à ce que fut, vers le début des temps historiques, cette énigmatique «migration des harengs dans les mers du sud» avec laquelle commença l'histoire — d'après, du moins, la chronologie qu'on m'avait mise entre les mains, un jour où, candidat à l'Ecole Normale, j'étais prié de disserter en six heures sur la question d'Orient entre 1854 et 1914 — Six heures, c'était long, d'autant plus que la chronologie s'arrêtait vers 1870. C'est ainsi que je sais la première date de l'histoire.

Mais enfin nous voilà aussi bien dans un sens que dans l'autre — celui de la migration des harengs ou celui de la technique moderne — bien loin de la philosophie à sa naissance. Revenons-y encore une fois, mais cette fois pour essayer de faire apparaître la transformation que subit, avec Platon et Aristote, la pensée plus matinale d'Héraclite et de Parménide, qui, si l'on veut, n'est pas encore philosophie, dans la mesure où *philosophie*, c'est le nom par lequel Platon et Aristote désignent leur propre entreprise, qu'à leurs yeux leurs prédécesseurs n'avaient fait qu'ébaucher d'une manière encore balbutiante.

La philosophie, dit Aristote, c'est l'étude de l'étant par où il est, autrement dit de l'étant dans son être. Telle était bien, nous l'avons vu, l'entreprise des premiers penseurs grecs, celle par laquelle leur parole se scinda de celle des poètes, en s'appliquant à dégager ce à l'intérieur de quoi les poètes eux-mêmes voyaient ce qu'ils disaient, sans cependant le voir ni le dire comme tel. Il s'agissait donc essentiellement de dire ce que l'on peut bien voir grâce à la mise en place de l'adverbe *par où* devant le mot *étant*. D'où: prendre en vue, dans son ensemble, l'étant par où il est. C'est en ce sens que Platon a pu dire que, bien avant lui, «quelque chose comme une bataille de géants avait fait rage à propos de l'être». Ainsi a ppart-il à Héraclite comme *κόσμος*, et ceci antérieurement aux dieux mêmes, puisque c'est au *κόσμος* que Dionysos lui-même doit sa divinité, qui est son identité secrète avec Hadès. Sans le *κόσμος*, sans le *joyau* d'une telle identité, Dionysos lui-même ne serait qu'un prête-nom pour l'orgie la plus impudique. C'est par le *κόσμος* en lui qu'il est dieu, vie et mort à la fois et par là immortel. Du *κόσμος*, Héraclite dit, nous l'avons vu, qu'il est le même pour tous et pour tout. Il le dit aussi *commun* à tout: *ξυνός*. *Commun* ne dit pas ici quelque chose de commun, c'est-à-dire de banal, mais ce qui rassemble le tout et l'ajointe unitivement. Quand on parle aujourd'hui du bien *commun*, ou quand on nomme *Commune* ce qui n'est par ailleurs que la plus petite organisation territoriale, ou quand l'Eglise se proclame *Communauté* des fidèles, le mot garde encore quelque-chose de sa vigeur native. Le *commun* est ainsi ce qu'il y a de plus rare, et vraiment le joyau d'où tout étincelle, y compris le dieu même au comble de sa divinité. Mais le mot dit aussi son propre contraire. Il dit ce qui, *à égalité*, appartient à plusieurs. Commune est en ce sens l'espèce dont relèvent plusieurs individus, commun le genre dont relèvent plusieurs espèces. Tous les carrés ont «en commun» d'être des rectangles dont deux côtés consécutifs sont égaux. Plus on remonte et plus le commun s'appauvrit. C'était d'abord un cheval, puis ce n'est plus qu'un animal, et voilà que l'animal à son tour se réduit à un simple vivant. Mais que peut-il y avoir de plus commun à tout ce qui est que d'être? C'est par ce superlatif qu'Aristote, finalement définit l'être. Il est, à la limite, une espèce de rien ou un presque rien qui demeure cependant à la base de tout sans faire signe encore vers quoi que ce soit: «pris dans sa nudité, être ou non n'est l'indice de rien à quoi nous puissions avoir affaire; par lui-même il n'est rien». Ce rien sans doute n'est pas rien du tout. Il recèle en lui une richesse secrète, mais, de lui, on ne peut pourtant faire sortir autre chose que ce que l'on peut énoncer de n'importe quoi.

C'est pourquoi, semble se dire à lui-même Aristote, nous n'irions pas loin au pays de l'être si nous n'avions que la pensée de l'être comme commun à tout, si nous n'en avions pas une toute autre pensée, à savoir la pensée de l'être comme étant aussi le *divin*. Voilà donc le divin entré dans la philosophie, à égalité avec l'être dont il est devenu l'autre nom. Tout cela, semble-t-il, est bien insolite. Comment l'être peut-il se laisser déterminer à la fois comme ce qu'il peut y avoir de plus *commun* à tout et comme ce qui est le plus *séparé* du reste? S'ouvrir d'un côté à une communauté encore plus vaste que celle du genre, et de l'autre être un genre en amont d'autres genres qui s'étagent au-dessous de lui jusqu'au voisinage du rien? Le recueil de textes que, trois siècles après la mort d'Aristote, on nommera en le publiant la *Métaphysique* d'Aristote, a pour fond cet étrange enchevêtrement. Dire comme on le fait aujourd'hui que la métaphysique est aussi bien *ontologie* que *théologie*, c'est à coup sûr baptiser la difficulté: ce n'est pas éclairer l'énigme qu'elle recèle. En réalité, le mot *métaphysique* ne fait que désigner la situation dans laquelle la philosophie se trouve aux prises avec l'inextricable. L'«oiseau Métaphysique», comme le nomme Valéry, et qu'il croit voir «chassé de poste en poste, harcelé sur la tour, fuyant la nature, inquiété dans son aire, guetté dans le langage, allant se nicher dans la mort, dans les tables, dans la musique» — nous pouvons bien en situer historiquement l'apparition. Il apparaît entre Héraclite et Aristote, mais sortant d'où? Ce n'est pas du dehors qu'il arrive, c'est bien plutôt de la transformation jusqu'à lui d'une pensée plus matinale que lui et dont il est l'aboutissement ou, si l'on veut, le soir. Mais alors, d'Héraclite à Aristote, il n'y aurait pas progrès? Non peut-être — mais décadence, peut-être pas non plus. Ne nous hâtons pas trop de donner des noms au mouvement secret que recèle l'histoire. Osons cependant nous demander s'il n'y a pas quelque naïveté à se représenter la métaphysique comme le *nec plus ultra* de la pensée, même s'il a été réservé au seul Heidegger de se poser, il y a trente cinq ans, la question: *Qu'est-ce que la Métaphysique?* — pour dire vingt ans plus tard que cette prétendue «doctrine de l'être» n'était peut-être dans son fond qu'une «phase de l'histoire de l'être», la seule, ajoute-t-il, qu'il nous soit donné de pouvoir prendre en vue, et dont aujourd'hui le déploiement des sciences n'est peut-être à son tour qu'un épisode, peut-être terminal, ce qui ne veut nullement dire que, comme le croit Valéry, la science serait en train de dénicher la métaphysique, notre époque étant celle du «dépassement de la métaphysique». Parler ainsi pourrait bien être parler en l'air sans trop savoir de quoi l'on parle, ce qui est, comme on sait, la condition la plus favorable à l'abondance du discours.

Mais revenons à Aristote. Le *divin* qui devient pour lui l'un des deux noms de l'être dont l'autre nom exprime sa communauté transgénérique, ou comme on dira au Moyen-Age, transcendentale, nous l'avions déjà rencontré dans la parole d'Héraclite où même le dieu était porté à sa divinité par le *κόσμος*. Mais au grand jamais pour Héraclite le *κόσμος* ne s'identifia purement et simplement à la divinité du dieu. Il portait à la fois le divin et l'humain, n'étant ni l'un ni l'autre, mais leur centre ou leur foyer commun. Leur *feu*, disait-il de sa parole brève. Celui aussi du four auprès duquel il se chauffait dans sa maison, quand un jour, comme nous le raconte Aristote, il invita à y entrer des visiteurs qui s'étaient arrêtés à la porte en leur disant: «même ici les dieux sont présents». Mais, avec Aristote, la pensée de l'appartenance originelle et du divin et de l'humain à l'«ajointement inapparent» — *ἁρμονίη ἀφανής* — qui ne les sépare qu'en les unissant, s'efface devant celle d'une dépendance causale et de l'humain et du naturel à l'égard du divin, placé en amont de tout comme genre suprême de l'être, cette mise en place du divin au sommet de l'être, où il se sépare du reste, coexistant à son tour avec une structure de l'être qui demeure, elle, commune à tout, mais qui n'est plus qu'un cadre applicable à n'importe quoi. Ici une question se pose. Pourquoi cette transformation d'où résulte que, si c'est bien seulement et toujours de l'être que nous pouvons savoir quelque chose du divin, c'est d'une manière toute autre que ne le disait la parole d'Héraclite? Le *pourquoi* ici est bien ambitieux. Disons seulement qu'une possibilité vient de prendre le pas sur une autre, la merveille étant que la parole antérieure, celle d'Héraclite, avait, comme par avance, mentionné cette possibilité. C'est ce que nous apprenons du Fragment 32 d'Héraclite que nous pouvons lire ainsi: «L'Un, l'Avisé, lui seul, ne se prête pas et se prête à être dit du nom de Zeus».

Ne se prête pas et se prête. Dans le second cas, l'étude de l'*Un* devient essentiellement celle du *premier* des dieux, de Zeus, mais isolé et comme exorbité de ce qui le maintenait lui-même à son niveau de divinité dans la mouvance plus secrète d'un partage unique et panique dont relèvent aussi bien les dieux que les hommes. Dès lors le nom le plus propre de l'étude de l'être, devenue la prise en vue du premier des dieux pourrait bien être: Théologie. Ce qui nous frappe cependant dans la parole d'Héraclite, qui dit à la fois une double possibilité sous la forme d'un *non* et d'un *oui*, c'est que le *non* précède le *oui*. *Ne se prête pas* a le premier rang et, par là, paraît l'emporter sur ce qui seulement le suit, à savoir *se prête*, bien qu'il y ait de ce côté non pas une impasse, comme le serait une pure et simple absurdité, mais bien une possibilité, susceptible d'être développée, et même de prévaloir. Pour Héraclite, il est assez clair que cette possibilité n'est pas la bonne. L'*Un* dont il parle, ou plutôt au nom duquel il parle, n'*est pas* Zeus. Autrement, il ne serait pas l'Inespéré ou l'Inattendu que nomme énigmatiquement le Fragment 18, mais quelque chose de plus attendu ou, si l'on veut, de plus trouvable, à savoir le premier des dieux. Avec Aristote au contraire, tout se renverse, et le nom le plus propre de la philosophie comme première devient précisément, dit-il, *savoir théologique*. Non pas bien sûr *Théologie*: le mot Théologie, Aristote ne l'emploie jamais que pour renvoyer aux poètes, Homère ou Hésiode — mais bien plutôt *Théologique*. La *Théologique* est à la *Théologie* ce que la *Logistique* moderne est, par exemple, à la simple *Logique*, ou la *statistique* à la simple *constatation* d'un état de choses, à savoir la transformation en discipline rigoureuse d'une pratique spontanée, mais encore approximative. Quoi qu'il en soit, la recherche «théologique» paraît devenir, avec Aristote, le cœur même de la recherche de l'étant par où il est, autrement dit, la tâche la plus propre de la philosophie.

Avec cette transformation ou cette mutation théologique d'une pensée antérieure et plus matinale, la possibilité s'ouvre évidemment d'une exploitation proprement religieuse de la philosophie grecque, dès qu'une religion s'avisera et se préoccupera d'une telle possibilité. Tel fut, par excellence, le destin de la religion chrétienne dès le déclin du monde antique. Mais c'est seulement au XIIIe siècle que le syncrétisme philosophico-religieux, qui finira par se nommer «philosophie chrétienne», va prendre les proportions imposantes d'une *Somme*, qui est la Somme de Saint Thomas. Le fond des choses est ici, selon la formule d'un très remarquable historien de la scolastique, M. Gilson, non plus, comme pour Aristote, la définition en dernière analyse de l'*être* par le *divin*, mais, bel et bien, l'«identification de *Dieu* et de l'*être*». Entendons:

l'identification du *Dieu*, qui, selon l'Epitre aux Hébreux, après avoir parlé jadis à nos pères par les Prophètes, vient en cette fin des temps de nous parler par son Fils, et de l'*Etre* tel qu'il fut l'entreprise propre de la philosophie grecque. Une telle convergence serait vraiment la huitième merveille du monde si elle ne reposait, je le crains, sur un malentendu fondamental. Expliquons-nous. Elle est bien, en apparence, rendue possible par la mutation théologique de la méditation de l'être, telle qu'elle s'est accomplie d'Héraclite à Aristote. Mais la *Théologique* au sens d'Aristote et la Théologie de Saint Thomas font tellement deux qu'il semble difficile pour la seconde de s'appuyer sur la première, comme son projet délibéré fut pourtant de la faire. Sans doute, il y a autant de *Très Haut* dans la Métaphysique d'Aristote que dans la Somme de Saint Thomas. Mais le Très Haut, tel qu'Aristote l'entend d'une oreille grecque, est la définition essentiellement *verbale* d'un mode d'être. Il n'est à aucun prix le *nominatif* d'un étant. Les étants de ce mode d'être, dit Aristote non sans humour, «s'ils sont 47 ou 55, je laisse à de plus forts que moi le soin d'en faire le compte». Il ne parle pas ainsi parce qu'il est grec, donc comme on dit un peu trop généreusement, polythéiste, mais parce que l'*unicité* du divin comme mode d'être n'a rigoureusement rien à voir à ses yeux avec la réduction à l'*unité numérique* d'une pluralité possible d'individus. En d'autres termes, Aristote aurait très bien pu professer *même* le monothéisme, comme il le fait presque dans le dernier livre de sa Physique, sans nullement cesser d'être philosophe. C'est au contraire cesser d'être philosophe au sens d'Aristote que de faire du Monothéisme en tant que tel la Vérité des vérités. Ce n'est là, bien sûr, qu'une nuance, mais c'est de nuances de ce genre que dépend, en philosophie, le discernement de ce qui est impasse et de ce qui est chemin.

La conséquence est dès lors qu'entre ce qui nous vient des Grecs, à savoir la Philosophie, et ce qui ne nous en vient pas, à savoir la Révélation, il n'y a pas et il ne peut pas y avoir la moindre ombre de contradiction. Mais pas non plus de non-contradiction. En d'autres termes, à la question: où se rencontrent le monde de la philosophie et celui de la foi? — la réponse la plus sage est peut-être: *nulle part*! Les collisions sont feintes. Philosophie et Religion ne sont ni contradictoires, ni non-contradictoires. Pour que deux propositions puissent être contradictoires ou non, il faut en effet, disait Leibniz, qu'elles aient quelque chose de commun sur quoi elles puissent se contredire ou non. Dans ce qu'il nommait au contraire le *disparate*, la contradiction n'est même pas possible. Entre le théorème de Pythagore et: *la guinguette a fermé ses volets*, il n'y a ni contradiction, ni non-contradiction. On est dans le disparate. Il n'y a pas non plus à chercher si le principe de Carnot est contradictoire ou non avec la première strophe de la Marseillaise. Philosophie et Révélation seraient donc disparates au sens de Leibniz? Peut-être. Ce qui, en tout cas, nous est révélé dans la foi tient d'un bout à l'autre sur le plan de l'*étant* et ne relève en rien de la question de l'*être*, qui est la question à partir de laquelle seulement la philosophie peut avoir des nouvelles du divin. Le Dieu de la Révélation s'annonce au contraire directement. «Je suis qui je suis», dit-il à Moïse. Cela ne veut nullement dire, comme le croyait Saint Thomas: ce que les Grecs cherchaient sous le nom d'être, c'est moi. Le dernier mot ici pourrait bien revenir à Nietzsche quand il dit dans un aphorisme de *Par delà le bien et le mal*: «C'est vraiment du raffinement que Dieu ait appris le grec, ayant résolu de se faire écrivain — et qu'il ne l'ait pas mieux appris».

Le moment est quand même venu de conclure. Conclure, c'est encore une fois revenir au sujet. Le sujet était: la naissance de la philosophie. Peut-être est-il devenu plus insolitement clair que la philosophie n'est pas une nécessité éternelle qui, depuis toujours, aurait accompagné la marche de l'homme sur la terre, mais qu'elle avait une naissance, un pays de naissance, un berceau. C'est sur les rives d'Ionie et tout aussi bien d'Italie qu'elle naquit un jour, méditerranéenne, avant de venir, vers le soir du monde grec, habiter l'Attique où elle ne fut pas trop bien reçue, si l'on en juge du moins par le bannissement d'Anaxagore, arrivé le premier d'Ionie à Athènes, mais qui dut repartir malgré l'amitié de Périclès, et, un peu plus tard, par la mort de Socrate, qui lui fut un exil encore plus radical. C'est que les Athéniens n'aimaient pas beaucoup la philosophie. Ils avaient plutôt, comme on dit, la «mentalité ancien combattant» des guerres médiques et autres. C'est bien pourquoi Socrate fut accusé de corrompre la jeunesse, c'est-à-dire les futurs anciens combattants. Les Athéniens n'avaient d'ailleurs guère eu le temps de s'habituer à la chose car, en Grèce, disait Schelling, «tout marche avec une rapidité incroyable». Si en ce qui nous concerne tout commence en effet au V° siècle avec la parole à bout portant qui fut celle d'Héraclite, c'est pour finir avec Aristote, un peu plus d'un siècle après, mais dans une transformation, nous l'avons vu, si décisive du point de départ initial qu'on ne peut pas ne pas s'en émerveiller.

> La philosophie de la Grèce finit réellement avec Aristote que suivirent seulement de purs discoureurs ou de simples commentateurs, en écartant même les nombreux jongleurs émanés des diverses sectes qui surgirent du fond primitif sans rien y ajouter.

Ainsi parlait, au siècle dernier, Auguste Comte qui, outre une vie extravagante, a eu parfois de bonnes idées.

On parle aujourd'hui volontiers d'*accélération de l'histoire*. C'est se contenter à peu de frais. Je crains en effet que, dans cette formule lancée par Daniel Halévy, on ne confonde l'histoire avec les moyens de communication et de transport. Peut-être au contraire sommes-nous relativement *stagnants* au prix des *coureurs* qui nous ont précédés de si loin, et dont la course brève fut la mise en route de notre propre histoire.

Car cette scission de la parole et dans la parole que fut, à sa naissance, la philosophie telle que l'instituèrent les Grecs, c'est elle qui nous a mis au monde en nous dotant d'une sorte d'instinct contraire à tous les autres et dont Valéry s'émerveillait en le nommant: *l'instinct de l'écart sans retour.*

Ce n'est plus seulement la philosophie grecque, c'est peut être bien la philosophie elle-même qui, aujourd'hui, est derrière nous, laissant la place aux sciences qui se sont échappées d'elle et dont la poussée qu'elles exercent dans le monde est en train de le conduire nul ne sait où. Mais si nous sommes ainsi embarqués sans en pouvoir mais, peut-être est-ce de cette naissance oubliée et lointaine qui fut la naissance grecque de la philosophie. C'est pourquoi il n'est peut-être pas sage d'attendre de la philosophie et de ce qui peut bien venir d'elle une conjuration des périls que son destin fut au contraire de susciter. Mais peut-être n'est-il pas plus sage de croire qu'il est possible d'y parer grâce à des secours extérieurs qui ne sont jamais, disait Nietzsche, que des échappatoires. Sommes-nous donc dans l'impasse? Nous y savons-nous seulement? Ou n'avons-nous pas sur ce point encore beaucoup à apprendre? Si nous commençons si peu que ce soit à faire face à de telles questions pour qu'elles deviennent de plus en plus pensantes, alors ce n'est pas en vain que nous nous serons arrêtés à méditer l'énigme que nous est la naissance de la philosophie.

TARTUFFE ET LA DIRECTION SPIRITUELLE AU XVIIe SIÈCLE

par

P. F. BUTLER

LA première représentation du *Tartuffe* marque le début du conflit le plus exaspéré qu'ait suscité une pièce de théâtre au XVIIe siècle: la querelle du *Cid*, trente ans auparavant, celle d'*Andromaque*, qui va suivre, même le bruyant scandale des *Satires*, disputes de littérateurs au premier chef, pâlissent en regard de la Guerre du *Tartuffe*, affaire d'Etat où vont se trouver mêlés le Premier Président, l'Archevêque de Paris, Colbert, le Roi lui-même. Jamais depuis le procès de Théophile un auteur de marque n'avait été en butte à une attaque aussi concertée et aussi soutenue, et jamais l'objet d'une offensive menée par des adversaires aussi redoutables n'était sorti victorieux d'une lutte que d'autres, moins heureux et moins hautement protégés, auraient payée de leur vie. Cette victoire de Molière, le fait qu'une œuvre censurée, interdite, excommuniée ait finalement été représentée dépasse évidemment le plan littéraire. Mais l'un ne peut être séparé de l'autre: car tant que les raisons de l'hostilité de l'Eglise et la nature du conflit restent obscures, la même ambiguïté affecte les intentions de l'auteur, et en dernière analyse l'intelligence de sa pièce et de ses personnages. Je ne tenterai pas ici de résoudre un problème peut-être insoluble dans l'état actuel de nos connaissances, mais seulement de tirer au clair certains aspects circonscrits et soigneusement délimités de la pièce, ceux qui se rapportent à la direction spirituelle.

L'une des difficultés du *Tartuffe*, c'est que Molière en a poursuivi la composition pendant près de cinq ans. De 1664 à 1669 la pièce s'est enrichie, mais elle s'est aussi alourdie et compliquée, en même temps que disparaissaient des vers ou des passages révélateurs — trop révélateurs peut-être. Molière lui-même confirme ces retouches en protestant dans son second placet qu'il a «retranché avec soin tout ce qu'*il a* jugé capable de fournir l'ombre d'un prétexte aux originaux du portrait qu'*il voulait* faire». Que les soudures soient toujours parfaites, que la somme totale des additions et des soustractions soit toujours cohérente, on ne saurait s'y attendre, et A. Adam, hésitant entre un Tartuffe-Raspoutine et un Tartuffe-Machiavel, se demande s'il n'y a pas dans le personnage des traits incompatibles. Ah! si nous avions le premier *Tartuffe*! Mais en fait, depuis les recherches de John Cairncross,[1] on peut s'en faire une idée assez exacte: la longue diatribe de Cléante et sa distinction passionnée entre la vraie et la fausse dévotion, sont sans aucun doute des additions postérieures, comme aussi le «dépit amoureux» du second acte et les développements inattendus du quatrième et du cinquième: le défi de Tartuffe, le péril d'Orgon et l'intervention royale, évidemment liée à l'histoire de la pièce. D'autre part le Laurent inutile et muet de 1669 jouait peut-être un rôle plus important; l'amour contrarié de Damis, qui n'est plus qu'un thème embryonnaire et adventice, justifiait les grandes colères un peu gratuites du troisième acte: l'amour de Valère et de Mariane a pris sa place, suscité par le projet de mariage de Tartuffe et de Mariane, absent de la première pièce, si le protagoniste était, comme certains indices le suggèrent, un ecclésiastique. Le fait qui nous concerne plus particulièrement, c'est que Tartuffe apparaissait dès le second acte et qu'il était présent dans une proportion beaucoup plus considérable du nombre total des scènes, ce qui faisait ressortir de façon beaucoup plus claire l'importance de son rôle dans la famille d'Orgon et la nature de ce rôle, qui était, et qui est encore, même de façon moins nette dans notre *Tartuffe*, celui du directeur spirituel.

Cet aspect du rôle, je ne prétends pas le découvrir, mais depuis le *magnum opus* de Michaut, on a tendance à le minimiser:

Quoiqu'on l'ait soutenu, je ne puis croire que Molière ait eu l'audace folle de mettre sur les tréteaux un véritable directeur de conscience, un prêtre, pour lui faire jouer un rôle si abominable. Songeons qu'on évite alors au théâtre de prononcer le mot «Dieu», on dit «le ciel» ou «les Dieux»; on évite le mot «église», on dit «temple». Et en pleine cour, Molière aurait exposé à la haine et à la dérision, dans l'exercice même de son ministère, un homme revêtu des ordres sacrés? Et le roi l'aurait toléré...? C'est impossible. Il y a là une confusion, venue sans doute de ces vers maintenus par Molière dans le dernier *Tartuffe*:

> C'est de tous ses secrets l'unique confident
> Et de ses actions le directeur prudent.

Se confier, ce n'est pas se confesser, avoir un directeur de conscience.[2]

Ce qui fourmille de confusions, c'est le texte de Michaut. Les fonctions du directeur et du confesseur sont souvent mais non nécessairement cumulées et elles restent nettement distinctes. Il va sans dire que Molière ne fait pas de Tartuffe un prêtre, puisque l'imposteur se prépare à épouser Mariane. Le critique semble ignorer l'existence de directeurs laïques, pourtant bien connue, et qui fait l'objet, au XVIIe siècle, de discussions acrimonieuses. Et quant à ces mots d'*église* et de *Dieu*, Molière s'embarrasse-t-il de ces tabous?

> Mon frère, au nom de Dieu, ne vous emportez pas.
> Sacrifiez à Dieu toute votre colère.

> Je ne remarque point qu'il hante les églises...

> Chaque jour à l'église il venait d'un air doux...

Le *ciel*, enfin appartient au vocabulaire des prédicateurs et de la dévotion, et le terme n'a pas un caractère moins sacré que celui de Dieu: on le trouve partout chez Bossuet et chez Bourdaloue. Ce que le critique «ne peut croire», c'est tout ce qui contredit l'*a priori* d'un classicisme timide et compassé dont sont exclues les tensions et les contradictions fécondes du règne personnel à ses débuts, c'est ce qui s'oppose à l'image du Molière conforme qu'il s'efforce de nous présenter. Cela ne veut pas dire qu'il s'agisse dans *Tartuffe* «d'écraser l'infâme.» Mais il est absurde de prétendre qu'il ne s'y agisse pas de la direction de conscience.

* * *

L'une des sources indirectes que nous avons sur le premier *Tartuffe*, souvent citée et qui pourtant n'a pas été utilisée sous ce rapport, c'est la première et la plus explosive des attaques suscitées par la pièce, celle du curé Pierre Roulès, docteur en Sorbonne, glissée non sans adresse dans un hyperbolique éloge du *Roy glorieux au monde ou Louis XIV le plus glorieux de tous les rois du monde.*[3] Et la raison de l'indignation du sorbonniste, le motif immédiat de sa protestation, c'est que Molière sape l'autorité du directeur de conscience. Que Louis XIV ait arrêté les représentations du *Tartuffe* témoigne «du respect qu'il a pour l'Eglise et qu'il rend volontiers aux ministres employés de leur [*sic*] part pour conférer les grâces du salut». Ces ministres, comme il apparaît plus loin, ce sont déjà les directeurs. Et si *Tartuffe* a paru sur le théâtre «à la dérision de l'Eglise», c'est parce qu'il inspire le «mépris du caractère le plus sacré», c'est-à-dire du directeur, et «de la fonction la plus divine» — la direction — le mépris, en un mot, de «ce qu'il y a de plus saint dans l'Eglise, ordonné du Sauveur pour la sanctification des âmes, à dessein d'en rendre l'usage ridicule, contemptible, odieux». Ici encore, c'est bien d'une institution précise qu'il s'agit, non de la dévotion ou de la religion en général. Car le moyen par lequel *Tartuffe* «va à ruiner la religion catholique», conclut le pamphlétaire, c'est «en blâmant et jouant sa plus sainte pratique, qui est la conduite et la direction des âmes par de sages guides et conducteurs pieux». Aussi le roi a-t-il défendu à Molière de plus outrager «les officiers les plus nécessaires au salut» — les directeurs. Car si Molière a manqué «à la révérence due aux sacrements qui sont les canaux de la grâce que Jésus-Christ a méritée aux hommes», c'est que ces sacrements opèrent «dans les âmes des fidèles qui sont saintement dirigés et conduits».

Ces accusations paraissent à première vue extravagantes: ce curé Roulès, n'a-t-on pas le droit de ne voir en lui qu'un fanatique, un bigot, un isolé? Ce serait une erreur grave. Dans l'Eglise de la Contre-Réforme, ces «ministres», ces «officiers«, dont le caractère est particulièrement sacré, ces «guides et conducteurs pieux des familles» jouent un rôle essentiel dans la vie spirituelle du fidèle et cette «fonction», cet «usage», cette «pratique» de la «conduite et direction» est une condition indispensable de son salut. «N'est-ce pas Dieu même qui parle, quand le directeur nous parle», s'écrie L. Tronson, directeur, puis supérieur de Saint Sulpice, «et n'est-ce pas Dieu même que nous écoutons en l'écoutant?»[4] Sur l'autorité absolue du directeur, sur la soumission inconditionnelle exigée du dirigé, les textes abondent.[5] Vilipender la direction, c'est donc compromettre l'action de la grâce. Jeter la suspicion ou le ridicule sur le directeur, c'est se dresser contre Dieu lui-même, c'est vraiment, littéralement, un acte diabolique. Surtout si, en 1664, Tartuffe apparaissait plus clairement et plus exclusivement dans sa fonction de directeur, la réaction du curé Roulès est parfaitement représentative: Olier ou Saint François de Sales ne parleraient pas autrement. «L'obéissance est la première vertu», Saint Grégoire l'avait dit longtemps auparavant; elle rend possible toutes les autres et les autres ne sont rien sans elle. Mais c'est ici du directeur, non du dirigé qu'il s'agit. Car il va sans dire que le mot de Dorine n'est pas un lapsus de Molière. Il définit avec précision la fonction du personnage chez Orgon, telle que nous pouvons nous en faire une idée d'après Damis ou Dorine ou Madame Pernelle, et Tartuffe a avec la réalité de son temps le même rapport qu'Alceste ou Don Juan. Comme n'importe quel directeur du temps, Tartuffe blâme l'ostentation, le luxe et les plaisirs mondains, Elmire «vêtue ainsi qu'une princesse» (30), «ces carrosses sans cesse à la porte plantés» (87), «ces visites, ces bals, ces conversations» (151) (Il est remarquable que Molière ne fasse aucune allusion au théâtre, bête noire des jansénistes, qu'il n'eût pas manqué de mentionner s'il avait plus particulièrement visé Port-Royal). Ce que Tartuffe recommande, c'est le détachement des affections terrestres («Il m'enseigne à n'avoir affection pour rien», 276) et la mortification des sens («Plus votre cœur répugne à l'accepter / Plus il sera pour vous matière à mériter», 1303). Sur tous ces points, la direction de Tartuffe est parfaitement orthodoxe et suit les chemins battus. Mais, dira-t-on, tout cela importe-t-il? Ce Tartuffe du premier et du second actes, n'a pas grand'chose à faire avec le séducteur sensuel du troisième ou le Tartuffe implacable et rapace du quatrième et du cinquième. Tartuffe est-il en fait, comme le dit un critique, «le seul personnage véritablement et complètement et continuellement odieux dans le théâtre de

Molière»? Ce personnage satanique, est-ce bien Tartuffe? Une seule fois dans sa longue carrière, Molière, au lieu de prendre son modèle dans la «nature», lui a-t-il substitué une abstraction théologique: le Mal? Qui est Tartuffe? Selon Dorine,

> Un gueux qui, quand il vint, n'avait pas de souliers,
> Et dont l'habit entier valait bien six deniers. (63)

et selon Orgon, un gentilhomme, avec des «fiefs qu'à bon titre au pays on renomme» (494), et qu'un procès lui rendra, pourvu qu'il puisse payer ses avocats. Enfin, selon l'exempt, un professionnel de l'escroquerie, depuis longtemps tenu à l'œil par la police et qui n'en est pas à son coup d'essai. On est tenté de se demander si nous avons pas ici le palimpseste des trois Tartuffes, et si d'accrétion en accrétion, Molière n'a pas, comme le suggère Adam, mêlé des éléments incompatibles. Si nous essayons de les unifier, il nous faut négliger le va-nu-pieds, non seulement parce qu'il cadre trop mal avec le troublant séducteur du troisième acte, mais parce qu'en vérité Dorine est en colère, et si ce n'est pas Molière qui perd le fil de son personnage — ce qui est possible évidemment — c'est vous, Dorine, qu'aveugle la passion. Car vous vous contredisez:

> Vous irez par le coche en sa petite ville
> Qu'en oncles et cousins vous trouverez fertile...
> Vous irez visiter, pour votre bienvenue,
> Madame la Baillive et Madame l'Elue... (657)

Gentilhomme, Tartuffe? Eh oui, semble-t-il, petite noblesse de robe, rurale et provinciale, que Versailles, la contemplant de sa prodigieuse hauteur, distingue à peine des manants qui l'entourent. «C'est lui qui le dit» (495), évidemment, mais enfin «il est noble chez lui» (646). Et il a fait ses classes, point de doute à cela, chez les jésuites évidemment, puisqu'il n'y en a pratiquement point d'autres. Après tout, c'est quelqu'un que Monsieur Tartuffe; du moins ce n'est pas un mendiant illettré. Fort désargenté naguère, car sans le capital qui permet d'acheter une charge, la dévotion et les humanités ne nourrissent pas leur homme. Ou plutôt si: parfois. Dans la société si peu mobile du XVIIe siècle, l'Eglise offre presque seule une chance d'ascension. Sans son génie et ses hauts protecteurs, Racine, orphelin pauvre, dont la piété est en 1662 moins que tiède, et qui s'en va au fond de la Provence chercher un bénéfice aléatoire, Racine aurait, ma foi, fait un assez joli Tartuffe. Et surtout l'Eglise est presque le seul milieu où les humbles peuvent coudoyer les grands. Ne fût-ce qu'à l'occasion d'une retraite ou d'un sermon, grandes dames et grands seigneurs, noblesse de robe et bourgeois de substance faisaient de leur mieux pour se persuader que la pauvreté, l'humilité chrétienne étaient réellement choses de plus de valeur qu'une charge, de bonnes rentes, un titre, ou d'illustres ancêtres («Au dessus des grandeurs elle doit l'élever», 487). Mais en un temps où les différences de fortune étaient fabuleuses, la charité commandait quelques charités. L'aumône était une vertu: c'en était une de la faire, et c'en était une de l'accepter, avec humilité, surmontant peut-être son embarras ou sa fierté. Certains les surmontaient avec plus de facilité que d'autres, ou même ne voyaient pas de mal à solliciter discrètement ou à susciter adroitement la pratique de cette double vertu. Lorsque Tartuffe se précipite pour offrir à Orgon l'eau bénite, il espère sans doute... quelque chose de ce grand bourgeois riche et dévot, mais quoi? Il ne peut prévoir, à moins que nous ne lui accordions une prescience surnaturelle, la cassette et la donation, Elmire et Mariane; sur tous ces points, c'est l'occasion qui va faire le larron; c'est, jusqu'à un certain point, Orgon qui va créer Tartuffe.

En d'autres termes ce n'est pas de symboles et d'allégories qu'il s'agit ici: ce n'est pas l'Esprit du Mal et le Prince des Sots que Molière nous présente mais des situations et des types sociaux immédiatement reconnaissables de leur temps. Le directeur, nous l'avons vu, n'était pas toujours le prêtre ou le confesseur, et ce prolétaire de la dévotion, tartuffe ou non, trouvait assez souvent acquéreur de sa denrée. Derrière Orgon aussi bien que derrière Tartuffe, nous apercevons en effet certains aspects très particuliers de la piété et de la société de la Contre-Réforme. Pour quiconque vise au salut éternel, le secours du directeur est nécessaire. Il est nécessaire «pour ceux qui commencent, pour ceux qui avancent, pour ceux qui sont parfaits.»[6] Il est vrai qu'en théorie «Dieu pouvait nous conduire par lui-même, immédiatement,... ou... par le ministère des anges» mais le fait est qu'«il veut que l'homme ait un autre homme pour sa conduite.»[7] Rien d'étonnant donc que la demande corresponde à l'offre, si l'on nous passe cette métaphore économique, et le scénario auquel se conforment Orgon et Tartuffe est parfaitement normal et courant, si bizarre qu'il puisse à première vue nous paraître.

* * *

On dira qu'ici encore tout cela s'applique au Tartuffe d'avant la pièce, que ses antécédents, la nature de sa direction et son rôle dans la maison d'Orgon sont finement observés mais qu'aussitôt que Tartuffe entre en scène, tout change. Il apparaît que le personnage du directeur n'est qu'un des masques entre tous ceux que Tartuffe pouvait choisir: ce qui importe, ce n'est pas qu'il ait choisi celui du directeur, mais le fait qu'il porte un masque. Ce qui importe, ce n'est pas ce que dit ou prétend être Tartuffe, c'est qu'il n'est pas ce qu'il prétend. En d'autres termes Tartuffe n'est pas le Directeur; il est l'Hypocrite. Et sous peine de voir notre sujet — la direction — s'évanouir, il faut tout d'abord s'entendre sur ce terme d'hypocrite que l'on applique couramment à Tartuffe au XVIIe siècle. Nulle part Molière ne nous donne à entendre que l'hypocrisie de Tartuffe soit comparable à celle de Don Juan. Don Juan croit que deux et deux font quatre et que quatre et quatre font huit. Lorsqu'il prétend se convertir et parle de Dieu, c'est, pour des raisons toutes pratiques, un mensonge qu'il reconnaît explicitement comme tel. Don Juan est bien cette «conscience cynique, affirmant en soi la vérité, la niant dans ses paroles et niant pour lui-même cette négation».[8] Rien de semblable chez Tartuffe. C'est, si l'on veut, l'une de ces zones d'ombre qui donnent au personnage son caractère inquiétant. Mais en fait ce qu'on entend par hypocrisie vers 1660 ou 1670, ce n'est pas la négation totale, l'incrédulité délibérée de Don Juan, qui rentre dans la catégorie de l'impiété, mais quelque chose de plus subtil. C'est plutôt ce que nous entendons par pharisaïsme, ou si l'on préfère, avec les implications modernes de l'expression, la «mauvaise foi». Le XVIIIe siècle verra le trafiquant d'esclaves, déiste et «vertueux», faire une fortune respectable et respectée, et au XIXe, le pieux victorien n'aura pas scrupule à exploiter des enfants de cinq ans. Les hypocrites du XVIIe siècle, tels que les décrit par exemple le P. Guilloré, sont «certaines personnes qui faisant profession de la vie spirituelle n'en ont que l'apparence[9] ...Les uns entrent dans cette vie intérieure et en cherchent toute la profondeur et l'élévation par un esprit superbe: cette vie leur paraît noble et grande». D'autres s'y engagent «par un esprit de vanité: ils voient... qu'il n'y en a guère qui fassent plus de bruit que ceux qui sont en estime d'être spirituels» ...D'autres enfin «s'érigent en grands spirituels et en prennent toutes les réformes, tout le langage et toutes les belles idées, mais c'est dans la vue de leurs intérêts... On en voit qui s'élèvent par là aux honneurs et aux charges...».[10] Le Révérend Père ne prétend pas que ces hypocrites ne cherchent pas à tromper ou à faire illusion, mais il ne les range pas parmi les incrédules: leur négation est d'ordre spirituel plutôt qu'intellectuel; leur intérêt, leur gloire, leur vanité exigent qu'ils trompent, mais aussi qu'ils fassent tous leurs efforts pour se tromper eux-mêmes, car «dans la mauvaise foi, c'est à moi-même que je masque la vérité».[11] En fait le trafiquant, l'exploiteur ou l'arriviste dévots seraient non seulement choqués mais surpris qu'on les traitât d'athées. Et de même Tartuffe. Même lorsque ses actes démentent le Dieu qu'il a sur les lèvres, lorsqu'il est clair que la charité lui est étrangère et que l'Esprit n'est pas en lui, une négation explicite et délibérée de l'existence de Dieu ne lui vient pas à l'esprit, ou si l'on préfère, il se l'interdit obstinément: s'il ment, c'est à lui-même aussi bien qu'à autrui. Par intérêt, par vanité, par gloire, dirait le P. Guilloré. Et aussi par cette lâcheté intellectuelle et morale qui le met aux antipodes de Don Juan, s'il est vrai que «l'acte premier de mauvaise foi est... pour fuir ce qu'on est»,[12] et cette duplicité est si inhérente au personnage qu'il lui faudra trouver des mobiles respectables à sa délation et que le mouchard s'affublera de la défroque du fidèle sujet. Tartuffe est donc bien un «hypocrite»; mais cela ne doit pas nous empêcher de considérer en lui le directeur.

D'autre part ce qui peut à première vue rendre le personnage plus antipathique — car nous préférons instinctivement le défi de Don Juan à la mauvaise foi de Tartuffe — est en fait ce qui lui permet de rester comique. Or un personnage qui fait rire ne saurait être entièrement odieux, et on oublie trop souvent que Tartuffe est comique aussi bien qu'odieux; Adam notait déjà, à propos d'Alceste l'ambiguïté du spectacle de Molière, et l'on pourrait aussi dire de Tartuffe que le spectateur ne sait parfois s'il doit rire ou s'indigner. La trahison de Tartuffe, on l'a souvent répété, n'a rien en soi de comique. Ce qui est comique, c'est que le pieux personnage qui déplore le luxe et la frivolité du siècle et se détourne avec horreur des nudités — soudain perde la tête en présence d'Elmire, s'agite et se démène, palpe son vêtement et la poursuive sur sa chaise à travers la chambre.... Ce dégonflage total et soudain est entièrement dans la manière de Molière: c'est le procédé des *Précieuses*, de l'*Ecole des Femmes* ou du *Misanthrope*. Mais pour qu'il joue, pour que Tartuffe soit comique, il faut d'abord que sa passion soit authentique, cela va sans dire; et il faut que son pharisaïsme soit, lui aussi, authentique, il faut que Tartuffe désapprouve ou se soit persuadé qu'il désapprouve le luxe mondain, il faut qu'il soit en vérité choqué ou se soit persuadé qu'il est choqué par les nudités. Tartuffe en définitive n'est pas Raspoutine. Mais il n'est pas non plus Machiavel, car ce qui suscite le rire ce n'est pas que le personnage porte un masque qu'il applique ou dépose à volonté, c'est qu'il enferme en lui cette contradiction insurmontable, cette dualité intime qui n'est pas celle de Racine «en guerre avec lui-même» mais celle du menteur qui s'efforce de ne pas avoir conscience de son mensonge. Car en vérité la main droite de Tartuffe, onctueuse et bénisseuse, ignore, veut ignorer ce que fait sa main gauche, cette main qui s'aventure sur le genou d'Elmire, et pour vouloir être dévot, avec toutes les satisfactions intimes et matérielles que lui assure sa dévotion, Tartuffe n'en est pas moins homme. C'est là sans doute le scandale mais aussi le comique de Tartuffe. C'est là qu'est l'audace de Molière. Et c'est là surtout qu'est la vérité de Tartuffe.

⋆ ⋆ ⋆

La vérité de Tartuffe, et plus particulièrement la vérité de Tartuffe directeur. J'insistais tout à l'heure sur l'importance que l'Eglise de la Contre-Réforme donne à la direction, sur la soumission aveugle qu'elle exige à l'égard du directeur. Mais très tôt déjà, son attitude est sur le sujet curieusement ambivalente: «J'ai moi-même connu par expérience le tort que m'a fait l'attache et la trop grande confiance que j'avais au mien (*à mon directeur*) qu'il plut hier à Dieu de me retirer.» Ainsi s'exprime Olier,[13] le défenseur le plus intransigeant de l'aveugle obéissance due au directeur, et c'est toute l'oraison funèbre qu'il prononce — au lendemain de sa mort — sur le sien, pourtant l'un des grands spirituels du siècle, le Père de Condren. En fait, il y a au XVIIe siècle deux manières entièrement opposées de regarder le directeur: d'en bas, et d'en haut. Au fidèle, c'est le respect poussé jusqu'à la vénération que l'on s'efforce d'inculquer: «Tant qu'on demeure soumis aux ordres du directeur, on est assuré que l'on fait ce que Dieu veut», car «en obéissant au directeur, nous obéissons nécessairement à Dieu, puisqu'il ne nous commande que de sa part».[14] Mais sur le directeur lui-même, ses supérieurs posent un regard sans illusions: «Choisissez-en un entre mille, dit Avila; et moi je dis entre dix mille, car il s'en trouve moins que l'on ne saurait dire qui soient capables de cet office».[15] Trop souvent donc, même aux yeux d'Olier ou de Saint François, le directeur n'est ni moralement ni intellectuellement à la hauteur d'une tâche à la vérité surhumaine. De pareils textes sont rares et brefs cependant à cette date. Après 1670 ils se font autrement plus explicites et plus développés. Dans ses *Secrets de la vie spirituelle qui en découvrent les illusions*, le P. Guilloré jette sur la direction une lumière brutale. Ignorance ou suffisance, le directeur «juge des choses qu'il ne comprend pas... approuve souvent ce qu'il faut condamner... condamne ce qui a de la bonté et du mérite... et... va souvent contre les desseins du Saint Esprit».[16] C'est un jésuite qui parle, comme dirait Molière. A côté des insuffisances de l'esprit, les faiblesses du cœur et des sens. Le directeur trop souvent se croit mû par le pur amour des âmes et de leur sanctification quand il n'est animé que «de beaucoup de zèle et d'ardeur en particulier pour de certaines personnes» chez qui «on découvre des prévenances de grâce fort extraordinaires qu'on croit avoir obligation de seconder.... On y voit un si beau et un si riche naturel, il le faut aussi cultiver avec des soins qui ne sont pas moindres.... Les soins et les manières si assidues et si différentes qu'on apporte pour cette âme ne sont point d'ordinaire sans beaucoup d'empressement...» etc.[17] A la vénération dont il est l'objet répond donc l'ardente effusion qu'éveille chez le directeur l'âme d'élite dont il a la charge. Mais ce que décrit ici le P. Guilloré, c'est la «ferveur», le «transport de zèle», le «pur mouvement» qui emportent Tartuffe! Ces prévenances de grâce extraordinaires ce sont ces «rares merveilles» qui brillent dans Elmire, «parfaite créature», et ce naturel si riche et si beau, c'est l'un de ces «objets parfaits que le ciel a formés». Le P. Guilloré ne s'y laisse pas prendre: «Ce mouvement n'est plus celui d'un feu divin et d'un zèle pur, ce n'est souvent qu'un feu naturel». Certes le salut de cette âme d'élection n'est pas oublié, (et Tartuffe n'oublie pas Elmire dans ses prières et sa «dévote instance») «mais la personne, Théonoée, la personne, vous ne m'en désavouerez pas, est celle qui anime souvent tout cela d'une manière fort humaine et qui allume l'ardeur de ce grand zèle... qu'on prend pour un feu du ciel.... J'estime pour moi», conclut le Révérend Père, «que cette sorte de manifestation jette bien souvent dans des égarements de conduite».[18] Elle nous mène en effet aux brûlantes propositions du troisième et du quatrième acte.

Si donc Molière a fait Tartuffe amoureux, ce n'est pas par un prurit de sacrilège. C'est que son Tartuffe n'est ni l'incarnation du directeur idéal ni celle du Malin, mais un homme, exposé à des tentations qui n'épargnent pas les directeurs, nous avons sur ce point l'autorité de la Compagnie. Que Tartuffe ne soit pas un ange, comme il le proteste un peu plaintivement, mais un homme, nous le lui pardonnons peut-être plus facilement qu'au temps de Nicole et de Tronson. Que Tartuffe s'apprête à jeter à la rue celui dont il allait épouser la fille et à mettre la main sur la fortune de celui qui l'a tiré de la pauvreté, qu'il soit prêt, dans la rage que lui inspirent l'humiliation et le désir frustré à menacer la liberté et la vie d'Orgon semble d'abord nous ramener à un personnage trop «complètement odieux» pour qu'on cherche en lui une satire même haineuse des directeurs de conscience.... Hélas! «On en voit», c'est toujours le P. Guilloré qui parle, «à qui la spiritualité sert pour faire leur main, lors même qu'on les croit les plus désintéressés. Et il y en a tels à qui la vie spirituelle n'a pas peu servi pour les mettre fort à l'aise, n'ayant pas été auparavant des plus accommodés...» (Le parallèle devient presque embarrassant). «Notre siècle, hélas, n'est que trop infecté de ces sortes de spirituels que l'on voit très bien établis en peu de temps et qui recevant de grandes aumônes des personnes de piété pour des charités publiques croient qu'il s'en peuvent aussi faire la charité à eux-mêmes».[19] Saint Bernard l'avait déjà dit en des termes encore plus crus: «On pense à se nourrir soi-même plutôt que la personne dont on a la conduite. On songe à sa bourse beaucoup plus qu'à son âme», c'est Tronson qui le cite. «Et pourvu qu'on se revête de la laine d'une pauvre brebis et que l'on se nourrisse de sa substance, on ne se soucie point de lui ôter la vie. C'est-à-dire en un mot pour parler plus clairement», continue Tronson, qui se hâte au contraire de vêtir décemment ces nudités gênantes, «que si un directeur a quelque autre intention que notre salut» (Ah! qu'en termes galants...), «il ne fera point de difficulté... d'accommoder à l'amour-propre les avis qu'il donne».[20]

Si donc les Lamoignon et les Péréfixe sont outrés, ce n'est pas que Molière mente ou calomnie, c'est qu'il a visé trop juste et que toute vérité n'est pas bonne à dire. C'est qu'il a le tort de se mêler de ce qui ne le regarde pas et de dire tout haut ce dont les milieux ecclésiastiques ne sont que trop bien informés. Et nous commençons aussi à comprendre l'indignation de Molière, qui à première vue semble naïve. La démarche de Molière est celle du créateur et du poète. Il n'est ni un pamphlétaire ni un «philosophe»; il n'écrit pas pour illustrer ou pour défendre une thèse; il ne part pas d'idées préconçues. Il est un artiste qui s'est donné pour tâche d'«attraper la nature», et s'il lui arrive de charger sans doute, il ne triche pas. Son Tartuffe tire sa vérité d'une réalité dont il y a d'amples témoignages: de quel droit vient-on lui fermer la bouche et quelle est cette vérité qu'il ne faut pas dire?

D'autre part, si Molière n'est pas un théologien, il ne faudrait pas faire de lui un inconscient qui ne s'est pas lui-même rendu compte de la portée de sa pièce. On ne serait pas non plus justifié à conclure que le directeur indigne qu'est Tartuffe ne prouve rien contre la direction, de même que certains ont pu arguer que la fausse ou la sotte dévotion ne prouvait rien dans sa pièce contre la vraie: le cas n'est pas semblable. Sur la religion, notion vague, et que d'ailleurs il est impossible d'attaquer ouvertement, il se peut que Molière parle avec des voix diverses: le raisonnement de Sganarelle se casse le nez, et celui de Madame Pernelle est pris de vertige sur sa tour de Babylone; mais Cléante ne voit «nul genre de héros / Qui soit plus à priser que les parfaits dévots.» Au contraire, en ce qui concerne la direction, sur ce point précis, la position prise par l'auteur et ses intentions polémiques sont parfaitement nettes: ce qu'il raille et discrédite, ce n'est pas simplement le mauvais directeur, car l'indignité de Tartuffe est ici secondaire, c'est le principe de la direction telle que l'a conçue la Contre-Réforme, c'est-à-dire le principe de l'autorité absolue du directeur et de la soumission aveugle du dirigé. Les railleries de Dorine, les conseils de Cléante, les colères de Damis, le stratagème d'Elmire convergent vers le même point, poussent Orgon dans la même direction. Tous le lui répètent sur tous les tons: qu'il ouvre les yeux, qu'il consente à voir les faits, à *juger par lui-même*, à tirer ses propres conclusions; qu'il cesse de croire qu'il y a une vertu à s'aveugler; que cet «homme sage» qu'est au fond Orgon reconnaisse enfin que l'obéissance inconditionnelle qu'il s'impose le mène aux plus risibles sottises et aux plus redoutables périls. C'est ce consensus universel des gens de bon sens dans la pièce qui produit dans l'esprit du spectateur le sentiment d'une évidence irrésistible, qui fait qu'il se récrie et s'esclaffe devant l'opiniâtre cécité d'Orgon. Molière est-il allé plus loin? Ce n'est pas ici le lieu de se le demander. On peut remarquer cependant que ces vrais dévots que Cléante admire, «Ariston,... Périandre, / Oronte, Alcidamas, Polydore, Clitandre» sont ceux qui se contentent de vivre leur foi, sans se mêler de censurer, de corriger. Ceux que Dorine satirise, ce sont ceux qui «sont toujours sur autrui les premiers à médire»; ce sont les personnes qui «*censurent* toute chose et ne *pardonnent* rien: / Hautement d'un chacun elles blâment la vie,» etc. Ce sont ceux qui critiquent et veulent faire la loi, semblent incapables de ne pas s'immiscer dans les affaires d'autrui, de ne pas chercher à le diriger, dans le sens le plus précis ou le plus général, et sans cesse empiètent sur sa liberté. Le religion de Molière, s'il y en a une, est affaire personnelle.

Quoi qu'il en soit, ce dont on ne s'est past toujours avisé, c'est l'étendue du triomphe remporté par Molière. Les *Secrets* du P. Guilloré (1615–84) résument sans doute une longue expérience, mais la date de leur publication (1673), quelques années après le *Tartuffe*, leur donne une valeur singulière. Plus significatives encore les *Considérations...* que le P. Crasset, de la Compagnie de Jésus, publie en 1675 ou 1676. Sur l'utilité du directeur le P. Crasset ne contredit pas ses prédécesseurs. Déjà cependant le ton est différent: «Il faut avoir un directeur auquel on découvre sa conscience *et dont on prenne avis*».[21] Le directeur une fois choisi, il faut se fier à lui absolument — à la bonne heure! — «à moins que sa conduite ou ses mœurs ne nous donnent sujet de craindre qu'il nous égare». Mise en garde générale dont on trouverait des équivalents antérieurs, mais que le P. Crasset développe longuement. «C'est le sentiment de tous les sages qu'il faut se défier d'un confesseur ou d'un directeur qui veut rendre les personnes esclaves de sa conduite» (Non, ce n'est pas précisément le sentiment d'Olier ou de Tronson...), «ou qui leur ôte la liberté d'aller à d'autres et qui les oblige à lui faire vœu d'obéissance. Tout cela m'est suspect et me fait craindre que cette conduite ne soit plus humaine que divine».[22] Les personnes qui changent de directeur sont blâmées pour la forme, mais bien plus sévèrement celles «qui se font un point d'honneur de ne changer jamais... quoiqu'elles reconnaissent beaucoup d'ignorance et fort peu de piété dans celui qui les gouverne». Pour quiconque a pratiqué les manuels de direction du XVIIe siècle, une pareille phrase est presque incroyable. Saint Ignace réclamait l'obéissance au supérieur même s'il n'était pas «muy bueno, ...muy prudente, ...muy calificado», simplement parce qu'il était le supérieur, et selon Saint Vincent Ferrier cité par Tronson, l'obéissance même à une direction erronée nous rendait «impeccables». Le P. Crasset, lui, conclut sévèrement que ces personnes ne veulent point changer «parce qu'elles appréhendent de passer pour légères et inconstantes». Ce qui était suprême vertu n'est plus que douteux respect humain. «Je conseillerais à ces gens-là», poursuit ironiquement le jésuite, «de ne changer jamais ni de serviteur ni de servante, ni de maison, ni de médecin, si ignorant qu'il pût être». Croient-elles en vérité que «quand l'âme est malade, tout médecin est bon, dût-elle en périr éternellement, elle n'en aura point d'autre, est-ce là s'aimer? mais est-ce là être raisonnable?»[23] Raisonnable, le grand mot est lâché: le fidèle a non pas le droit mais le devoir d'user de sa raison, et s'il manque à ce devoir, il est responsable de sa perte éternelle. C'est à lui qu'il appartient de juger de la capacité et de la valeur du directeur, dont l'autorité cesse d'être inconditionnelle, envers qui l'on ne demande plus de pratiquer le saint aveuglement qu'exigeait le P. Surin.[24] Elmire et Damis ne disaient pas autre chose, et c'est le plus clair de la revendication de Molière. Mais c'était le curé Roulès qui était dans la grande tradition de la Contre-Réforme, celle de Tronson, d'Olier, de Saint François, de Saint Ignace. Les temps sont changés: l'hérésie a perdu en France son élan et ses séductions. C'est l'arme fourbie pour la combattre qui apparaît surannée et dont on perçoit maintenant les dangers. Il semble que les milieux ecclésiastiques aient eu depuis longtemps des doutes sur la «nouveauté» tant admirée de Tronson. Vers 1670 cette évolution s'accélère. Sous le couvert d'un barrage de protestations indignées, l'Eglise opère une prudente retraite et abandonne des positions devenues intenables. Il est difficile de croire que *Tartuffe* n'y soit pas pour quelque chose.

NOTES

[1] J. Cairncross, *New Light on Molière* (Paris, Minard; Genève, Droz 1956); voir aussi *Molière bourgeois et libertin* (Paris, Nizet 1963).

[2] G. Michaut, *Luttes de Molière* (Paris, Hachette 1925), pp. 73-4.

[3] Cité dans *Tartuffe*, Coll. des grands Ecr., Notice préliminaire, p. 19.

[4] L. Tronson, *Œuvres complètes...* (Paris, Migne 1857), p. 263.

[5] Voir mon article «Orgon le dirigé», dans *Gallica* (University of Wales Press 1969).

[6] Tronson, *op. cit.*, p. 240.

[7] *Ibid.*, p. 249.

[8] J. P. Sartre, *L'Etre et le néant* (Paris, Gallimard 1957), p. 86.

[9] P. François Guilloré, de la Compagnie de Jésus, *Les secrets de la vie spirituelle qui en découvrent les illusions* (Paris, Migne 1857), p. 1194.

[10] *Ibid.*, p. 1195.

[11] J. P. Sartre, *op. cit.*, p. 87.

[12] *Ibid.*, p. 111.

[13] *Lettres* de M. Olier, édit. Levesque (Paris 1935), 8 janvier 1641.

[14] Tronson, *op. cit.*, p. 245.

[15] Saint François de Sales, *Introduction à la vie dévote*, Ière partie, chap. IV.

[16] Guilloré, *op. cit.*, p. 1200.

[17] *Ibid.*, pp. 1269–70.

[18] *Ibid.*, pp. 1270–71.

[19] *Ibid.*, p. 1195.

[20] Tronson, *op. cit.*, p. 255.

[21] *Considérations sur les principales actions de la vie*, par le R. P. Jean Crasset, de la Compagnie de Jésus (Paris, Michallet 1676), p. 121.

[22] *Ibid.*, p. 123.

[23] *Ibid.*, p. 124.

[24] Jean-Joseph Surin, *Catéchisme spirituel de la perfection chrétienne* (Paris, Migne 1842). Seconde partie, p. 1240. (Publié en 1657 et 1661.)

TWO VERSIONS OF SCHILLER'S *WALLENSTEIN*

by

LILIAN R. FURST

WALLENSTEIN is Schiller's most difficult play. It is not only by far his longest dramatic composition, comprising two full-length five-act plays, *Die Piccolomini* and *Wallensteins Tod*, as well as the eleven scenes of the prelude, *Wallensteins Lager*, so that a performance of the entire trilogy fills two whole evenings in the theatre. It is also his most intricate work, with a complicated plot worked out by a wealth of differentiated figures. But the play's real problem — and unending fascination — lies in the character of Wallenstein himself, a highly complex personality, whose motives are never fully fathomed. In his parleying with the Swedes, is he betraying the Emperor to whom he owes allegiance or is he acting in the truest interests of his country by seeking to end the war? Is he inspired by lust for personal power or by a lofty idealism? Is he in fact a traitor or a patriot? Schiller gives no definitive answer to such questions although as a professional historian (he had been appointed to the Chair of History at Jena in 1789) he devoted three years to a study of the Thirty Years' War, of which he published a history in 1793. It was indeed this historical research that gave rise to *Wallenstein* as Schiller, like the spectator, fell increasingly under the spell of this tantalizingly shadowy hero. The resultant trilogy is Schiller's greatest achievement, but because of its inherent difficulty it is less readily appreciated even today and even by native Germans than, say, *Maria Stuart* or *Wilhelm Tell*. Yet within ten years of its publication in German in 1800 an English and a French version had appeared: the former in 1800 within months of the original German and the latter in 1809. Moreover, both these versions were undertaken by men of distinction, namely Coleridge and Benjamin Constant. Starting from the same German text, they have produced two quite different works.

The background to these two versions was remarkably similar. In both England and France the first wave of enthusiasm for Schiller and German drama was on the decline by the turn of the century. As early as 1772 two volumes of German plays had appeared in a French translation by Junker and Liébaud; of greater importance was the *Nouveau Théâtre Allemand* published by Friedel and Bonneville, 1782–5. This collection of twenty-seven plays, including Goethe's *Götz von Berlichingen* and Schiller's *Die Räuber*, was to prove less influential in France than in England, where it furnished material for the important paper read before the Royal Society of Edinburgh on 21 April 1788 by Henry Mackenzie, author of *Man of Feeling*. This paper, subsequently reprinted in the *Edinburgh Magazine* of 1790, marks not only the first public mention of Schiller in Britain, but also the starting-point of the vogue for German drama. Mackenzie, undeterred by his apparent lack of German, reviewed various plays by Lessing and Goethe, but reserved his praise for Schiller's *Räuber*. His detailed account and startling panegyric stirred public interest with such effect that there was a proliferation of translations which took the literary world by storm.[1] Henceforth Schiller's fame was assured and his major plays were all translated in the last decade of the eighteenth century: *Kabale und Liebe* in 1795, *Fiesco* in 1796 and *Don Carlos* in 1798. In England, as indeed in France, Schiller appealed primarily as 'the untutored rebel against society',[2] the social dramatist, in short the follower of Rousseau. The plays of his maturity, such as *Wallenstein*, never equalled the success, particularly outside Germany, of his early Storm and Stress dramas. In France, for instance, Schiller was hardly known in the 1790s except as the author of *Die Räuber*, of which there were, however, at least three different versions under various titles: *Les Brigands* in the *Nouveau Théâtre Allemand*, Lamartelière's *Robert Chef de brigands* (performed in 1792), and Creuzé de Lesser's *Les Voleurs* of 1795.

Curiously, this early interest in Schiller waned in both England

and France at about the same time, though not for the same reasons. In France it was political developments that stemmed the infiltration of German drama; during the *Directoire* and the *Consulat* already there was a gradual retreat from the liberties taken by the popular drama during the Revolution, and under Napoleon's rule this turned into a distrust of all foreign importations as novelties that were a potential threat to the Classical tradition of France. The First Empire was a period of reaction in literature and it is surely no coincidence that translations from German fell off quite abruptly, only to be resumed after 1815. It is significant too that Constant's *Wallstein* originated in a milieu notoriously hostile to the Emperor: Mme. de Staël's circle at Coppet. Coleridge's *Wallenstein* also ran counter to the contemporary current for by 1800 the tide was well and truly turning against all things German. This was, somewhat paradoxically, because German literature had been *too* successful in England in the 1790s. After the 'discovery' of Bürger's *Lenore* and of Kotzebue about 1796, the enthusiasm for German literature turned into a veritable mania: in one year alone there were no fewer than twenty-seven translations or adaptations from Kotzebue. A vast amount of inferior German writing poured into the country and gradually brought the whole subject into disrepute; Germany came to be regarded as the home of violent sensations, which were satirised in parodies such as *The Benevolent Cut-Throat* that appeared early in 1800 in the short-lived periodical *The Meteors* and was attributed to 'Klotzboggenhagen'. The British stage, Coleridge wrote, had to be 'redeemed' from the 'pernicious barbarisms and Kotzebuisms in morals and taste', 'the speaking monsters imported from the banks of the Danube'.[3] So the early indiscriminate enthusiasm cast discredit over all German literature and even hindered its serious study since those with better taste were ashamed of any association with so infamous a topic. This explains Coleridge's strange letter of 18 November 1800 to the editor of the *Monthly Review*, which is worth quoting in full for the light it sheds on the repute of German drama:

In the review of my translation of Schiller's *Wallenstein* I am numbered among the Partizans of the German Theatre. As I am confident there is no passage in my Preface or Notes from which such an opinion can be legitimately formed: and, as the truth would not have been exceeded, if the directly contrary had been affirmed, I claim it of your justice that in your answers to Correspondents you would remove this misrepresentation. The mere circumstance of translating a manuscript play is not even evidence that I admired that one play, much less that I am a general admirer of the plays in that language.[4]

These were very much the sentiments of Constant, anxious, for political and patriotic reasons, not to be considered too ardent an advocate of German drama.

Thus both Constant and Coleridge were, in a sense, opposing the opinion of the time in translating *Wallenstein*. In other respects, however, the genesis and progress of the two versions differs, except in so far as neither poet came to it of his own volition. Constant appears to have had little knowledge of Schiller before Mme. de Staël put this scheme of translation to him in 1807 as a suitable occupation to fill the six weeks he had promised to stay at Coppet. There is indeed evidence (in a letter of 10 February 1804) that Goethe had made a far deeper impression on Constant during his visit to Weimar in January and February of 1804 than Schiller. It was therefore without much enthusiasm that Constant embarked on his task which was punctuated by hysterical scenes between him and Mme. de Staël. But he soon warmed to his work, which seems to have made rapid headway and to have given him great satisfaction, as well as relief from the tensions and trials of life at Coppet. The repeated references to *Wallstein* in his *Journal Intime* in the latter months of 1807[5] reveal his growing involvement not only with the problems of adaptation into French but also with the whole subject of German drama. These new interests that evolved out of the stopgap chore of translation were to lead to the *Réflexions sur le Théâtre Allemand*, that were prefaced to *Wallstein* as an afterthought and that were to prove so important for the development of French Romantic drama.

Coleridge, on the other hand, moved in the opposite direction. His youthful love of Schiller is too well known to require documentation; he himself tells the dramatic tale of his chance reading of *The Robbers* in November 1794 in a note before his sonnet 'To the Author of *The Robbers*'. That same night, fresh from the first impact, he wrote to ask Southey: 'who is this Schiller, this convulser of the heart? I tremble like an aspen leaf. Upon my soul, I write to you because I am frightened ... Why have we ever called Milton sublime?'[6] With characteristic eagerness Coleridge was soon planning to translate Schiller—in order thereby to defray the expenses of a journey to Jena! By the time he did go to Germany with Wordsworth in 1798–9 his early ardour seems to have cooled off somewhat already for he never actually met Schiller. No doubt he was discouraged by his first personal contact with a German poet for by all accounts his interview with Klopstock—conducted partly in French interpreted by Wordsworth and partly in Latin that was barely comprehensible because of the differences between the English and the Continental pronunciation—can hardly have been a success. It was after his return from Germany, late in 1799, that Coleridge was commissioned to translate *Wallenstein*. The vogue for things German was still sufficiently strong to warrant such a venture, although it was to decline sharply in the following year. The translation of *Wallenstein* was a commercial transaction of a bizarre kind: Schiller himself sold a manuscript copy (for less than £60 incidentally) to the bookseller Bell, the leading English dealer in German drama. From Bell it passed to the publisher Longman and thence to Coleridge, whose version was completed in six weeks so as to appear simultaneously with the German original. The pressure of the time-limit may have contributed to Coleridge's disenchantment, expressed in several letters of the period in which he complains that the work 'wasted and depressed my spirits, and left a sense of wearisomeness and disgust'.[7] The translation of *Wallenstein* was in fact the *coup de grâce* to Coleridge's interest in Schiller, whereas it was the starting-point of Constant's.

The differences between the English and the French text are as radical as the sub-titles imply. While Coleridge plainly states that his are dramas 'translated from the German of Schiller', Constant calls his *Wallstein* a 'tragédie en cinq actes et en vers'. This aptly summarizes the divergence between the two versions: the English is a translation of the German original and the French a free adaptation. In this both poets were conforming to the tradition of their own land in more than one sense. In England in the ten years preceding Coleridge's *Wallenstein* it had become standard practice to market straight translations of German drama.[8] France, on the other hand, had rather favoured the adaptation, as is seen from the variety of versions of *Die Räuber* current at that time. Translation, adaptation, imitation: these were for long flexible concepts so that it is often not easy to distinguish at a glance between a play translated from another language and one based on a foreign model. Schiller's dramas were favourite sources of inspiration, particularly *Die Jungfrau von Orleans* which prompted umpteen works about Joan of Arc, but even *Maria Stuart* appeared, somewhat incongruously, in 1813 as a kind of melodramatic musical in Duperche's *Alix et Blanche ou les Illustres Rivales.* For this reason it is so difficult, in spite of E. Eggli's two detailed volumes on *Schiller et le Romantisme français* (Paris, 1927), to assess the precise position of Schiller in France. Constant's method of fashioning a thoroughly French play from a foreign model was as customary in France as Coleridge's direct translation was in England.

There is another, far more important manner in which Coleridge and Constant were affected by the native literary traditions of their respective lands. In rendering *Wallenstein* into English and French, they faced entirely different problems because the dramatic conventions of the two literatures were so totally unlike. To the Frenchman of the early nineteenth century tragedy still meant primarily the plays of Racine and Corneille: harmonious in form and expression, finite in their outward appearance but infinite in their exploration of human passions, Classical in the best sense of the term. The Shakespearean chronicle play is the very opposite of French analytical drama: freer in form and speech, much more diffuse in construction and range, highly individualistic and highly imaginative. It was largely because they were transposing *Wallenstein* on to such heterogeneous backgrounds that Coleridge and Constant produced such different versions for both, to some degree, assimilated the German original to the indigenous usage.

Constant did this to a far greater extent than Coleridge, but in his case it was also more necessary since the gulf separating Schiller's *Wallenstein* from French Classical tragedy is obviously greater than that distinguishing it from Shakespearean drama. The omission of Schiller's name from the title-page of *Wallstein* is almost justified because the changes wrought by Constant are so fundamental and far-reaching as to make the German original well-nigh unrecognizable. Constant has achieved the remarkable—if not admirable—feat of transforming Schiller's vast trilogy into one play that pretty well conforms to the pseudo-Classical pattern. In the process he has not only reduced the number of lines from 2,800 to 900, but also the characters from twenty-two to twelve, to several of whom he has given more French names, turning Questenberg into Géraldin, Octavio Piccolomoni into le Comte de Gallas, etc. The obligatory three Unities are meticulously observed and this entails the suppression of many scenes, including the generals' great feast where the plot against Wallenstein is hatched, as well as the wholesale exclusion of *Wallensteins Lager*. This prelude would in any case have discomfited Constant through the rough speech of the common soldiers, so out of keeping with the stock-in-trade jargon of 'gloire', 'devoir' and 'honneur' that Constant adopted along with the accepted verse-form, the Alexandrine, long-winded and laboured though it often sounds in his unskilled hands. In the inevitable abridgement of the plot the complexity of Wallenstein's character, the tension of his vacillation is lost as he is simplified from a puzzling, fascinating figure into an ignoble villain. And the dynamic verbal exchanges of Schiller's lively dialogue, the exciting movement of his drama are also weakened into the set rhetoric, the colourless *récit* of the French version. If proof were needed of the depths to which an emasculated pseudo-Classicism had sunk by the beginning of the nineteenth century, *Wallstein* could well furnish it.[9]

Of all the many changes that Constant made only one occurs in the English too for Coleridge also suppressed *Wallensteins Lager*.

His motives for doing this are not at all clear. In the *Preface of the Translator to the First Edition* he writes that 'it would have been unadvisable from the incongruity of those lax verses with the present taste of the English Public',[10] which suggests that this loosely constructed fragment of local colour was too unconventional even for the land of Shakespeare. But Coleridge failed to grasp the function of the *Lager* in the economy of the whole trilogy, or else he could not have maintained that 'Schiller's intention seems to have been merely to have prepared his readers for the Tragedies by a lively picture of the laxity of discipline, and the mutinous dispositions of Wallenstein's soldiery'. Certainly the prelude prepares the reader or spectator, but not by its portrayal of the soldiers' mutinous dispositions; its real importance lies in its indirect revelation of Wallenstein's tremendous personal power through the spell he casts over the whole camp. Had Coleridge realized this, he would not so readily have concluded that 'it is not necessary as a preliminary explanation. For these reasons it has been thought expedient not to translate it.'[12] Having thus disposed of the *Lager*, Coleridge re-grouped the rest of the material so as to have two plays of approximately equal length. (In the German *Die Piccolomini* is considerably shorter than *Wallensteins Tod* because it is usually performed together with the *Lager.*) Hence *The Piccolomini* comprises the German play of that name plus the first two acts of *Wallensteins Tod* while *The Death of Wallenstein* renders the subsequent three, exceedingly long acts of *Wallensteins Tod.*

Apart from this Coleridge has altered remarkably little. It is unfortunately not possible to compare the English text with the German original because Coleridge was translating from a handwritten manuscript which is no longer available. There are departures from the *printed* German text; whether these must be attributed to the translator or not cannot be ascertained. Nor is there any way of checking Derwent Coleridge's contention that 'about 250 lines were omitted, and there are some additions and substitutions'.[13] There is, however, comical evidence of the illegibility of the German manuscript in spite of the known fact that Schiller had it specially copied in ordinary (not Gothic) script so as to facilitate its sale in England; only misreading can account for such strange substitutions as 'Glogan' for 'Glogau',[14] 'Fachau' for 'Tachau',[15] 'Tirschenseil' for 'Tirschenreit'[16] and the proper name 'Gordon' as a rendering of the 'Garden' meaning 'guards'![17] This latter misreading raises the problem of Coleridge's fairly numerous linguistic errors, which have been the object of more attention than any other feature of this translation.[18] That Coleridge was uncertain of his German is apparent from the following footnote: 'fearful of having made some blunder, I add the original'.[19] In fact he made a good many startling blunders, many of which stem from an insufficient comprehension of idiomatic German. The reports concerning his proficiency in the language are conflicting: he was undoubtedly learning—and translating—it as early as 1796 and during his stay in Germany he extended his studies to Old High German and Gothic; he purported indeed to be writing poetry in German and to read it as fluently as English. On the other hand, he never seems to have spoken it and his friends in Germany were by no means as confident of his competence as he was. His ludicrous misunderstanding of the word *Einbildungskraft* (imagination) as the esemplastic power certainly bears out their rather than his judgement. Nor was he in a position, during his hasty translation, to consult a native German as easily as Constant could in the multi-lingual gathering at Coppet.

Notwithstanding the linguistic errors, Coleridge has been extremely faithful in his translation. He himself set great store by fidelity to the original: 'I have endeavoured to render my author literally',[20] he wrote in the *Preface*, and at several points he felt the need to add a footnote in order to point out that a certain phrase 'might have been rendered with more literal fidelity'[21] or to excuse what seemed to him too great a liberty. In the face of these repeated apologies it is ironical to have to criticize the English text on the score that it is at times *too* close to the German. Coleridge made such a fetish of literalness that in many instances, specially towards the beginning, his English sounds queer and awkward. It becomes better and livelier as soon as he ventures to depart from the original by adding imagery or turning abstractions into more concrete terms. His version is, paradoxically, most successful at those very points where he confesses to failure: 'I found it not in my power to translate this song with *literal* fidelity,' he admits of his rendering of Thekla's song,[22] which has, however, real poetic beauty.

So these two versions of *Wallenstein* illustrate two possible approaches to the problem of transposing a work of art from one language into another: either direct, more or less word-for-word translation, or an attempt at an artistic re-creation. The choice of method is determined, of course, by the intermediary's inclinations, but also by the traditions of his native idiom. In order to make *Wallenstein* acceptable to the Frenchmen of his age Constant had to re-shape it radically. Coleridge was under no such compulsion because Schiller's work had distinct affinities with English drama. Indeed Shakespeare was the inspiration of the *Sturm und Drang* dramatists, including the young Schiller. Of this Coleridge was aware for he suggests in the *Preface* that 'we should proceed to the perusal of Wallenstein, not from Lear or Othello, but from Richard the Second, or the three parts of Henry the Sixth'.[23] Coleridge even follows Shakespeare's practice by casting the speech of servants and soldiers into prose. Thus he too tended to assimilate the German play to native tradition, although this involved nothing like the drastic reorganization that Constant had to undertake.

The fate of the two versions is similar only in so far as in neither case did it depend on intrinsic merit. Coleridge was perhaps unfortunate in the timing of his translation whose appearance coincided with a sharp decline of public interest in German matters. In this connection it is significant that *The German Museum*, a periodical devoted to German affairs, founded in January 1800, had to cease publication in June 1801 after only three numbers for lack of readers. This bears out the impression that the revulsion against the German theatre was as sudden and violent as the earlier upsurge of enthusiasm. In these circumstances it is not surprising that Coleridge's *Wallenstein* found neither a favourable reception nor a ready sale. At best it was rather grudgingly conceded that 'the pieces are more regular than many other productions of the German theatre; and they are at least free from absurdity'.[24] It was, moreover, of little subsequent importance; Scott derived from it mottoes for the chapter-headings of his *Waverley* novels, but by and large it was—and has remained—an incidental curiosity of literary history. If truth be told, Coleridge himself was the first to detract from *Wallenstein* when he introduced the play with the following comment: 'The admirers of Schiller, who have abstracted their conception of that author from the *Robbers* and the *Cabal and Love*, plays in which the main interest is produced by the excitement of curiosity and in which the curiosity is excited by terrible and extraordinary incident, will not have perused without some portion of disappointment the dramas which it has been my employment to translate.'[25] This remark is symptomatic of the move away from Schiller and German drama that was beginning to gather momentum. For Coleridge himself the drudgery of translating *Wallenstein* was decisive for his subsequent judgements on Schiller were increasingly adverse. 'Schiller has the material Sublime; to produce an effect, he sets you a whole town on fire, and throws infants with their mothers into the flames, or locks up a father in an old tower. But Shakespeare drops a handkerchief, and the same or greater effects follow.'[26] That dates from 1822; by 1834 he was harsher: 'Schiller's blank verse is bad. He moves in it as a fly in a glue bottle. His thoughts have their connection and variety, it is true, but there is no sufficiently corresponding movement in the verse. How different from Shakespeare's endless rhythms!'[27] That Coleridge in both instances measured Schiller up against Shakespeare is of paramount importance, indeed it is the crux of the matter. To the English, Schiller—once he had developed beyond the *Sturm und Drang* sensationalism of the early plays—seemed like an echo of Shakespeare. They had no need to import dramas such as *Wallenstein*; on the contrary, it was the impetus from England that fructified European drama. Shakespeare was the vital force behind the plays of Schiller and Goethe, as well as of Hugo, although their English contemporaries, Shelley and Byron, favoured a predominantly lyrical form of drama. This too may well have contributed to the failure of *Wallenstein* in England.

The French *Wallstein*, in contrast, was a sensation, if not exactly a success. The literary journals of the day gave lengthy accounts of the piece, which aroused heated arguments. Conventional and watered down though it seems to us, *Wallstein* was still unacceptable to French taste. It was branded as 'une monstruosité littéraire' by the *Journal de Paris* of 12 February 1809, and regarded as a potential threat to the dramatic traditions sacred in France and also as politically suspect because it told a tale of defection from an Emperor. For these reasons Constant, on the advice of Mme. de Staël, prefaced the published text with *Quelques Réflexions sur le Théâtre Allemand.* Though added as an afterthought, largely in self-defence, the *Réflexions* are very much longer and very much wider in scope than Coleridge's cursory *Preface of the Translator.* Since Constant's discourse was conceived primarily as an apologia, he naturally begins by discussing some of the problems encountered in rendering Schiller's trilogy into French: the enormous length of the whole work, the unfamiliarity of the subject-matter, the impropriety of Thekla, the superstitions of Wallenstein, and above all, the freedom of speech and the realism customary in German tragedy. From this frank and illuminating consideration of his own difficulties, Constant is drawn—possibly even against his initial intentions—to an outline comparison of the German and French approach to drama: German drama is wider in scope, more complex in its characterization, freer, i.e. more direct and realistic in its expression than French tragedy with its formalized harmony and simplicity. In this analysis of the fundamental differences between the two types of drama, Constant reveals, besides an acute intellect, an astonishingly deep insight and great sensitivity to the distinctive qualities of Schiller's plays. This true appreciation is curiously lacking in Coleridge in spite of his long-standing enthusiasm for Schiller and his sojourn in Germany. Hence what seems at first sight a baffling paradox: the English version that is the better of the two, taken purely as a translation, was of less significance than the undeniably feeble French adaptation. For while *Wallstein* itself was soon forgotten and superseded by Charles Liadières' more effective rendering, the *Réflexions sur le Théâtre Allemand* that arose out of Constant's occupation with *Wallenstein* were of far-reaching importance for the evolution of French drama. Here, for the first time, the French were presented with an intelligent appraisal of the German theatre; moreover, Constant showed exemplary tact and caution in his inferences. Though conscious of the merits of German drama, he stated categorically: 'Je suis loin de recommender l'introduction de ces moyens dans nos tragédies'[28] for, whatever its defects, 'la tragédie française est, selon moi, plus parfaite que celle des autres peuples'.[29] By this means Constant was cleverly able to dispel some of the old instinctive fear of foreign importations: the German drama, far from ousting the native forms, was to serve as a source of improvements. In this sense the *Réflexions sur le Théâtre Allemand* adroitly paved the way for a dramatic renewal in France.

If any conclusion can be drawn from the history of these two versions of *Wallenstein*, it must surely be the waywardness and complexity of international literary relationships—and the fascination of comparative literary studies.

NOTES

[1] See L. A. Willoughby, 'English Translations and Adaptations of Schiller's *Robbers*', *Modern Language Review*, XVI (1921).

[2] L. A. Willoughby, 'Schiller in England and Germany', *Publications of the English Goethe Society*, XI (1935), p. 1.

[3] S. T. Coleridge, *Biographia Literaria* (London 1958), II, p. 181.

[4] *Monthly Review*, XXXIII (1800), p. 336.

[5] B. Constant, *Journal Intime* (Paris, Gallimard 1957), p. 658 ff.

[6] S. T. Coleridge, *Letters*, edited by E. H. Coleridge (London 1895), I, pp. 96–7

[7] S. T. Coleridge, *Biographia Epistolaris*, edited by A. Turnbull (London 1911), p. 193.

[8] See F. W. Stokoe, *German Influence in the English Romantic Period*, Cambridge University Press (1926), Appendix V, pp. 180–7.

[9] For a more detailed analysis of *Wallstein* please see the article, *Romanistisches Jahrbuch*, XV (1964), pp. 141-59.

[10] S. T. Coleridge, *Poetical and Dramatic Works* (London 1877), III, p. 43.

[11] *Ibid.*, III, p. 43.

[12] *Ibid.*, III, pp. 43–4.

[13] *Preface to S. T. Coleridge's Dramatic Works* (London 1857), p. xii.

[14] *Death of Wallenstein*, Act III, scene iii, and *Wallensteins Tod*, Act IV, scene iii.

[15] *Death of Wallenstein*, Act III, scene iv, and *Wallensteins Tod*, Act IV, scene iv.

[16] *Ibid.*

[17] *Death of Wallenstein*, Act IV, scene ii, and *Wallensteins Tod*, Act V, scene ii.

[18] The errors were first listed in *The Westminster Review*, July 1850 (reprinted in Derwent Coleridge's edition of *Coleridge's Dramatic Works* (London 1857), pp. 426–7. P. Machule's article 'Coleridge's Wallenstein-übersetzung' (*Englische Studien*, XXXI (1902), pp. 182–239) consists almost exclusively of an enumeration of errors, pedantic and at times itself mistaken.

[19] *The Piccolomini*, Act II, scene iii.

[20] S. T. Coleridge, *Poetical and Dramatic Works* (London 1877), III, p. 46.

[21] *The Piccolomini*, Act IV, scene vii, footnote.

[22] *Ibid.*, Act II, scene vi.

[23] S. T. Coleridge, *Poetical and Dramatic Works* (London 1877), III, p. 44.

[24] *Monthly Review*, XXXIII (1800), p. 128.

[25] S. T. Coleridge, *Poetical and Dramatic Works* (London 1877), III, p. 44.

[26] *Table Talk*, 29 December 1822 (London 1874), p. 2.

[27] *Ibid.*, 2 June 1834.

[28] B. Constant, *Wallstein* (Geneva 1809), p. xxvi.

[29] *Ibid.*, p. li.

LE *DISCOURS DE LA MÉTHODE* ET LA QUERELLE DES ANCIENS

par

G. F. A. GADOFFRE

IL est d'usage de parler de «critique des maîtres jésuites» à propos des pages consacrées par Descartes à sa formation scolaire, et c'est un fait qu'on peut retrouver dans l'énumération des matières d'études commentées et critiquées dans le chapitre autobiographique l'ordre même du programme d'études du collège de La Flèche, conforme à la *Ratio studiorum* des jésuites.[1] Faut-il en conclure que ce procès de l'enseignement est une attaque contre les jésuites de la Flèche?

S'il en était ainsi, on s'expliquerait mal l'insistance de Descartes à envoyer des exemplaires d'auteur du *Discours de la Méthode* à toutes ses relations jésuites, en sollicitant des objections, et en soignant ses relations épistolaires avec les Pères Vatier, Charlet, Fournet, Mesland, Bourdin, tous jésuites, et les trois premiers professeurs à La Flèche. Il cache à peine son intention de les mettre dans son jeu, et quelques mois après la publication du *Discours*, il va même jusqu'à crier victoire un peu trop vite.[2] Les jésuites ne se sont d'ailleurs jamais sentis visés par les prétendues attaques du *Discours*, et non seulement leur ancien élève ne manque pas une occasion de cultiver leur sympathie avec une persévérance presque gênante,[3] mais dans une œuvre non destinée à la publication telle que les *Regulae*, il se félicite de la formation qu'il a reçue dans sa jeunesse,[4] et quand un gentilhomme de ses amis lui demande conseil sur l'établissement d'enseignement où envoyer son fils, Descartes n'hésite pas à lui recommander La Flèche.[5]

Cette mise au point n'est pas inutile, car ici encore le pseudo-problème masque le vrai, il fait perdre de vue que l'attaque ne porte pas sur un collège — présenté comme l'un des meilleurs d'Europe — mais sur l'orientation gréco-latine commune à tout l'enseignement français, et sur le principe même des *litterae humaniores*, combinaison pédagogique de la grammaire, de l'histoire, de la poésie et de la rhétorique, considérée depuis la Renaissance comme la meilleure préparation à la vie. L'auteur du *Discours* ne fait que présenter avec des nuances, et de façon oblique, le jugement qu'il formulera plus tard avec une franchise brutale dans *La Recherche de la Verité*: «Un honnête homme n'est pas plus obligé de savoir le grec ou le latin, que le suisse ou le bas-breton, ni l'histoire de l'Empire, que celle du moindre Etat qui soit en l'Europe; et... il doit seulement employer son loisir en choses honnêtes et utiles, et à ne charger sa mémoire que des plus nécessaires».[6]

Or il ne s'agit pas d'une position isolée. La tradition scolaire française, en isolant Descartes de tout de qui n'était pas philosophie, a laissé oublier que c'est entre 1610 et 1630 que se situe l'une des phases les plus virulentes de la querelle des Anciens et des Modernes. La génération nouvelle réagit violemment contre les Grecs et les Romains que le siècle précédent idolâtrait, et la notion même de fidélité aux modèles antiques est de tous côtés battue en brèche. Le parti des modernes multiplie ses manifestes, depuis l'*Académie de l'Art poétique* de Deimier (1610) jusqu'à la préface à la *Tyr et Sidon* de Jean de Schelandre par Ogier, ami et correspondant de Balzac (1628), en passant par la préface aux Tragédies de Claude Billard (1612), et la préface de la *Sylvanire* d'Honoré d'Urfé (1625). «Il faut écrire à la moderne» s'écrie Théophile de Viau, «Démosthènes et Virgile n'ont point écrit en notre temps, et nous ne saurions écrire en leur siècle: leurs livres, quand ils les firent, étaient nouveaux, et nous en faisons tous les jours de vieux.»[7] Le plus cruel de ces nouveaux iconoclastes, Charles Sorel, montre dans *Le Berger extravagant* (1627) à quelles bouffonneries peuvent conduire les mystifications littéraires. Car pour lui, comme pour Descartes, les *litterae humaniores* sont mystifiantes, et dans son roman à succès *Francion* (1623), il avait déjà montré son héros, au sortir du collège, dans une situation qui le rapproche de l'ancien élève de La Flèche. Gavé d'antiquités, les «grimauderies pédantesques» lui ont «perdu le jugement» au point qu'il a fini par croire que «toutes les fables des poètes fussent des choses véritables» — et il ajoute: «Je n'étais pas tout seul abusé; car je sais de bonne part que quelques uns des maîtres avaient une opinion semblable».[8]

Il entreprend alors une cure de lecture, et il apprend plus en trois mois qu'il n'avait fait en sept ans de collège, les auteurs modernes exerçant sur lui une salutaire action démystifiante. Mais cette reprise de contact avec le réel — que la culture universitaire avait failli compromettre — devient elle-même objet de réflexion. A la cure de lecture succède une phase de retraite. Le héros passe alors «plus d'un an dans la plus grande solitude du monde, et sans sortir que fort peu».[9] Après quoi il se lance dans la vie comme dans une aventure, avide, lui aussi, de lire au grand livre du monde. — «Le plus beau livre que vous puissiez voir» dit Francion au pédant Hortensius, qui a été son professeur à l'Université de Paris, «c'est l'expérience du monde».

A quoi Hortensius répond avec un sourire de pitié: — «Je n'ai que faire des sottises de la mode: je me gouverne à l'antique».[10]

Ainsi quatorze ans avant le *Discours de la Méthode*, ce recours au livre du monde opposé à la sagesse antique était déjà considéré comme une attitude collective de la génération montante, dans laquelle un cuistre ne pourrait voir que snobisme de jeunes coqs.

* * *

Au cours des années vingt, le parti moderne est en plein triomphe. Théophile de Viau et Malherbe, en opposition sur tout le reste, ne sont d'accord que sur ce point: la supériorité des Modernes. Et Guez de Balzac, toujours prêt à voler au secours de la victoire, joue an porte-drapeau de l'avant-garde. «Le latin et le grec sont inutiles en France», déclare-t-il à Racan,[11] — et de partir en guerre dans *le Prince* contre les «savants qui sont savants aux choses qui ne viennent point en usage, et n'ignorent rien de ce qui est inutile... qui consomment leur vie à la recherche de quelques mots et à l'intelligence d'une langue, qui prennent les moyens pour des fins et les chemins pour les villes».[12]

On ne se contente plus de l'argument, si souvent reproduit depuis la *Défense et illustration de la langue française*, du retard apporté à l'acquisition des connaissances par l'interminable étude de langues que les Anciens, eux, n'avaient pas à apprendre. Jean-Pierre Camus suit encore du Bellay sur ce point,[13] mais déjà Deimier, dans son *Académie de l'Art poétique* de 1610, a recours à la métaphore des semences pour faire de l'aptitude poétique un don inné, non un effet de l'art, de l'imitation, ou de la seule inspiration. «Le Poète doit être en ses Poèmes comme la Nature en la production des fleurs; car elle forme les roses et les œillets avec toute la perfection que le Créateur leur a donnés pour être roses et œillets». Ce recours aux notions néo-platoniciennes de semence, de matrice universelle, d'aptitudes innées, on le retrouve à cette époque aussi bien chez les savants que chez les théologiens de la Contre-Réforme française et chez les poètes. Kepler en fait usage. Les mathématiques sont, pour lui, «coéternelles à Dieu», le monde est plein de *signatura rerum* qui attestent la présence du «sceau divin», et l'âme humaine reçoit dès sa naissance l'empreinte divine des notions géométriques qui se révèlent dès l'éveil de l'intelligence, à la manière des idées innées, *ex instinctu*.[14]

C'est la convergence entre toutes ces prises de position qu'on retrouve, une fois de plus, chez Guez de Balzac, complaisant écho des vérités de l'heure. Il y a chez l'homme, écrit-il dans son *Apologie*, «quelques semences de vérité et quelques raisons universelles communes aux grands esprits qui viennent s'éclore toutes pareilles lorsqu'ils ont à discourir sur les mêmes matières».[15] Il tire les conséquences de cette affirmation dans une de ses Dissertations:

> N'en déplaise à l'université, il y a une logique naturelle.... La Raison peut faire toute seule de grandes choses, sans l'assistance de l'Art et de la Science.... Un grand orateur est plus obligé à sa mère qu'a son maître et à ses estudes; je dis son Eloquence et la noblesse de son stile. Il y a des terres extrêmement fertiles, qui ne sont cultivées que par le Ciel.... La libéralité de la Nature enrichit bien plus que le mesnage des hommes.[16]

Balzac n'ayant jamais eu d'autres idées que celles des autres, et ne les ayant jamais reçues qu'à partir du moment où elles entraient dans le domaine commun, on peut ainsi mieux situer les propositions du *Discours de la Méthode* sur la priorité des «dons de l'esprit» sur les «fruits de l'étude» dans les domaines de l'éloquence et de la poésie, des grâces d'état sur la théologie dans le domaine religieux, des idées innées sur la logique formelle dans les sciences et la métaphysique. A force d'isoler la philosophie dans un désert miraculeux, on a fini par perdre de vue l'humus où elle prenait racine. Faute d'avoir voulu recourir à l'histoire, on lui a substitué une pseudo-histoire et une pseudo-psychologie en attribuant à Descartes mille intentions secrètes. On aurait pu faire l'économie de ces hypothèses inutiles en constatant que sa critique du programme de La Flèche était, en fait, un ensemble de lieux communs de la génération montante, nés en un temps où l'idéologie moderniste s'épanouissait en rationalisme et devenait, pour un jeune philosophe, à la fois une alliée et une complice.

NOTES

[1] Le programme etait organisé de la façon suivante: classes de 6ième, 5ième, 4ieme, étude du latin, des fabulistes et des poètes (Phèdre, Ovide, Virgile); classes de 3ième, 2ième, 1ière, étude des historiens latins, des orateurs et de l'éloquence; au cours des classes terminales, étude de la logique, des mathématiques et de la physique. L'enseignement de la philosophie s'étendait sur trois années: 1re année, logique; 2me année, physique et cosmographie; 3me année, métaphysique.

[2] «J'ai reçu depuis peu une lettre d'un de ceux de La Flèche, où je trouve autant d'approbation que j'en saurais désirer de personne... Et parce que je sais la correspondance et l'union qui est entre ceux de cet Ordre, le témoignage d'un seul est suffisant pour me faire espérer que je les aurai tous de mon côté» (Lettre à Huygens de Mars 1638, Descartes, *Œuvres*, Pléiade, 1 ed p. 788).

[3] Voir en particulier les lettres au P. Charlet d'octobre 1644 (Pl. p. 938) et du 9 février 1645 (Pl. p. 939). C'est dans cette dernière qu'il déclare: «le chemin que j'ai pris, en publiant une nouvelle philosophie, fait que je puis recevoir tant d'avantage de leur bienveillance, et, au contraire, tant de désavantage de leur froideur, que je crois qu'il suffit de connaître que je ne suis pas tout-à-fait hors de sens, pour assurer que je ferai toujours tout mon possible, pour me rendre digne de leur faveur».

[4] Pl. p. 8.

[5] Lettre à ***, 12 septembre 1638 (Pl. p. 800). Toute la lettre est un éloge des méthodes d'éducation de La Flèche.

[6] Pl. p. 673.

[7] *Fragments d'une histoire comique*, p. 1.

[8] Charles Sorel, *Francion* (Elzevir), pp. 168–9.

[9] *Ibid.*, p. 169.

[10] *Ibid.*, p. 470.

[11] G. de Balzac, lettre à Racan du 21 août 1625, *Les Premières lettres de Guez de Balzac* (Paris 1934), t. II, p. 129.

[12] *Le Prince*, Ch. XIII, *Œuvres* de G. de Balzac (ed. 1665), t. II, p. 46.

[13] Du Bellay, *Défense et illustration de la langue française*, livre I, Ch. X; J. P. Camus, *Les Diversités* (Paris 1609), p. 80.

[14] Voir la série d'exemples donnée par W. Pauli dans *Naturerklärung und Psyche* (Zürich 1952). Ed. anglaise (Londres 1955), pp. 159–66.

[15] G. de Balzac, *Œuvres*, ed. 1665, t. II annexe, p. 113.

[16] Dissertation XVII, Balzac, *Ibid.*, p. 653.

TALMA ET SES AUTEURS

par

JEAN GAUDON

«IL a travaillé lui-même à presque toutes les tragédies de son temps» écrivait, après la mort de Talma, Pierre Lebrun.[1] La plupart des dramaturges qui avaient ainsi «travaillé» avec Talma ne firent pas mystère de cette collaboration. La première édition de la *Clytemnestre* de Soumet, par exemple, comporte, à la deuxième scène du troisième acte, une note très explicite:

J'imprime ici ce récit avec toutes les transpositions indiquées par M. Talma. Je saisis avec empressement cette circonstance de témoigner ma reconnaissance publique à ce grand génie de notre théâtre, aussi profond dans ses vues dramatiques que dans sa manière d'en faire ressortir les effets.[2]

Quelques années auparavant, en 1818, c'est Ancelot qui avait prononcé le nom de Talma dans la réédition de l'*Abufar* de Ducis,[3] pièce que ce dernier n'avait pas eu le temps de remanier, et qu'Ancelot avait, en collaboration avec Talma, augmenté de deux actes. Nous savons d'autre part par Lebrun que le quatrième acte des *Templiers* de Raynouard avait été entièrement récrit selon les indications de Talma, et par Charlotte Talma que le *Manlius* de Lafosse et «une des meilleures pièces de Ducis» avaient été refaits par leur interprète.[4] Ajoutons à cette liste les noms de Lemercier, de Brifaut, de Lebrun, et l'on aura une idée du rôle joué par Talma dans la production dramatique de son époque.

Le mot «travailler» employé par Lebrun peut paraître un peu fort. Il faut pourtant l'entendre littéralement. Grand acteur, Talma se refuse à n'être qu'un interprète. Il aime à raturer, à corriger, à développer les manuscrits qui lui sont soumis par les auteurs.[5] Il est évidemment difficile, à partir du petit nombre de documents qui ont été préservés,[6] de définir avec précision le sens de ses interventions, mais quelques indications précieuses peuvent cependant en être tirées. Dans le monologue d'Oreste à propos duquel Soumet a avoué sa dette, Talma a substitué au ton assez objectif du texte original une diction entrecoupée, haletante, beaucoup plus favorable aux effets. Soumet écrivait:

> Cette effrayante voix tant de fois entendue
> Cet autel, ce tombeau, cette femme éperdue,
> Et la profonde nuit ou s'égaraient mes pas,
> Et l'arrêt prononcé par la voix du trépas
> Ont révolté mes sens, ont brisé mon courage
> Et mon cœur ne peut plus suffire à cet orage
> Cher Pylade...

Dans la version de Talma, plus ramassée, c'est devant nous que se brise le courage et que le cœur défaille, et l'on n'a pas de peine à imaginer l'effet de terreur qu'un bon acteur peut tirer de ce nouveau texte. Tout ce que nous savons de Talma et de son art confirme que nous sommes ici en présence d'un de ces moments au cours desquels l'acteur se surpassait, comme dans la scène du délire d'Oreste, dans l'*Andromaque* de Racine:

> J'en suis sorti glacé, pâle, plein d'épouvante,
> Et ce prodige affreux, cette femme expirante,
> Ces infernales sœurs, ce spectre furieux,
> Me poursuivent encor, ils sont devant mes yeux
> Je succombe.

Pour habiles que soient ces remaniements, il faut cependant avouer qu'ils n'affectent guère la diction, qui demeure classique. Il n'y a pas une césure qui soit affaiblie, pas un enjambement qui soit suggéré. L'expérience de l'acteur ne suffit visiblement pas à lui souffler les mots qui donneraient au texte un peu de la vigueur qui lui manque. Dramatiquement bénéfique pour le texte précis auquel elle s'applique, l'action de Talma reste sans portée générale, et sans conséquences poétiques.

Cette forme d'intervention directe sur un texte déjà considéré par l'auteur comme définitif n'est pourtant pas celle sous laquelle l'influence de Talma s'exerça le plus vigoureusement. Au lendemain de la mort de l'acteur, Lebrun écrivit sur son grand collaborateur disparu une page singulièrement éclairante:

> Que sont devenus les conseils qui m'excitaient, ces avis qui, exprimés la plupart du temps par un geste, un regard, un mouvement, des paroles sans ordre et sans signification apparente, se faisaient entendre à moi mieux que les plus claires paroles, partaient d'une âme si émue, d'une connaissance si profonde de l'art et des effets du théâtre et faisaient comprendre soudain tout un caractère et surtout toute une situation: un seul son de sa voix, un seul regard donnait tout à coup l'idée du morceau ou de la situation la plus pathétique; dans la chambre et en causant avec un ami, sa sensibilité s'ébranlait presque comme en présence d'un public rassemblé; il s'échauffait sur les sujects, les voyait d'avance au théâtre, les jouait avant qu'ils eussent un seul vers de fait; il se voyait sur la scène, il sentait ce que tel ou tel caractère devait faire et dire en telle ou telle circonstance, il marchait, il s'écriait, c'était de l'art, c'était de la nature: on voyait, on devinait une scène entière, c'était une improvisation sublime; on pouvait, pour ainsi dire, écrire sous sa dictée.[7]

Cette description, très suggestive, donne une assez bonne idée des pouvoirs de ce grand acteur nourri de Shakespeare, qui alliait à son instinct infaillible de l'efficacité théâtrale une imagination si ardente que ces timides auteurs qui se prenaient pour des novateurs étaient pour ainsi dire élevés au-dessus d'eux-mêmes.

C'est à ce deuxième type d'action que nous devons la version définitive de l'*Hamlet* de Ducis. Au départ, la correspondance entre Ducis et Talma laissait prévoir quelques améliorations de détail, comme dans le cas de la *Clytemnestre* de Soumet. Le 22 octobre 1803, Ducis écrivait: «Je vous envoie, mon cher ami, un *Hamlet* presque entièrement refait. Vous reverrez tout ce travail avec Lemercier, notre ami et notre voisin.»[8] Après une autre lettre du 24 octobre envoyant «une second édition» de la dernière scène du cinquième acte, que le brave Ducis voudrait être «dans la manière du Dante pour les images et pour la couleur»,[9] deux années s'écoulent, durant lesquels Talma ne semble pas s'intéresser spécialement à ce nouvel *Hamlet*. Enfin, le 27 septembre 1805, Ducis écrit à sa nièce:

> Hier, ma chère nièce, j'ai vu Talma. Il est convenu entre lui, Mr. Le Mercier et moi, que nous irons dîner à Brunoy le mercredi 10 de ce

mois, et que je ne quitterai pas sa campagne que toutes les corrections du 5ᵉ acte d'*Hamlet* ne soient terminées. Cela demandera au moins cinq à six jours.[10]

Ducis était optimiste. Il pensait à un ravaudage, à de vagues retouches, quand il s'agissait d'une véritable refonte, Le 9 octobre, il écrivait à un de ses amis:

Je suis fort en état de travailler au 5ᵉ acte de ma tragédie d'*Hamlet.* Tout a été fixé dans le travail que j'ai fait à Brunoy chez Talma avec lui et Le Mercier mon jeune ami. Je n'ai plus qu'à faire des vers, en en conservant pourtant un certain nombre de ceux que j'ai déjà faits.[11]

On imagine la scène dans la maison de Brunoy: quelque chose comme l'improvisation que décrivait Lebrun. Il en sort sans doute un texte en prose, mi-canevas, mi-développement, avec un certain nombre de répliques à incorporer. Lorsque les vers seront faits, il restera à Talma à les revoir et à les retoucher.[12]

C'est dire que le texte n'a pas été, dans le cas de l'*Hamlet* de Ducis, établi selon des considérations de beauté formelle, mais en fonction de l'efficacité dramatique. Il faut, certes, qu il soit «irréprochable par le style»,[13] mais cette exigence reste purement négative. Ce qui compte, c'est l'effet, le choc. Ainsi s'expliquent les expressions étranges que Ducis, le calme Ducis, emploiera pour parler de ses pièces ou de ses rêves de pièces:

Si j'ai désiré quelque chose vivement (ce qui ne m'arrive plus guère) c'est qu'il lance ce nouvel acte dans le public qui l'idolâtre comme un tison infernal, tout fumant et tout brûlant et qu'il ne laisse, dans l'esprit du spectateur, à la fin de la pièce, que la coupe, l'urne, le spectre, Shakespeare, le Dante et Talma.[14]

Un tel texte permet, dans ses outrances mêmes, de mieux comprendre en quoi consiste cette nouvelle relation entre l'auteur et l'acteur. C'est Talma, l'acteur génial, qui devra, avec du Ducis, faire du Shakespeare, le rôle de l'auteur étant de faciliter l'opération. L'acte créateur consistait donc à écrire des scènes qui fussent virtuellement révolutionnaires. En multipliant les situations terrifiantes, les tombeaux et les poignards sanglants, Ducis aide Talma à bousculer les barrières de la tradition française.

Mais il fallait aussi réformer la diction, réduire l'excessive ornementation qui caractérise la langue poétique, économiser les figures. Avec Ducis, le problème ne se posa pas. Tout enfiévré de ces excès superficiels qui lui permettaient de passer pour un «convulsionnaire»[15] ou pour un «scélérat»,[16] Talma ne parut pas se rendre compte que le vers de Ducis était souvent ridiculement ampoulé. D'ailleurs la langue en était généralement terne et les points d'exclamation et de suspension (introduits ou non par Talma) suppléaient au manque de force expressive. Avec l'âge, pourtant, Talma parut devenir de plus en plus sensible au problème de la forme, et c'est sur ce problème qu'assez paradoxalement éclata un conflit entre le vieil acteur et la première génération des écrivains que l'on appelle habituellement romantiques: Soumet, Pichat, Guiraud et Lamartine.

Tout paraissait devoir favoriser, entre le vieil acteur révolutionnaire et les jeunes auteurs ambitieux, des relations harmonieuses. Les circonstances étaient favorables. Le 9 juillet 1825, le Baron Taylor, ami de Nodier, prit ses fonctions de Commissaire royal près le Théâtre français. Une de ses premières actions fut de faire sortir des cartons où elle dormait depuis sept ans une tragédie de son ami Pichat dit Pichald, *Léonidas*. Tout était prêt pour la grande réforme: d'un côté Talma dont on connaît l'audace, et un administrateur énergique, ancien directeur du *Panorama dramatique* et auteur de mélodrames. De l'autre, de jeunes auteurs qui passent pour hardis, qui brûlent de se faire jouer sur le premier théâtre de France, et qui mettent toutes leurs espérances dans le grand acteur. Le lendemain de la première de *Léonidas*, qui avait eu lieu le 26 novembre 1825, un grand banquet fut donné au «Rocher de Cancale». La petite histoire raconte que Talma, auquel Pichat avait rendu hommage, comme il se devait, dans sa préface, y prit la parole pour déclarer que Taylor avait sauvé la Comédie française.

C'est là une belle image d'Epinal à laquelle nous aimerions croire. Malheureusement, derrière l'harmonie de surface, l'hostilité profonde se fait constamment sentir. Les expressions les plus amères et les plus fortes se trouvent dans une lettre adressée par Guiraud à Sophie Gay, à la suite du refus, par le Comité de lecture du Théâtre français, d'une pièce de celle-ci:

Ce pauvre comité qui retarde votre succès est le même que celui qui a écouté froidement *Saül*[17] et reçu par acclamation *Mathilde*[18], *Adraste*[19] et *Faliero*.[20] Je n'ose plus me fâcher maintenant de ce qu'il trouva dans le temps *Pélage*[21] ressemblant à *Zaïre* et à *Louis IX*.[22] Il m'a donné depuis bien plus de consolation qu'il ne m'en devait, par ses injustices quotidiennes. La dernière envers notre bon Alexandre est désolante pour tout ce qu'il y a d'un peu poétique à Paris. Que fera-t-il de son possédé tant que Talma sera au théâtre?[23]

Faisons, naturellement, la part du dépit: Guiraud a dû se contenter, pour ses *Machabées*, de l'Odéon.[24] Reste le fait indéniable: Talma rejette une pièce de Soumet, comme il a rejeté des pièces de Guiraud,[25] comme il a éconduit Sophie Gay. Il se sert de l'influence qu'il a sur le comité pour barrer la route aux jeunes auteurs. Vieillissement? Attachement paresseux à des habitudes? Cela contredirait tout ce que nous savons par ailleurs des dernières années de Talma dont l'art semble avoir très sensiblement progressé[26] et dont tous les témoins s'accordent à rapporter les propos réformateurs. En fait, Talma refuse ces pièces pour des raisons précises.

Une lettre de Talma à Taylor,[27] pour lequel il a la plus grande sympathie, exprime clairement les raisons de ses réserves envers la tragédie de Pichat.[28] Il y a dans *Léonidas*, dit-il, trop de «beaux vers» et pas assez d'action. Il prédit l'échec financier[29] de la pièce et demande que l'on remette en répétitions une pièce plus ancienne, au succès assuré, une tragédie de Chénier,[30] par exemple. Talma, contrairement à la légende, ne tient donc pas à incarner des personnages démesurés, «épiques», qui occupent longuement la scène en récitant des tirades poétiques. Lorsqu'il refuse le *Saül* de Soumet — refus pour lequel Guiraud lui en veut tellement — il le fait en des termes flatteurs, mais fermes: «Je crains que vous n'ayez dépassé les forces humaines».[31] Face à face avec un autre *Saül*, celui de Lamartine, il avait dit à peu près la même chose.[32]

Bien que Talma, en effet, se soit illustré dans les rôles du répertoire classique, bien qu'il ait dû accepter, souvent, des rôles médiocres dans des tragédies traditionnelles, il ne faut pas oublier que son goût le portait surtout vers le drame shakespearien, même habillé à la française, et qu'il avait peu d'attraction pour la tragédie voltairienne. Or qu'est le *Saül* de Lamartine, sinon une tragédie néo-classique de plus, avec tout ce que cela représente de «déclamation poétique»? Talma refuse donc, en 1818, la pièce de Lamartine, comme il refusera les *Machabées* de Guiraud et le *Saül* de Soumet, et pour les mêmes raisons; comme il se serait sans doute, sans l'insistance de Taylor, opposé à la représentation de *Léonidas*: non par hostilité à ce que l'on a tort d'appeler romantisme, mais par fidélité à une autre idée du romantisme, inspirée de Shakespeare.

Le système d'écriture auquel se conforment ces écrivains qui n'annoncent que de très loin le romantisme de 1830 est en effet purement et simplement le système néo-classique. La couleur biblique reste pour eux une couleur, c'est à dire une ornementation. La touche pittoresque est fournie par un tout petit nombre de «mots propres», tandis que la «poésie» s'exprime par la multiplicité des figures, comparaisons et périphrases qu'une diction traditionnelle continue d'imposer. Tout effort de vérité historique ou archéologique aboutit ainsi à un insupportable alourdissement du dialogue et à l'introduction, dans la tragédie de type racinien, de tous les ridicules de la poésie descriptive. Sous la plume d'un écrivain médiocre, cette poétique absurde contribue à faire des *Machabées* de Guiraud un laborieux ratage, mélange de «couleur locale» et de boursouflure:

> Peut-être il appartient à ces Hébreux épars
> Qui de Jérusalem désertant les remparts,
> Reste impur des tribus en mon pouvoir tombées
> Aux sables de Maon suivent les Machabées:
> Ces sept frères soldats, de Lévi descendus,
> Par l'éphod solennel dans le temple attendus,
> Qu'une armure environne avant le lin suprême,
> En qui Juda retrouve une race qu'il aime,
> Et dont l'ardente mère, attachée à leurs pas,
> Fille de leur David et veuve d'Onias,
> Du sceptre et des autels réclamant le partage,
> Les pousse incessamment vers ce double héritage.[33]

Devant cette profusion d'épithètes parasites, de périphrases ridicules, d'inversions maladroites, Talma ne pouvait que se récrier. La *Réponse à un acte d'accusation* qu'en 1854 Hugo dirigera contre les Delille et les Campistron s'applique au fond tout aussi bien, et pour les mêmes raisons, aux Guiraud et aux Soumet. Dès le 16 décembre 1824, un rédacteur anonyme du *Globe* disait déjà, à propos du *Fiesque* d'Ancelot, ce que Talma pensait sans doute tout bas, et ce que Hugo, trente ans plus tard, proclamera:

Le système contre lequel je m'élève, c'est celui qui, ...craignant de prononcer le mot propre, dès que le mot est d'un usage familier, le remplace par une périphrase harmonieuse, par une image qu'on appelle poétique.... *Irez-vous durement cahoté, Sur les nobles coussins d'un char numéroté* dit Hortense à Danville, dans *L'Ecole des Vieillards*, et tous les critiques de s'extasier sur l'habileté avec laquelle M. Casimir Delavigne a évité de prononcer ce vilain mot de *fiacre*. Qu'on y réfléchisse bien, ceci est la plus grande plaie de notre littérature dramatique, celle à laquelle il importe de porter un prompt remède.... En résumé voilà donc le dilemme que je propose à MM. Ancelot, Guiraud et compagnie: ou mettez de côté tout votre bagage de règles, de dignité tragique, de convenances théâtrales, ou renoncez à traiter les sujets du Moyen-Age et tenez-vous en aux sujets grecs.

Une telle déclaration rappelle si évidemment les propos de Talma que l'on ne peut éviter le rapprochement. Sans aller jusqu'aux positions extrêmes d'un Stendhal, le chroniqueur du *Globe* fait très légitimement le procès d'une école dont nous nous étonnons maintenant qu'elle ait pu passer, aussi peu que ce fût, pour révolutionnaire. Il explique pourquoi Talma dont les romantiques, plus tard, feront leur dieu, est considéré par certains à cette époque, comme l'obstacle majeur qui empêche la conquête du théâtre par les poètes, l'ennemi juré de «tout ce qu'il y a d'un peu poétique à Paris.» L'article du *Globe* est sa justification théorique, l'accueil généreux qu'il fit à un jeune auteur comme Lebrun sa justification pratique.

Bien que l'image ultime que l'histoire ait conservée de Lebrun soit celle d'un personnage officiel, comblé d'honneurs, et résolument anti-romantique, il ne faut pas oublier que Lebrun fit scandale, dans son adaptation de la *Marie Stuart*[34] de Schiller, en employant le premier le mot «mouchoir» sur la scène tragique. Sainte-Beuve, dans cette espèce de palmarès de la littérature nouvelle qu'est *Joseph Delorme* loue son «style chaud et franc».[35] Son *Cid d'Andalousie*, beaucoup plus que *Léonidas*, est un premier coup porté à la tradition.

Malgré ses timidités et la perpétuelle concurrence avec les situations cornéliennes, *Le Cid d'Andalousie*[36] est une pièce émouvante et ferme. La scène du jardin, entre les deux amants, est une préfiguration du célèbre nocturne d'*Hernani* et la fuite du roi devant la lumière des torches a dû réjouir le jeune Hugo. Mais Lebrun a jugé très exactement l'intérêt de sa pièce lorsque, longtemps après, il a affirmé: «La plus grande innovation de ma tragédie était dans le style.»[37] Les précisions qu'il donne à ce sujet sont d'une grande lucidité :

> J'avais cherché à le faire descendre cette fois au ton le plus simple et le plus familier que pût supporter le drame sérieux. Mais pour que ce naturel et cette simplicité ne fussent point jugés à contre-sens, et ne fussent point pris pour de la négligence, de la faiblesse ou de la trivialité, il était nécessaire qu'ils fussent rendus au théâtre selon l'intention du poète. Il me fallait un instrument qui pût abaisser le ton sans cesser d'être pur et harmonieux.[38]

Cette conception se situe à l'opposé des ambitions des Soumet et autres Guiraud dont toutes les inventions vont dans le sens des conventions de la «langue poétique». Lorsque Soumet — il le fait rarement — affaiblit la césure, c'est, comme l'abbé Delille, pour obtenir un effet précis. Pour Lebrun, c'est une manière «d'abaisser le ton», et de s'approcher autant que possible de ce «naturel» si recherché et si fuyant. Le vers se brise, sans qu'apparaisse la moindre intention d'harmonie imitative:

> Elle a frémi. Sanche est sauvé. Quelle entrevue!

ou bien:

> Heureuse Estelle! Jour de triomphe et de fêtes!

De tels vers attestent une flexibilité, une aisance dans la diction dont Talma et Mademoiselle Mars ont dû profiter au maximum.[39]

Par delà les petites querelles sans signification entre romantiques et classiques un courant de simplicité et de modernité commençait donc à se faire jour. Mais il était trop tard. Talma allait disparaître de la scène sans avoir rencontré le grand auteur dramatique qui aurait justifié son intransigeance.

NOTES

[1] Note manuscrite du 22 octobre 1825, écrite au retour des funérailles de Talma (Bibliothèque Mazarine, Papiers Lebrun, Carton 29).

[2] Alexandre Soumet, *Clytemnestre* et *Saül*, Gand, G. de Bussher 1822, p. 30.

[3] *Abufar ou la famille arabe*, tragédie de J.-F. Ducis; représentée en quatre actes pour la première fois à Paris, sur le Théâtre français, le dimanche 12 avril 1795; et remise en cinq actes, pour la représentation donnée le mardi 24 février 1818, nouvelle édition conforme à la représentation (Paris, Nepveu 1818). (L'avertissement est signé Ancelot).

[4] Voir «Quelques particularités sur la vie de Talma» in *Etudes sur l'art théâtral*, pp. 315–16.

[5] Lemercier l'en a blâmé: «Son désir de tout rectifier s'étendit jusqu'à prétendre à la rectification des rôles qu'il exécutait: non seulement voulait-il refaire les pièces nouvelles, mais corriger les anciennes». (*Notice sur Talma*, p. 12).

[6] Il y a à la Bibliothèque de l'Arsenal 16 rôles, dont 4 sans variantes, et un certain nombre de documents à la Bibliothèque de la Sorbonne. Ils doivent être utilisés avec précaution: une variante, même autographe, de Talma, peut avoir été dictée par l'auteur. Mais le cas de la *Clytemnestre* de Soumet est parfaitement clair.

[7] Note manuscrite du 22 octobre 1825, écrite au retour des funérailles de Talma (Bibliothèque Mazarine, Papiers Lebrun, Carton 29).

[8] Bibliothèque Mazarine, Papiers Lebrun, Carton 29. Reproduite dans Talma: *Correspondance avec Madame de Staël suivie de toute la correspondance léguée à la Bibliothèque Mazarine* (*Fonds Lebrun*), introduction de Guy de la Batut (éd. Montaigne 1928), p. 69.

[9] *Ibid.*, p. 70.

[10] Bibliothèque de la Sorbonne, Ms. 1569.

[11] *Ibid.*

[12] Charlotte Talma publie dans ses *Etudes sur l'Art théâtral* (p. 355) un fragment d'une lettre de Ducis du 4 août 1811 qui montre la lenteur avec laquelle ce *Hamlet* progresse: «Envoyez-moi tout simplement, et le plus promptement possible, le changement dans le cinquième acte d'*Hamlet*, en prose, où vous exprimerez vivement, et en détail, tout ce que vous croirez convenable, de manière que je n'aie plus qu'à mettre en vers cette prose vive et animée que j'attends de vous».

[13] Voir lettre du 24 octobre, *supra*, note 9.

[14] Lettre à Georges Ducis, Versailles, 24 juin 1807, dans Talma, *Correspondance avec Madame de Staël*, p. 78.

[15] Lettre à Talma, du 24 juin 1807, dans Talma, *Correspondance avec Madame de Staël*, p. 77.

[16] *Ibid.*

[17] Le *Saül* de Soumet fut représenté à l'Odéon le 14 juin 1822.

[18] Tragédie de Du Parc Locmaria, représentée à l'Odéon le 15 janvier 1823.

[19] Nous n'avons trouvé aucune pièce de ce nom sous la Restauration.

[20] *Marino Faliero*, de Casimir Delavigne, ne sera joué que le 30 mai 1829, et à la Porte Saint-Martin.

[21] *Pélage*, tragédie d'Alexandre Guiraud, ne fut pas représenté.

[22] Tragédie d'Ancelot, représentée à la Comédie française le 5 novembre 1819.

[23] Cité par Léon Séché, dans «Le Baron Taylor et le Léonidas de M. Pichat en 1825» in *Le Cénacle de la Muse française*.

[24] La première représentation des *Machabées* eut lieu à l'Odéon, le 14 juin 1822.

[25] Tout ceci n'empêcha pas Guiraud, le 2 septembre 1825, d'envoyer à Talma, par l'intermédiaire du Baron Taylor, une lettre courtisane. «Personne- dit-il n'est plus attaché à votre beau talent, et surtout à vous-même». (Archives de la Comédie française). Il est vrai que Talma allait mourir.

[26] La plupart des contemporains sont d'accord sur ce point. Jal parle dans ses *Souvenirs* (p. 503) du «naturel sublime où il s'est élevé à la fin de sa carrière».

[27] Aimablement communiquée par M. Marc Loliée.

[28] Le dossier de Pichat, aux Archives de la Comédie française contient un certain nombre de documents qui recoupent cette lettre. Mademoiselle Mars et Talma avaient visiblement beaucoup contribué au retard infligé à *Léonidas*. Ils avaient profité en particulier des objections soulevées par la censure pour faire jouer *Le Cid d'Andalousie* à sa place.

[29] La première représentation de *Léonidas* fit pourtant 3525 f, 09 et la seconde, le 28 novembre, 3519 francs.

[30] Talma avait remporté de nombreaux triomphes dans les pièces de Marie-Joseph Chénier, en particulier dans *Charles IX*. Lebrun rapporte en particulier des propos de Louis-Philippe évoquant la création de la pièce: «Ce fut un effet électrique, chaque vers excitait des trépignements, ce ne fut dans la salle qu'un immense cri, et la pièce continua au milieu d'applaudissements frénétiques; Monsieur Lebrun, c'était enivrant». (Bibliothèque Mazarine, Papiers Lebrun, Carton 15.)

[31] Cité dans la préface écrite par Soumet pour l'édition de son *Théâtre complet*, en 1845.

[32] Voir le *Cours familier de littérature* (24ᵉ entretien), et la lettre à Aymon de Virieu, du 20 octobre 1818 (in *Correspondance*, t. II, pp. 253–6.).

[33] *Les Machabées*, Acte I, Scène I.

[34] Représentée à la Comédie française, le 6 mars 1821.

[35] Sainte-Beuve, *Vie, poésies et pensées de Joseph Delorme*, texte établi et annoté par Gérald Antoine (Nouvelles Editions Latines 1956), p. 136.

[36] *Le Cid d'Andalousie* fut représenté à la Comédie française le 1er mars 1825. Talma n'avait pas manqué d'intervenir dans la rédaction. Lebrun se plaint dans une lettre à Alexandre Martin datée du 19 février 1825 des «changements continuels qu'il me demande» et le 9 mars des «additions que Talma me demande dans une grande scène où il n'a rien à dire et qui l'embarrasse». (Bibliothèque Mazarine, Papiers Lebrun, Carton 29.)

[37] Préface du *Cid d'Andalousie* dans *Œuvres* (Perrotin 1844), t. I, p. 240.

[38] *Ibid.*, pp. 240–41.

[39] Cette alliance de Mademoiselle Mars, habituée à jouer les héroines de Molière et de Marivaux, avec Talma, n'avait été réalisée qu'une seule fois: dans *L'Ecole des vieillards* de Casimir Delavigne dont les périphrases avaient provoqué le 16 décembre 1824, les sarcasmes du *Globe*, mais que le jeune Rémusat appelait «la seule tragédie véritable de notre temps».

PHÈDRE WITHOUT THE QUEEN OF ATHENS

by

C. M. GIRDLESTONE

WHEN speaking of Racine's last secular tragedy it is usual to dwell almost exclusively on the title part, and indeed its splendour is unique in his work. As Bernard Weinberg says, the heroine is, to a hitherto unparalleled degree,

the true focal point of the action and the dominant source of the spectator's emotion. . . . In order that the clarity and simplicity of plan may be preserved, all personages and episodes are subordinated to the needs of the central plot; there are no sub-plots or secondary lines of action.[1]

To re-read *Phèdre* after a certain interval is nevertheless to discover in it elements which, though indeed subordinated and, as Weinberg says, 'auxiliary' to the plot, have an interest of their own. In what follows I propose to exclude as far as possible the Queen of Athens from my field of vision and to examine these elements without being dazzled by her radiance.

To judge from Hippolyte's conversation with Théramène in the opening scene one would not suspect where the 'true focal point' of the play lies. It is with Aricie, not with Phèdre,[2] that he is concerned. Moreover, the strongest impression left by this scene is made by the conjuring up of ancient Greece with which every student of the play is familiar and which is achieved both through names that recall precise memories, like Corinth, and others which, though real, are more shadowy, like the Acheron (in Epirus), Elis (in the western Peloponnesus) and 'le Ténare' (Cape Taenarum, today Matapan). 'La mer qui vit tomber Icare' is near Samos; Théramène has circumnavigated Greece. Mythology enters with the celebrated line 36, for Minos, like the

Acheron, suggests to us the Underworld though he is still seated on the throne of Crete at the time of the play. 'Pasiphaé' makes up in euphony for what it lacks in precision. Lines 79–82 contain a chaplet of eerie, impressionistic names; line 80, in fact, is almost pure impression, the like of which is found again in

> Abiron et Dathan, Doëg, Achitophel:
> Les chiens à qui son bras a livré Jézabel,

in *Athalie* (III, 5). Racine is busy here creating an 'atmosphere' thanks to a mixture of half-remembered, half-imagined legendary events and people, the haunting ghostliness of which is heightened by a wealth of periphrasis.[3]

This background is present again in Act II when Ismène, discussing Thésée's possible fate, reports, with a guarded 'on dit', his penetration of Hades (1383–8) which comes more strongly into the picture with the semi-imagery of 'rivages sombres' and 'infernales ombres'. The impression is thickened with the evocative lines

> Mais qu'il n'a pu sortir de ce triste séjour
> Et repasser les bords qu'on passe sans retour.

In Act III, finally, when Thésée returns, he gives as it were a report of his exploits and his statement of facts is broken with the poetic apposition:

> Moi-même il m'enferma dans des cavernes sombres,
> Lieux profonds, et voisins de l'empire des ombres.

All these lines call up a quasi-supernatural background, presented at an undefined distance and encountered by Théramène in his search and by Thésée in his early life of monster-slaying.

Let us return to the first scene. The second line introduces a very different background. '[Je] quitte', says Hippolyte, 'le séjour de l'aimable Trézène.' The epithet is conventional and the gentleness which it denotes is not what we associate with Minoan Greece. This quality is emphasized by Théramène's

> Ces paisibles lieux si chers à votre enfance,

idyllic in its union of peace with happy childhood memories. It is at once opposed to something harshly anachronistic,

> Au tumulte pompeux d'Athène et de la cour.

Here, surely, we are well out of Greece and firmly planted in the Saint-Germain of Louis XIV. And, since the 'tumulte pompeux' is that of the court, do not 'l'aimable Trézène' and 'ces paisibles lieux' also become French and modern? Are they not the country retreats dear to the jaded town-dweller, the original Versailles, for instance, the secluded hunting-lodge to which the crowd-hating Louis XIII had liked to withdraw? We have here a passing glimpse of that pastoral dream which enchanted three centuries of Western culture, as if for an instant there floated across our vision a landscape of Poussin or Claude.

Racine received his remoter background from Euripides but his immediate setting is contemporary. Phèdre's love belongs to the Euripidean world; the love of Hippolyte and Aricie is Racine's invention; it belongs to the 'Saint-Germain' milieu and reflects contemporary conventions.

> Par un indigne obstacle il n'est point retenu

says the prince of his father;

> Et, fixant de ses vœux l'inconstance fatale,
> Phedre depuis longtemps ne craint plus de rivale. (24–5)

The periphrases come from the erotic terminology of French tragedy; they date as clearly as the 'tumulte pompeux' of the Athenian court.

Aricie, like Phèdre, is in love, but her passion is less basic; it is accompanied by what one may call 'satellite sentiments'. Love is of all ages but it is these which differentiate its expressions from one age to another. Aricie's love has in it a strong admixture of pride (436–56). In spite of her shyness—she is twice referred to as 'timide' (1410 and 1574)—or perhaps as compensation for it, she speaks of her love in terms of military conquest: 'un captif de ses fers étonnés,...contre un joug...vainement mutiné', and with unmistakable sadism;

> De porter la douleur dans une âme insensible,...
> C'est là ce que je veux....

She thinks of a veritable campaign, comparable to Omphale's disarming of Hercules. Insistence on the 'gloire' of imposing one's dominion on one's admirers is associated with the middle of the century; though it was beginning to be out of date by 1676 it is modern and belongs to the immediate, 'Saint-Germain' setting; it is franked with the postmark of 1630–1670.

Another significant detail calls up this period. When Hippolyte suggests that Aricie should flee with him (V, 1), she falters, blushes and 'buts' (1379–85), invoking her 'gloire', that is, her reputation in her own eyes, her self-esteem. He at once reassures her.

> Aux portes de Trézène,...
> Est un temple sacré formidable aux parjures.

Racine's invention of this shrine and Hippolyte's failure to make use of it to prove his innocence to Thésée is a weakness; it was clearly thought up *ambulando* for the satisfaction of *bienséance* and at once forgotten.

There are thus in *Phèdre* two contrasted backgrounds: one, would-be Greek and remote, the other near at hand, an idealization of the playwright's own time. The contrast is not resolved in a higher unity of background but in the study of human character. The same contrast was even more obvious in Racine's other Euripidean play but there the legendary setting, rich in fact and detail, was called up less impressionistically, the French character was correspondingly more pronounced and the disparity between the courtly environment and the *datum* of human sacrifice was not overcome.

Similar contrasts exist, of course, in Racine's other plays and it is only in the two Roman ones that the historical and modern backgrounds settle down happily together. It is not the anachronism that is disturbing but the laying side by side of two utterly different cultures. *King Lear* is anachronistic but homogeneously so; whereas in Racine, with his partial re-creation of legend and history, an opposition arises between ancient (or exotic) and contemporary.

Let us pass from backgrounds to characters. There are two

Hippolytes. The traditional one appears only in description, chiefly in Théramène's reminder of his charge's past (57–61) and in the prince's rejoinder (57 f.). The Hippolyte we see has two attributes of personality rather than personality itself. He is a lover, and a respectful son and stepson. To his function as a lover we owe the most beautiful love-poetry in Racine (including Théramène's description of his state, 127–36), but the poetry is lyrical, not dramatic,[4] and renders a mood rather than a person, like much in Quinault's or Campistron's *tragédies en musique*. Théramène's lines, which are not characteristic of the hardened old soldier he is supposed to be, call up a picture of *amour naissant* but not of a particular lover.

Though the character of respectful son is conventional it is through it, in IV, 2, that Hippolyte comes nearest to being a person. Though accused unjustly and aware of his father's appeal to Neptune, he refuses to defend himself because he could do so only by counter-accusation. We know what sport Dryden made of this in the preface to *All for love*, The obvious retort to Dryden is that it is not out of gallantry, or a desire to spare the queen's feelings, but from consideration for Thésée that he holds his peace (1087–90).

The argument that follows these lines might come to the mind of a criminal lawyer but not to a rude huntsman; here also he belongs to Racine's century. It is true that he says

> J'ai poussé la vertu jusques à la rudesse

but there is now no 'rudesse' left in him. His attitude before his raving father is noble, calm and full of impersonal dignity.

He gives Aricie the same answer as to his father when she asks why he did not speak.

> Devais-je en lui faisant un récit trop sincère
> D'une indigne rougeur couvrir le front d'un père?

There follow four touching lines, expressing the trust that accompanies love and is one of its sweetest fruits (1343–46). Both as lover and as son, then, the Hippolyte we see belongs to the seventeenth-century climate of the play.

Within her limits Œnone is a sinister and individual figure. If she reminds us of Narcisse it is not as a person but as a dramatic part. She is the kind of secondary character to whom relief is given by making it important thanks to treachery or dishonesty. In Euripides and Seneca the nurse, it will be remembered, at first opposes Phaedra's passion, then becomes sympathetic to it; but it is the queen herself who accuses Hippolytus. Racine has expanded the part by making his nurse responsible in order to make Phèdre less black; but, at the same time, by founding her action on an intense love for her former charge he makes her less odious.

We see her at first distraught by her mistress's hidden malady. This is throughout the keynote of her emotional state. She becomes an individual in I, 5 when she shows unseemly haste in grasping what she takes to be the essentials of the situation.—You are now a widow; you can marry whom you please.—And she almost rubs her hands with delight, expecting the queen to do the same. The turning-point comes with a line, prosaic when taken from its context but important for its insistence on the notion of 'commonplace'.

> Vivez! vous n'avez plus de reproche à vous faire;
> Votre flamme devient une flamme ordinaire.

What a sigh of relief! With clear but short-sighted vision she sees all the pawns in the game, all the motives that ought to prompt a certain course of action, but nothing of the heroine's emotional complexity. Such haste is almost comic, and indeed this kind of character can develop more fully in comedy.

When, with disastrous results, she has decided Phèdre to see Hippolyte, the queen rounds on her and reproaches her with her 'conseils flatteurs'. We can but sympathize with her when she defends herself:

> De quoi pour vous sauver n'etais je point capable?

whether you were guilty or not—a hint of the depths to which she will descend. She has just been encouraging Phèdre; now, almost airily, she says: Stop loving Hippolyte.

> Vous nourrissez un feu qu'il vous faudrait éteindre....
> Contre un ingrat qui plaît recourez à la fuite...,

and when Phèdre answers: I cannot—she exclaims, as if surprised:

> Vous osâtes le bannir, vous n'osez l'éviter!,

blind to the difference the fatal interview has made. She thinks only, it is true, of the queen's interests, but on the lowest plane: the gratifying of her passion, a throne to keep for herself and her sons.

When Phèdre says 'Mourons!' (857) her intuition is sound: suicide would mean self-accusation, and she describes the difficult situation she herself would be in (877–81). Thus, driven to the wall, torn by the frantic desire to save her mistress in spite of herself, for Phèdre's sake and for her own she puts forth her disgraceful plan.

Racine has made her vice largely one of judgement. She understands nothing of Hippolyte and sees him merely as a possible enemy. Instinctively, she attributes to him the line she herself would take and urges preventive action in what she imagines to be self-defence. Her action becomes a little less vile when explained in this light.

Racine does not intend that she should appear a monster. He wants to show how excessive devotion to one person leads almost unwittingly to the worst crime. When I say 'wants' I do not mean that he intends to point a moral lesson but that it is on this tramline, so to speak, that he makes his Œnone run and not on that of unmitigated villainy.

Misguided though she is, yet acting from a respectworthy motive, we cannot help feeling compassion for her, and admiration for the subtlety with which her creator has delineated this 'auxiliary' character.

One further detail helps to round her off. It occurs in IV, 6. The queen is frantic with jealousy, then frantic with shame at her frenzy. Œnone is terrified at what she witnesses; her small, practical mind turns to small remedies.

> Regardez d'un autre œil une excusable erreur.
> Vous aimez; on ne peut vaincre sa destinée... (1296–7).

Again the fury with which Phèdre lashes back at her makes us feel compassion for the nurse who has so faithfully served her charge and is now so inexorably dismissed.

Théramène is an undeveloped Œnone. In like circumstances he would act as she does. To the nobility of Phèdre the nurse opposed a hedonist-fatalist view of ethics (see above, 1297). To the idealism of Hippolyte who hopes to resist the degrading breath of love Théramène answers in the same spirit, except, of course, that nothing compels him to counsel an act of immorality.—How, with my upbringing, exclaims the prince, could I yield to a fond love?—We can see Théramène wag a warning, disillusioning finger as he replies with the same hedonist-fatalist advice as Œnone—the advice which will run all through that *tragédie lyrique* whose morale lubrique so displeased Boileau.

> Ah! Seigneur, si votre heure est une fois marquée,
> Le ciel de nos raisons ne sait point s'informer.

Théramène, who in this same first scene has just been instrumental in evoking a mythological 'atmosphere', is speaking now like a man of 1670.

The last part of his speech (128 f.) blossoms out into a lyrical portrait of Hippolyte as he was, framed in one of what he now is and culminating with the drowsy music of

> Chargés d'un feu secret, vos yeux s'appesantissent.

Thésée bulks large because he talks big and loud, just as he does in Euripides. Mighty and obtuse, his only touch of humanity is in his pathetic enquiry:

> ...Qu'as-tu fait de mon fils?
> Je te l'ai confié dès l'âge le plus tendre

which also goes back to the Greek original. For the rest, he takes up quite a lot of space but his interest does not lie in any contribution he makes to the portrait gallery of the play.

To say where it does lie brings me to my last point, which does not concern character study. People, and what happens to them, are not everything in tragedy. 'Une tragédie', says Bremond, 'n'est pas seulement une intrigue qui s'embrouille puis se dénoue, une action qui marche et qui n'a jamais le droit de s'asseoir.'[5] It is also something which, if we are properly responsive to it, arouses a flow of moods in us.

Few tragics achieve the art of inspiring in the spectator a sequence of emotional states which is instinctively recognized as satisfying. Reduced to its simplest expression, this art depends on the alternation of tensions and releases. Moments of excitement and urgency are followed by moments when the pace is slower, the issues less immediate. This is not felt equally in all tragedies. We are least conscious of it when the plot is involved, the episodes numerous and our curiosity kept alive, so that we are constantly asking ourselves: what happens next? It is when the plot is slender and there is not much in the play to occupy our attention on superficial levels that we are most aware of this appeal to affective states. Of course, drama is not the only form of art that calls forth a succession of moods. All art that unfolds in time is liable to do so. Even architecture, into which the spectator himself introduces the temporal element, does it thanks to the contrasted parts of the building or the city through which he is passing.

This is clearest in music, for what is the total impact of a piece of music if not the induction of a mood or a succession of moods? Now, of all tragic playwrights, Racine comes nearest to the quasi-musical effect of arousing pure mood. It is not only because of the quality of his verse that he is so musical; it is also because, in most of his plays, the impression of pure affectivity is so strong.

I want to emphasize that, in *Phèdre*, even those scenes from which the queen is absent, play their part in this. It might have been otherwise. Whenever she was off the stage we might have experienced a neutral mood which would have made no demands on us. But it is not so.

We notice this from the beginning. The first scene hovers somewhere between tension and release. There is some excitement in the opening, 'Le dessin en est pris. Je pars, cher Théramène', for the news of a departure is always exciting, and the mood of wonder which this arouses is kept up by the strange names of the foreign parts through which Théramène has been seeking his master. After the first mention of Phèdre (36), impressive and rather sinister, the affective level drops; Hippolyte's indignation at his own weakness in loving Aricie might have been exciting but it is developed at too great length to be urgent; on the contrary, the flow spreads out as in a wide bed, the pace slackens and the tone becomes nearly static. Emotionally, the scene leaves us mildly expectant, not strongly roused, and ready for anything. The 'anything' takes shape with

> Mais quel nouveau malheur trouble sa chère Œnone?

and the temperature suddenly darts to the top of the chart and stays there for some time. There are variations during scenes 3 to 5 but it remains high and the tension does not abate before the curtain falls.

The two first scenes of Act II are admirable in their spacious placidity. Though Aricie and Ismène are hardly individuals they certainly radiate moods; a climate of gentleness arises from their presence, slightly troubled, with a consequent increase in tension, when Aricie relishes in imagination the bellicose pleasures of subjugating Hippolyte and making him suffer. The gentleness and purity return in scene 3 and the musical impression is heightened by Hippolyte's lyrical lines. The poetry takes off imperceptibly and we hover just above ground level as we listen to

> Contre vous, contre moi vainement je m'éprouve;
> Présente je vous fuis, absente je vous trouve...

It is a lovely pastoral interlude, unique in Racine; the happy, serene version of the stormy avowal scene that follows. The emotional effect of two avowal scenes in quick succession is tremendous. How much the great scene 5 gains from the conditioning to which scene 2 has subjected us! The lovers may be pallid figures but from what they express there emanates undeniably a mood of idyll which reacts on the passionate climate of scene 5.

Thésée, too, hardly exists as a person but he provides the chief *coup de théâtre* in the play. Thanks to him Racine has repeated here much more tellingly the 'reported death *plus* unexpected arrival' rhythm of *Mithridate*. In spite of his impersonality the brutal vigour of his words enriches the emotional palette with a new colour and a new quality of tension between his entry in III, 4 and his exit after IV, 4.

A recent article by Ivan Barko[6] suggests that they do more than this and that the part contains greater depth than has hitherto been realized. Barko brings out the ambiguity of the king's situation as expounded in the account he gives of his adventures in Epirus (III, 6, 957–70). Though himself faithful to his wife, he has been abetting the adulterous loves of his friend Pirithoüs (Pirithois). Racine has found here a means of setting side by side a guilty Phèdre who is believed innocent, an innocent Hippolyte believed guilty and a morally equivocal Thésée.

Pendant que le Père favorise l'adultère d'autrui, l'amour, par un juste retour des choses, répand son... poison sur sa propre maison... A la fin du troisième acte, le début du récit de Thésée évoque, au moyen d'une allégorie préfigurative, l'étape suivante de l'intrigue ... Thésée annonce, sans le savoir, les événements dans lesquels il sera bientôt entraîné.

Barko discerns three levels in this passage: the immediate past (Pirithoüs's death), the immediate future (Hippolyte's death, prefigured by that of Pirithoüs) and the remoter future (Thésée's enlightenment, prefigured by 'triste objet de mes larmes' which applies to both his friend and his son). Every detail in these fourteen lines carries at least two meanings, literal, and symbolic or allegorical. Seen in retrospect, they define the play as a

poème tragique parcouru par un réseau thématique complexe et riche; symphonie où les thèmes symboliques permettent tous les rappels préfiguratifs, *correspondances* où passé, présent et futur se fondent dans une vision totale, où tout est métaphore, allégorie et mythe.

This interpretation gives significance to the figure of Thésée, so jejune when viewed realistically.

Even if we do not follow Barko along his paths, some of which lead to fanciful conclusions (Thésée is seen as 'principe chthonien, principe infernal, Roi justicier'), we must acknowledge that he has brought to light the manifold aspects of the king.

In spite of the suspense that reigns at the end of Act IV, V, 1 breathes something of the calm and purity ('Tous les jours se levaient clairs et sereins pour eux') of II, 1–2. Between the tension of Acts III and IV, on one hand, and the rest of Act V on the other, this return of the pastoral flavour which the lovers bring with them is valuable affectively. After it the tension rises steadily, without jerks, till the wave of emotion breaks with Théramène's entry and Thésée's tragic question. The tutor's story, too long, too consciously a set piece, allows the emotion to evaporate considerably. It returns with Phèdre's reappearance, but the excitement never regains the pitch of line 1488 and the play ends on a calmer note. The emotional climax is at the death of Hippolyte, not at that of the Queen which is more of an epilogue or a coda; the emotional impact of his death is a vestige of pre-Racinian plays on this theme in which Hippolytus was the hero and his death what mattered most.

Without attempting the paradoxical task of demonstrating that what is not Phèdre is more important than what is, I have tried to show that the scenes from which she is absent have more to say for themselves than is generally allowed. It is in them that the remote, mysterious background is first called up and the immediate, courtly setting established. It is in them that the Louis-Quatorzian 'atmosphere'—whether we like it or not—is concentrated. Œnone has always been recognized as the most interesting character after the queen; Théramène is of the same stuff as she, though much less elaborated. Thésée and the lovers are important for the variety of the moods they inspire, from pastoral tranquillity to rabid violence. Even while we are subdued by the force and beauty of the title part it is right to remember this.

NOTES

[1] Bernard Weinberg, *The art of Jean Racine* (Chicago and London 1964), pp. 255, 279.

[2] 'Sa vaine inimitié n'est pas ce que je crains.'

[3] Peter France emphasizes 'the role played by periphrasis in opening up the frequently claustrophobic world of Racinian tragedy'. *Racine's rhetoric* (Oxford 1965), pp. 94–5.

[4] But none the worse for that. There is no need whatever to apologize for such 'decorative rhetoric' nor to seek a dramatic substratum to justify it.

[5] *Racine et Valéry* (Paris 1930), p. 131.

[6] *Australian Journal of French Studies*, II, 2 (May–August 1965), *Le récit de Thésée.*

LE TITRE DES *PETITS POÈMES EN PROSE*

par

ROBERT GUIETTE

POUR un écrivain épris de perfection comme le fut Charles Baudelaire, le choix du titre d'un livre est le fruit de réflexions mainte fois reprises.

On sait que les futures *Fleurs du Mal* devaient d'abord s'appeler *les Lesbiennes.* Ce titre collectif convenait on ne peut mieux à *Lesbos*, à *Femmes damnées*; mais pour d'autres pièces du recueil n'en allait-il pas autrement? Dès 1846, le poète avait annoncé son livre sous le titre de *Limbes.* J. Crépet dit que «ce titre, bien un peu exsangue, même si on lui attribue ici sa valeur dantesque,[1] lui plaisait probablement et pour l'atmosphère religieuse qu'il évoque, et pour ce qu'il renferme d'énigmatique». *Limbes* «offrait de plus sur *les Lesbiennes* l'avantage d'une extensibilité presque sans limites.»[2] Dans le recueil, l'auteur se proposait de «reproduire les agitations et les mélancolies de la jeunesse moderne». Or en 1852 paraît: *Les Limbes, poésies intimes* de Georges Durand recueillies et publiées par son ami Véron,[3] recueil des plus médiocre.[4] On conçoit que Charles Baudelaire ait tenu à éviter toute confusion et à faire preuve d'originalité. C'est alors que lui fut suggéré par Hippolyte Babou: *Les Fleurs du Mal*, titre «qui semble si bien correspondre au génie du poète».[5] Ne dit-il pas lui-même: «ce livre dont le titre: *Fleurs du Mal* dit tout»?[6]

Ce titre adopté, Baudelaire hésite encore au cours de l'impression, se demandant s'il y a lieu de le faire suivre du sous-titre «poésies», et se décidant enfin pour la suppression du sous-titre pour des raisons typographiques,[7] et peut-être esthétiques.

Les mêmes hésitations se manifestent à propos des «poèmes en prose». Il les désigne de diverses manières dans sa correspondance, sans qu'on puisse toujours décider s'il s'agit, sous sa plume, d'une appellation du travail en cours, ou d'un titre; si celui-ci est partiel et ne concerne que le choix destiné à paraître dans tel ou tel périodique, ou s'il est destiné au livre entier.

L'ouvrage n'ayant paru qu'après la mort du poète et par les soins de Charles Asselineau et de Théodore de Banville (1869), les éditeurs postérieurs demeurent partagés. Faut-il conserver le titre de la première édition, ou en choisir un autre parmi ceux auxquels le poète avait songé? On se le demande toujours.

Les premiers poèmes en prose de Baudelaire avaient paru sans titre collectif dans l'hommage à C.-F. Denecourt: *Fontainebleau, Paysages, Légendes, Souvenirs, Fantaisies* (Hachette 1855). C'étaient le «Crépuscule du soir» et «la Solitude».

En 1857, dans *le Présent* du 24 août, ces deux textes furent repris, suivis de «Projets», «l'Horloge», «la Chevelure», «l'Invitation au Voyage», sous le titre commun de *Poèmes nocturnes*.[8] Ce sont les thèmes mêmes des poèmes qui, sans doute, avaient poussé l'auteur à le choisir, à moins qu'on ne doive y trouver comme un écho de *Gaspard de la Nuit*, ou des *Nuits* de Young. Il subissait alors l'obsession de la nuit, comme l'avait subie Edgard Poë. Dès que cette obsession laissa place à d'autres thèmes, le titre dut lui paraître d'une extensibilité insuffisante.

Lorsque neuf poëmes en prose, parmi lesquels trois seulement étaient nouveaux, parurent dans la *Revue fantaisiste* en 1861, il leur donna le titre de *Poëmes en prose* qui ne le liait à aucun thème.[9] A ce moment il songeait à deux autres titres et en faisait part à Arsène Houssaye: «...un titre comme *le Promeneur solitaire*, ou *le Rôdeur parisien* vaudrait mieux peut-être» (que *Poèmes en prose*).[10] Dans le premier de ces titres nouveaux, on ne peut manquer de voir le souvenir des *Rêveries du promeneur solitaire* de J. J. Rousseau qui commencent à peu près par les mêmes mots que le poème intitulé *l'Etranger*.[11] On serait tenté d'en conclure que Baudelaire songeait réellement à ce poème, qui fut publié en aout 1862.[12] Quoi qu'il en soit, il y renonça, lorsqu'il remarqua la ressemblance de ce titre avec celui qu'avait donné J. Le Fèvre-Deumier à son recueil de poèmes en prose: *Le Livre du Promeneur* (Paris, Amyot 1854.)[13] Quant au *Rôdeur parisien*, on remarquera qu'il est un équivalent du *Promeneur*, auquel Baudelaire a joint la notion de ville et, plus précisément, de Paris, notion à laquelle il tenait puisqu'il la reprit plus tard. Mais déjà dans *le Peintre de la vie moderne, C. Guys*,[14] comme dans le texte du *Salon de 1846*, Baudelaire avait marqué son intérêt pour les promenades urbaines.

C'est aussi dans cette lettre à Arsène Houssaye que le poète avait reconnu sa dette à l'égard de A. Bertrand:

> Mon point de départ a été *Gaspard de la Nuit* d'Aloysius Bertrand, que vous connaissez sans aucun doute; mais j'ai bien vite senti que je ne pouvais pas persévérer dans ce pastiche et que l'œuvre était inimitable. Je me suis résigné à être moi-même. Pourvu que je sois amusant, vous serez content, n'est-ce pas?[15]

Il ne s'agit pas seulement, cette fois, d'apporter à Arsène Houssaye quelques poèmes,[16] mais un livre tout entier: «Il y a déjà quelquel temps que je voulais vous offrir ce petit volume...»[17]

Même lorsqu'il aura opté, semble-t-il, pour un autre titre, il reviendra sur l'idée de promenade. N'écrit-il pas, le 15 janvier 1866, à Sainte-Beuve:

> J'ai tâché de me replonger dans le *Spleen de Paris* (poèmes en prose), car ce n'était pas fini. Enfin j'ai l'espoir de pouvoir montrer, un de ces jours, un nouveau Joseph Delorme accrochant sa pensée rapsodique à chaque accident de sa flânerie et tirant de chaque objet une morale désagréable...?[18]

Si l'on a pu noter que Baudelaire change de titre au cours de la création de ses poèmes en prose, il serait peut-être audacieux d'en conclure que la composition des poèmes et la conception du genre, si cela peut s'appeler un genre, subissent précisément au même moment, des évolutions analogues. Certaines de ses idées esthétiques apparaissent, refluent, s'effacent, sont reprises. D'autres ne le quittent guère, mais revêtent des formes diverses. Il glissera ainsi de «la rêverie» à «la rêvasserie», à «la rapsodie», à «la flânerie» pleine de hasards, à la promenade,—«Poésie déambulatoire», dira Suzanne Bernard[19],—au mouvement qui donne l'impression de l'improvisation, à la variation, parfois brusque, de tons considérés traditionnellement comme non-poétiques, aux «miroitements intérieurs», comme dirait Mallarmé,[20] à l'aspect fragmentaire, épisodique, anecdotique, etc.

Le titre de *Poëmes en prose*, qui n'était d'abord qu'un sous-titre, apparaît, dès 1861 comme titre dans *le Présent* (24 août) et dans la *Revue fantaisiste*. En 1862, il se transforme en *Petits poëmes en prose* pour la publication dans *la Presse* (26 et 27 août, 24 septembre 1862) et dans *la Revue nationale et étrangère* (10 juin, 10 octobre et 10 décembre 1863), alors que dans *le Boulevard* du 14 juin de la même année, il était revenu à *Poëmes en prose*.[21] En 1864, dans *l'Artiste* du 1er novembre, on retrouve: *Petits Poëmes en prose*. L'utilisation de l'épithète s'explique par les théories sur les dimensions du poëme qui avaient été prônées par Edg. Poë dans la *Genèse d'un poème*,[22] ou pouvait être inspirée à Baudelaire par le souci de distinguer son œuvre des longs poèmes en prose publiés au XVIIIe siècle.

Dès la publication dans le *Figaro* (7 et 14 février 1864), nous lisons le titre: *Le Spleen de Paris, Poëmes en prose*, qui sera repris dans la *Revue de Paris* du 25 décembre 1864.

Dans la correspondance de Baudelaire on relève depuis 1862 la mention: *Spleen de Paris*.[23] Cet ouvrage doit dans la pensée de Baudelaire faire pendant aux *Fleurs du Mal*, mais en prose. Jamais, dans cette correspondance, on ne rencontre *Poëmes en prose* comme titre, mais bien comme une désignation d'un ouvrage par son genre. De même Racine aurait pu parler de «la tragédie» sans que le mot tragédie soit le titre qu'il aurait préféré à *Phèdre* ou à *Athalie*!

On n'a pas de peine à expliquer le titre: *Spleen de Paris*. Baudelaire s'en est chargé:

> Ce que je sens, c'est un immense découragement, une sensation d'isolement insupportable, une peur perpétuelle d'un malheur vague, une défiance complète de mes forces, une absence totale de désirs, une impossibilité de trouver un amusement quelconque. (...) Je me demande sans cesse: à quoi bon ceci? A quoi bon cela? C'est là le véritable esprit de spleen.[24]

Le rapport des poèmes en prose et des *Fleurs du Mal* est signalé dans la correspondance.[25] Comment mieux le signifier qu'en utilisant un terme qui avait servi de titre à la première partie de son recueil de poésies. Si Baudelaire écrit cette fois *le Spleen de Paris*, c'est qu'il tient à souligner le caractère urbain et moderne de ses thèmes, et, le mot *spleen* étant anglais, à le situer en France et plus spécialement à Paris.

Notons que Baudelaire n'a utilisé pour l'impression que le titre double: *le Spleen de Paris, Poëmes en prose*. Jugeait-il si important de joindre les deux titres, et quelles raisons pouvait—il avoir de tenir à chacun d'eux qu'il les ait unis?

Pour *les Fleurs du Mal*, il avait préféré le titre seul et avait renoncé au sous-titre. C'est qu'il avait une prédilection pour les titres énigmatiques et ambigus, non seulement voyants mais provocants. N'écrivit-il pas un jour: «j'aime les titres mystérieux ou les titres pétards»;[26] et un autre jour: «Plus un titre est singulier, meilleur il est, pourvu qu'il ne confine pas au titre que j'appelle calembourique, ou pointu.»[27]

Le désir de fouetter la curiosité du lecteur, est-il une raison suffisante pour préférer *le Spleen de Paris* à *Petits Poëmes en Prose*? Je me permets d'en douter. Si le premier semble faire état de l'impression qui doit résulter de la lecture et sans doute de l'état de sensibilité de l'auteur, il ne s'en suit pas que Baudelaire y ait attaché plus d'importance qu'au second. Si l'un frappe plus que l'autre le lecteur moyen, il ne s'en suit pas qu'aux yeux du poète, l'autre ne soit qu'un signalement. Oserions-nous dire que ces titres soient mystérieux, que ce soient des «titres-pétards»?

Peut-être faut-il tenir compte d'autres titres que Charles Baudelaire a eu, à tel ou tel moment, l'intention de donner à son œuvre. Parmi eux, on peut écarter d'emblée *Petits Poëmes lycanthropes*, qui servit en 1866 dans la *Revue du XIXe siècle* (1er juin). Les deux textes qu'il recouvre, «la Fausse Monnaie» et «le Diable», avaient paru précédemment; le premier, parmi les *Petits Poëmes en prose* (*Artiste*, Novembre 1864) et dans *le Spleen de Paris, poèmes en prose* (*Revue de Paris*, 25 décembre 1864; le second, qui n'est autre que «le Joueur généreux», avait paru dans le *Figaro* (7 février 1864) sous le titre collectif de *Spleen de Paris, Poëmes en prose*. Leur sujet et leur ton justifient le souvenir du lycanthrope Petrus Borel.[28] Rien ne permet d'affirmer que Baudelaire ait songé, ne fût-ce qu'un instant, à en faire le titre collectif du recueil.

On peut se demander si Baudelaire n'a pas songé quelque jour à intituler son livre *Rapsodies*, tant le mot convient à sa pensée. N'a-t-il pas parlé de «pensée rapsodique»? Peut-être l'écarta-t-il d'entrée de jeu, celui-ci appartenant, dès 1832, à un livre de Petrus Borel.

Nous lisons, d'autre part dans une lettre célèbre adressée à Arsène Houssaye, fin décembre 1861: «Je crois que j'ai trouvé le titre qui rend bien mon idée: *La lueur et la fumée*, poème en prose, au minimum 40 poèmes, au maximum 50. Dont 12 sont faits...»[29] Ce titre n'est pas mentionné ailleurs. Baudelaire semble donc y avoir renoncé sans retour. Ce titre fait songer à celui de Victor Hugo: *Les Rayons et les Ombres*.[30] Comme dans celui-ci, il y a conjonction de deux termes et antithèse.

Ce titre symbolique, quelle pensée rendait-il? N'était-ce pas, à travers des symboles, l'évocation de l'expérience originale de Baudelaire, et sa nouveauté «comme sensation *et* comme impression»?[31] Peut-être le poète craignait-il l'excès d'obscurité du symbole... Le lecteur risquait de ne pas le pénétrer et de ne conserver que des images convenant mal à la couleur sensible des poëmes.

Dans un projet de dédicace des *Petits Poèmes en Prose*, publié par Féli Gautier en fac-simile dans *Carnet de Charles Baudelaire* (J. Chevrel 1911), nous lisons: «...j'ai cherché des titres. *Les 66.* Quoique cependant cet ouvrage, tenant de la vie et du kaléidoscope, peut bien être poussé jusqu'au cabalistique 666 et même 6666...»

Ce passage fut omis dans la dédicace parue en tête de la publication des Poèmes dans *la Presse* du 26 août 1862. On peut en conclure que le poète avait renoncé au titre «cabalistique», lui préférant *Petits Poëmes en Prose*. Sur l'intérêt manifesté par Baudelaire à la kabbale, nous ne pouvons que renvoyer à l'étude de M. Georges Blin, «Recours de Baudelaire à la sorcellerie» dans son livre sur *le Sadisme de Baudelaire* (1948).

Dans la lettre fameuse à Sainte-Beuve du 3 février 1862, nous relevons: «Je vous enverrai prochainement plusieurs paquets de *Rêvasseries* en prose». Peut-on en déduire, comme le fait Crépet (*Corr.*, IV, 63, n. 2), qu'il s'agit des Poèmes en prose? Et dans ce cas, considérer que *Rêvasseries* soit un titre auquel Baudelaire aurait songé? Quoi qu'il en soit, il convient de noter qu'il n'en fut plus guère question.

Pour le poète parfaitement conscient de son esthétique, le problème essentiel est celui de l'importance du mot. La poésie liée au verbe dans la poésie en vers, en est libérée dans le poème en prose. «La mystérieuse vertu poétique du mot» est remplacée par une efficience poétique d'un autre ordre. Au monde réel se superpose dans la pensée un autre monde plus réel, voulu par le poète et produit par des moyens plus mystérieux que ceux du mot, par le moyen de l'image suggérée ou évoquée par un discours d'apparence prosaïque.[32]

On conçoit que, si tel était le propos de Baudelaire, il pouvait, après quelques expériences qu'il considérait comme concluantes, tenir sa conception du poème en prose pour ce qu'il y avait d'essentiel dans son œuvre. Au lieu de s'attacher uniquements à la matière, au sujet, au prétexte, au ton ou au sentiment de son «invention poétique», il attirait, dès le titre du livre, l'attention du lecteur sur la nature de cette invention. Il l'informait à la fois de l'atmosphère (*Spleen de Paris*) et de la forme de ses poèmes (*Petits Poèmes en Prose*), c'est à-dire de la nouveauté de la fonction et de l'action poétique.[33]

NOTES

[1] *Divine Comédie*, Enfer, chant IV. Cf. *Fleurs du Mal.*, éd. Jacques Crépet (1922), pp. 301, 318.

[2] *Ibid.*, 302.

[3] Georges Durand était le pseudonyme de Thomas Véron.

[4] Crépet, *Op. cit.*, p. 302.

[5] Cf. Charles Asselineau, *Baudelairiana*. J. Crépet, p. 304: «Il paraît qu'on l'avait longuement débattu.» Faut-il signaler que ce titre ne paraît pas à tout le monde également heureux!

[6] Lettre à Madame Aupick, 9 juillet 1857.

[7] J. Crépet, p. 311.

[8] *Correspondance* (éd. Crépet, II, 41). A Poulet-Malassis, 25 avril 1857. Les poèmes nocturnes sont annoncés: «Les poèmes nocturnes seront faite»; et dans la lettre à Madame Aupick du 9 juillet 1857, soit 15 jours après la publication des *Fleurs du Mal*: «Les *poëmes nocturnes* sont pour la *Revue des Deux Mondes.*» (Crépet note qu'ils paraîtront dans le *Présent.*)

[9] n⁰ du 24 août. *Cf. Petits Poëmes en Prose* (éd. J. Crépet), p. 265.

[10] *Corr.*, IV, pp. 28–9. A Arsène Houssaye, Noël 1861.

[11] Première Promenade. «Me voici donc seul sur la terre, n'ayant plus de frère, de prochain, d'ami, de société que moi-même.» — Voir aussi, dans *Joseph Delorme*, les Rayons jaunes. «Seul, sans mère, sans sœur, sans frère, et sans épouse». *Cf. Petits Poëmes en Prose* (ed. Crépet, p. 272).

[12] *La Presse.*

[13] *Le livre du promeneur, ou les mois et les jours.*

[14] *L'Art romantique*: *Curiosités esthétiques.*

[15] *Corr.*, IV, p. 30. Voir aussi *Petits Poëmes en Prose*, dédicace «A Arsène Houssaye».

[16] *Corr.*, IV, p. 29.

[17] *Ibid.*, pp. 30–31.

[18] *Ibid.*, V, p. 215.

[19] *Le Poème en prose de Baudelaire jusqu'à nos jours* (Paris 1959), p. 118.

[20] Edition de la Pléiade, p. 182.

[21] Peut-être par souci de varier les titres de publication. Ou bien, le manuscrit envoyé était-il de date plus ancienne?

[22] *Genèse d'un poème*, «Méthode de composition» (éd. Crépet, p. 163.)

[23] L'adoption du mot «spleen» à l'anglais a été relevée chez Voltaire, Volney, Delille, Grimm, Favart, Musset, Villemain, etc. Pour l'année 1745, Ferdinand Brunot notait le sens «vapeurs anglaises». Le Dictionnaire de l'Académie de 1798 note le mot.

[24] *Corr.*, II, p. 108. A Madame Aupick, 30 décembre 1857.

[25] *Petits Poëmes en Prose*, éd. Crépet, p. 236.

[26] *Corr.*, II, p. 16. A Poulet-Malassis, 7 mars 1857.

[27] *Corr.*, II, p. 393. A Alphonse de Calonne, 17 décembre 1859, Dans sa plaidoirie, Me Gustave Chaix d'Est-Ange: «Le poète vous prévient par son titre, qui est là en vedette pour annoncer la nature et le genre de l'œuvre...» (*Fleurs du Mal*, Crépet, 338.) «Horrible franchise de mon titre.» (Lettre du 6 nov. 1847 à l'Impératrice — A propos des *Fleurs du Mal*). *Corr.*, II p. 100.) — «*Fleurs du Mal*... titre calembour...» (Edition Crepet, p. 408, épreuves de la dédicace.) (*Corr.*, II, p. 23, lettre à Poulet-Malassis du 16 ou 17 mars 1857.)

[28] *Petrus Borel*, dans *Art Romantique* (éd. Crépet, p. 336.) L'article avait paru dans la *Revue fantaisiste du* 15 juillet 1861.

[29] *Corr.*, IV. 33.

[30] Ceci n'exclut pas d'autres interprétations. Dans son édition du *Spleen de Paris* (Crès 1917), Ad. van Bever note, au lieu de «La Lueur et la Fumée», *La lueur et la flamme* (p. 237.)

[31] *Corr.*, IV, p. 33. A Arsène Houssaye, fin décembre 1861.

[32] Robert Guiette, *Baudelaire et le poème en prose* (Revue belge de philologie d'histoire, 1964, pp. 843–52.)

[33] Sur la signification de l'œuvre au point de vue esthétique, voir, entre autres, Georges Blin, *Le Sadisme de Baudelaire* (1948); Suzanne Bernard, *Le Poème en prose, de Baudelaire à nos jours* (1959); l'Introduction à l'édition des *Petits Poèmes en Prose*, par H. Lemaitre; etc. Sans oublier, d'excellents ouvrages plus anciens de Jean Pommier, d'A. Ferran, etc.

CABANIS AND HIS *LETTRE A M. F****

A little known aspect of the Idéologues' views on religion

by

G. E. GWYNNE

THAT a number of writers and thinkers of varying tendencies should be associated under the common label of *Idéologues*—a term used contemptuously by Napoleon—is justified not only by the personal contacts they maintained, in the salon of Madame Helvétius and in the *Institut National*, but also, and more particularly by the fact that they shared a common philosophical ancestry and subscribed to some basic philosophical opinions. They continue and develop in the last decade of the eighteenth century the rationalist, sensualist current of thought which had earlier found its expression in the works of the *Encyclopédistes* and of Condillac. Disciples of Helvétius, Condillac and d'Holbach, they generally share their predecessors' indifference in religious matters. The group was not specifically anti-religious and some of its members professed a variety of religious beliefs, but their philosophy being concerned largely with physical man, the pre-eminence given to physiology endows this second generation of rationalist philosophers with distinctly materialist tendencies. They were particularly hostile to the political influence exerted by organised religion: they especially deplored the political activities, usually reactionary in character, of established churches and their intolerance of other religious beliefs and institutions. They strove above all to forestall attempts to re-establish ecclesiastical authority in the field of politics and morals. Destutt de Tracy asserts in his *Commentaire sur l'Esprit des Lois* that all governments must remain neutral in religious matters: 'L'esprit des lois doit être de ne blesser ni de gêner les opinions religieuses d'aucun citoyen, de n'en adopter aucune, et d'empêcher qu'aucune ait la moindre influence dans les affaires civiles.'[1] Religion is essentially a personal affair, he maintains, and as such has no direct relevance to society as a whole. All religions, continues Destutt de Tracy, are no more than a collection of dogmas and speculative opinions, usually contrary to logic, mutually contradictory, and often producing principles of conduct that are reprehensible, founded on hasard instead of on 'la saine raison' and firmly established truths. Religious convictions offer too great a source of power to those that can exploit them and a ready means of oppression to a tyrannical government. The rôle of a progressive regime is to seek to discredit them by the spread of enlightenment.

Cabanis, the second main spokesman of the group, shares fully this distrust. All religions, he maintains, have brought more woe than weal to mankind, and he underlines the importance of eliminating the influence exerted by religious ideas on social morality and individual happiness. He is however prepared to admit that religious convictions are natural to man and looks forward to an age when these will be simple and devoid of dogma. Other members of the group stress the dangers to which the prevalence of erroneous beliefs and superstitions gives rise, the exploitation of credulity and ignorance by the priesthood. Volney reaches the same conclusion as Destutt de Tracy and Cabanis: 'il faut ôter tout effet civil aux opinions théologiques et religieuses'.[2] In general terms, and in spite of differences of emphasis, the Idéologues as a group assert that religious institutions should be deprived of all political influence, that a more stable and universally acceptable basis should be provided for public and private morals, and that individual liberty of conscience should be inviolable.

In so far as the Idéologues have attracted attention, the tendency has been to consider the group as a unit and not to distinguish sufficiently between the viewpoints of its various members on specific aspects of their thought. What concerns us particularly here is a curious and relatively little known aspect of the religious ideas of Cabanis, as revealed in a work written sometime between 1802 and his death in 1808, his *Lettre à Monsieur F*** sur les causes* *premières*. This interesting document was probably not intended for publication and was not in fact offered to the public till 1824. Written almost certainly after the appearance of the author's principal claim to fame, *Les Rapports du physique et du moral de l'homme*, and when the philosophy to which he subscribed had attained its ultimate formulation, this *Lettre* modifies significantly some of the principles considered basic to *idéologie* and to the sensualism from which it derives.

In the opening pages Cabanis reiterates the reservations formulated in earlier works by himself and his fellow Idéologues concerning the political, social and moral rôle of organized religion. In particular does he deplore the pretensions of certain groups of men throughout the ages, who claim to represent and speak in the name of supernatural powers. Not that religious institutions have made no contribution to the progress of humanity in many spheres. The emergence of all systems of priesthood was, however, the signal for the oppression and degradation of mankind. Weighing up the balance of good and evil attributable to organized religion, Cabanis has no hesitation in reiterating the previously formulated conclusion, that the destruction of such systems 'serait un des plus grands bienfaits du génie et de la raison'.[3]

But, he adds—and here Cabanis introduces a new note into his hitherto rather sweeping condemnation—a more complete examination of the rôle of religion or superstition in human affairs may show that such conceptions are too much a part of man's nature to be easily and harmlessly eradicated. In which case, the mission of the philosopher and of enlightened government would be to purify this influence and promote 'la religion simple et consolante', whose action would be exclusively beneficial.

Cabanis now reaches the heart of his subject. The observation of natural phenomena leads one to suppose the presence behind these of intelligence and will-power. Moreover, man is far more subject to feeling and imagination than to reason, and the most profound truths can only be effective fully if they not only appeal to man's reason, but satisfy too the needs of his sensibility and his imagination. And the demands of this aspect of his nature increase and deepen as his intellectual and moral existence is enriched. His aspirations know no bounds, while his means of satisfying them remain restricted: hence he is compelled to place satisfaction in some future existence, freed from the limitations imposed by human nature. Man's quest for the ultimate leads him to a belief in a future life.

Cabanis admits, in spite of his acceptance of sensualism, that it is impossible to assert that man's physical destruction entails the dissolution of his moral being. Such a problem lies entirely outside the scope of human experience and any attempt to solve it whether by affirmation or denial must needs be conjectural. But man is by nature more ready to accept a positive rather than a negative assertion. While it is impossible to draw any precise, rigorous conclusions from such an investigation—and therein lies the error of earlier investigators—Cabanis does believe it possible, by judicious conjecture and by analogy with what is known, to reach even in these fields a degree of probability acceptable to reason. In this connection, Cabanis stresses the importance of precision in expression, misunderstanding and errors of judgement being very often due to faulty expression.

Yet however far man goes in his knowledge of physical phenomena, his ignorance is still complete regarding the final cause lying behind the phenomena he has observed. But man's very nature urges him to seek to identify this ultimate cause, impossible as this is. His observation of natural phenomena leads him to conceive of 'une sagesse qui les a conçus et d'une volonté qui les a mis en exécution'.[4] So that in the final analysis, man's judgement urges him to adopt the very explanation his feelings had prompted him to believe in the first place. Cabanis warns his readers of the dangers of adopting as a solution to philosophical problems an explanation involving a final cause or causes. Such a method stifles the search for truth and leads to erroneous conclusions. But when, hypothetically, man has reached the limits of possible discovery and is left with the same basic problem, that of the ultimate explanation of natural phenomena, then, Cabanis admits, he is impelled by the laws of his own intelligence to have recourse to the notion of a final cause.

Scientific observation convinces Cabanis of the presence in all matter of active forces which, affecting as they do sensitive and intelligent beings, must themselves be endowed with these qualities. 'L'esprit de l'homme... ne peut éviter de reconnaître, dans les forces actives de l'univers, intelligence et volonté'![5] Further than this he is not prepared to go. Although it might be natural enough to attribute to the 'cause première' such qualities as justice, goodness, etc., it is quite absurd to attempt to establish between it and man relationships of an essentially human character, and to look upon the final cause as a providence governing human affairs by a succession of whims and vagaries. This, maintains Cabanis, is to belittle rather than exalt the Supreme Being. Its power, its justice, its goodness are inherent in the laws governing the universe, and it is ridiculous to conceive of its modifying or breaking these laws in order to comply with the limited, short-sighted, selfish aims and passions of man. Cabanis protests vigorously against the orthodox view of God as formulated in the Bible and in the Christian tradition. The attempt at creating a personal god, combining all human perfections yet deliberately deprived of all perceivable qualities, he condemns as 'personifier le néant'.

Cabanis in turn attempts to define this 'cause première'. He finds ever present in the universe 'une intelligence voulante'. The phenomena our senses perceive can only be convincingly explained by the existence of this immanent intelligence and of the volition whereby it acts: 'l'univers doué dans son ensemble et dans ses parties, de toutes les propriétés sans lesquelles l'ordre des éternelles transformations de la matière ne peut être conçu par l'esprit humain'.[6] There is no reason to conclude, adds Cabanis, that life on earth is the only manifestation of this universal principle, nor that man is its final and most perfect expression. On the contrary, analogy leads us to believe that organized life is present elsewhere, and that no limit can be placed on the degree of perfection it can attain in accordance with the eternal laws which govern it.

The universal intelligence can temporarily assume particular forms, which are conscious of their existence and volition and which therefore possess a 'personality' or a 'moi'. This brings Cabanis to another question of vital concern to philosophical meditation throughout the ages—that of the survival of the self after death, after the destruction of the outward physical form it has temporarily assumed. This problem is more difficult than the first. One would tend to conclude, guided by analogy once more, that the self which we see form and develop and ultimately decline along with the physical organs, is also destined to disappear with the 'death' of these same organs. But one must first ask oneself another question—is the self and all pertaining to it a mere product of the action of the organs and the impressions they receive, or is the organic whole governed by some active principle we cannot identify but whose existence can alone account for the facts?

For those who accept the first view, there can be no doubt that the self is destroyed at the moment of death, when the organs cease their activity. Although Cabanis accepts that this point of view can be defended with a high degree of probability, the second opinion seems to him more convincing, even though man can never hope to achieve in this field more than a certain degree of probability. His physiological and medical studies convince him that in man, life is concentrated in one central point from which it is communicated to the various organs and that these are therefore not the source of life but merely an emanation from the central 'foyer'. If this is the case, the vital principle which communicates their activity to the various organs, is what the author calls 'un être particulier', which is indestructible, itself an emanation of the general life force, endowed with sensibility and intelligence, which animates the universe, and into which it is re-absorbed, when it abandons that particular organism which it, in turn, animated.

Of the precise nature of this vital principle, we must be content to remain ignorant. We cannot conceive of its not possessing sensibility. This in turn implies a centre where impressions received are concentrated, and this centre constitutes the 'self', the 'moi'. And since the vital principle survives the destruction of the organism to which it is temporarily attached, so too, one may reasonably conclude, does the awareness of self. Here Cabanis takes the precaution of reminding us that we are still in the realm of probability and conjecture.

When dealing with the still more vexed question of the survival along with the self of ideas, feelings, habits which we identify with it, Cabanis finds himself on ground still less firm. Two points seem worthy of consideration—first, that the opposite cannot be proved; second, that the survival of the individual self in all its complexity is alone compatible with the concept of perfect justice, itself inseparable from the notion of first cause. The whole idea of reward and punishment for good or evil conduct in this life is bound up with the survival of the self. In the absence of any degree of certainty on either side, this moral argument can tip the balance in favour of the affirmative reply. However, he continues, these considerations are irrelevant to the true understanding of morality. Returning to the standpoint of the Idéologues as a group and to the viewpoint he had himself expressed in his earlier works, Cabanis re-affirms that true morality has its basis in man's needs and faculties, in his social relationships, and is independent of the acceptance or rejection of religious opinions of any kind.

In his conclusion Cabanis sums up the noble ideal which he and his fellow philosophers had never failed to propose to humanity, and which they had consistently attempted to practise in their private and public lives. Virtue is what conforms to the laws of nature and of human nature; vice is what neglects or contradicts these laws. Happiness consists in fulfilling the rôle in which one has been cast, co-operating in and furthering the ultimate goal towards which the universe is inevitably moving and in which Cabanis has complete confidence. And to this belief he does not refuse the title of 'religion', satisfying as it does both head and heart, providing a stable foundation for individual and social happiness. Its priesthood is exercised by all men who seek to understand and obey the natural law; its cult is the conformity of one's conduct with the natural law; it is to cultivate one's faculties and those of others, to live a life useful to one's neighbour, one's country and mankind.

In the last resort, what counts most for Cabanis is that the individual should regulate his conduct not in accordance with metaphysical beliefs the validity of which it is impossible to prove, but in accordance with the true understanding of the laws of nature. 'Le plus grand des maux est d'abandonner la route de la vertu, et de laisser affaiblir en nous les divines inspirations dirigées par les lumières de la raison'.[7]

Cabanis differentiates between the kind of speculation forming the subject of the *Lettre* which he labels 'métaphysique' and 'philosophie', the subject-matter of his major investigation in a domain where a degree of certainty is possible. In the former, hypotheses are permissible, as long as they admit to being no more than this, and they may even prove fruitful when all due precautions are taken. In the light of these remarks, the latent contradictions between views put forward in the *Rapports* and those of the *Lettre* tend to be attenuated. What is more, the former work contained certain indications which, when considered in conjunction with the *Lettre à M.F.*, point already to certain of the arguments developed in the latter work. Even in this work, obviously not intended for publication, the author's precautions are great when speaking of what he calls 'l'Ordonnateur Suprême'.

Cabanis' relatively early death prevented him from developing fully and perhaps convincingly some of the ideas tentatively put forward in the *Lettre*. The work does, however, indicate, when compared with the *Rapports*, a change of emphasis from an exclusive reliance on reason and on a purely rationalist approach, and it reveals a greater awareness on the part of the author, a doctor of medicine, of the elusively complex nature of man's physical and moral make-up, and of the need to take into account in any study of man's constitution, social factors which influence so directly the individual's outlook and conduct. Hence the inadequacy of a purely rational, theoretical approach to the problems under consideration; hence the realization that the growth of man's intelligence and the refinement of his reason increase rather than diminish the demands of modern man's sensibility and imagination. This change in outlook occurs, we must assume, between the publication of the *Rapports* in 1802 and the author's death in 1808. Unfortunately the correspondence so far made available to the public does not throw light on the reasons behind this change, nor on influences which might have exerted themselves on Cabanis. We may suppose that the lost correspondence between Destutt de Tracy and Cabanis[8] would provide this missing evidence, but these documents have so far eluded the attention of scholars.

In conclusion, we can see that the religious ideas of the Idéologues are by no means as uniform as between one thinker and another, nor indeed are they as devoid of subtlety, as has sometimes been supposed. All too often has *idéologie* as a system been dismissed as a dead-end, as the desiccated, over-systematized outcome of eighteenth-century rationalism carried to an extreme. This impression does not survive a study of Cabanis' *Rapports*, among other works. Its inadequacy is further revealed by a reading of the *Lettre à M.F.* Not that one can claim for the document any very widespread influence in the development of religious thought in France in the first decades of the nineteenth century. Its tardy publication would make such a claim untenable. It is however of significance and interest to realize that the Idéologues, and Cabanis among them, are not the self-satisfied, blinkered heirs of a philosophical tradition that was, by the closing years of the eighteenth century, proving sterile and threadbare. Cabanis was in fact fully alive to changes in the climate of opinion then evident, and was both able and eager to modify and adapt his own philosophy to the results of greater experience and deeper understanding of man's mentality and of the human condition, while reaffirming the essential ideas which formed the basis of his philosophy.

NOTES

[1] Destutt de Tracy, *Commentaire sur l'Esprit des Lois*, Livre XXV, p. 394.
[2] Volney, *Les Ruines*, Chap. XXIV (*Œuvres Complètes*, I, p. 244).
[3] *Lettre à M.F.* (*Œuvres Complètes*, t. II, p. 262).
[4] *Ibid.*, p. 276.
[5] *Ibid.*, p. 278.
[6] *Ibid.*, pp. 281–2.
[7] *Ibid.*, p. 297.
[8] Mentioned by A. Guillois, *Le Salon de Madame Helvétius* (Paris 1894).

ANDRÉ FRÉNAUD AND THE THEME OF THE QUEST

by

C. A. HACKETT

ANDRÉ FRÉNAUD first became known when the two poems, *Les Rois Mages* and *Plainte du Roi Mage* were published during the war, in 1942, in the fourth number of the review *Poésie 42*, with a preface by Georges Meyzargues (one of the pseudonyms used by Aragon in the Resistance movement).[1] In these, the quest, which was to become the major theme in Frénaud's work, was already evident. The volumes that mark the main stages in this continuing preoccupation are *Les Rois Mages*,[2] which contains poems written between 1938 and 1943; *Il n'y a pas de paradis*,[3] a collective volume consisting of poems and prose poems written between 1942 and 1960; and the long poem *L'Étape dans la clairière*,[4] published in 1966.

Although Aragon was one of the first to appreciate the significance of Frénaud's poetry, and to realize that in *Les Rois Mages* and *Plainte du Roi Mage* the story of the Magi was being used in both a personal and a mythical way, he related them too closely to the war years, to Frénaud's imprisonment in a *stalag* at Lückenwalde, to the 'mythe du retour', and to faith in the rebirth of France. This emphasis was understandable at a time when, in Aragon's own words, poetry was 'une arme pour l'homme désarmé'. But Frénaud's early poems, like his later ones, transcend, even while expressing, the occasions that inspire them; and the stress should fall on their more general aspects, on their universality. Moreover, it is now clear that Frénaud belongs with other writers such as Pierre-Jean Jouve, Henri Michaux and René Char, to the line of poets who, since Baudelaire, have regarded poetry as a spiritual and metaphysical adventure. He himself is conscious of being a 'poète métaphysicien' engaged on a quest which he has defined as 'la quête de l'être dans le langage', his function being to 'opérer une communication avec le Monde et s'intégrer à l'Unité'. At the same time, he is aware that his ambitions are overweening and his goal impossible, and that consequently the 'poète métaphysicien' is often little more than a 'pitre châtié' or, at best, a baffled human being, at once ridiculous and sublime like the Baudelairian exiles of the urban age.[5]

It is characteristic that Frénaud should have started his quest with a statement about nothingness. In *Épitaphe*, one of his first poems, dated 1938, but not published until 1943, he imagines that he is handing back to the 'Néant' a slate containing the sum total of his life's reckoning. He declares that, even if it adds up to nothing, it is—because the figures are correct—a 'zéro pur'. The beginning and the end of the quest are in this first of Frénaud's many defiant, yet lyrical, affirmations of his integrity in the face of an apparently meaningless existence. He has himself explained that the 'chiffres' of *Épitaphe* are events or stages in a life 'continûment exposée', in which passions and conflicts have been accepted and experienced; and that the 'zéro' represents the poet's aim and ultimate goal. In so much as he is himself a 'chiffre', that is, an obstacle resisting the force which ineluctably impels him towards an unknown Being, 'cet Etre qui ne nous est donné que comme Néant — dès avant la mort', he believes he must strive, and paradoxically through a deepening of his experience, to 'se réduire' and, if possible, 's'anéantir'.[6] He thus finds in action, that both destroys and creates the self, a justification for living. All Frénaud's work, in particular its stoicism and its tenacious vitality, must, if it is to be fully understood, be set against the background of this *Épitaphe*.

The publication in 1966 of a new edition of *Les Rois Mages*, and of a new poem *L'Étape dans la clairière*, emphasized, by a juxtaposition of the initial and the later stages in Frénaud's quest, not only the development that had taken place in this now considerable *œuvre*, but also its fundamental unity. *Les Rois Mages*, a narrative and metaphysical poem (at times reminiscent of T. S. Eliot's *Journey of the Magi*) is a prelude to *Plainte du Roi Mage*, written a few months later, in which a more detailed and personal development is given to the same theme. In contrast to the wise men of the Bible story, Frenaud's 'rois mages' are pathetic wanderers driven like beasts towards an end that always eludes them. Bitter impatience, lassitude, uncertainty and disillusionment are followed by the realization that, from the beginning, there was no way and no star. The birth was an illusion or a dream, to which their efforts, and their failures, had been unable to give substance and meaning. Yet the Child, whom they had sought and not found, smiles enigmatically at them as they lose themselves in the labyrinths of space and time. As they were at the outset, so they remain

> chevaliers à la poursuite de la fuyante naissance
> du futur...

The poet is the most lucid of these 'chevaliers' and, despite his nostalgic longing to return to the reassuring familiarity of his home, and to the kind of self-fulfilment that could be achieved there, he recognizes that he must, even if the journey is pointless, obey 'un appel insensé' and continue his search.

The same theme of 'quêtant le Graal', with a similar decor of Biblical elements, is amplified in *Plainte du Roi Mage*, one of Frénaud's longest poems. The journey, however, is now recollected and analysed many years after the event by one of the wise men, 'prisonnier impatient', the poet himself. He sees again the Magi setting out with (one feels) the enthusiasm of Baudelaire's 'vrais voyageurs'; and he recalls the brief moments of hope and belief, the star, the holy Child, and 'les noces de l'homme avec lui-même'. But again all is illusion; and the poet, deserted by the other wise men, questions and doubts the purpose and ultimate meaning of his quest. He becomes aware that his sole companion is death, but a death which nourishes his life 'comme son enfançon'. He is forced to conclude that the star and the reason for hope are to be found only in man himself:

> Étoile dans mon sang j'irai où tu m'égares.
> Je suis pris. Je n'ai pas fini la longue marche.

At the end of the poem, the quest is defined as a 'fécondante déperdition'. This ironic counterpart of the Christian belief of losing in order to gain, of dying in order to live, expresses what might be termed Frénaud's existentialist attitude.

More than twenty years later, the same theme is treated in *L'Étape dans la clairière*, and the characteristic alternating and conflicting rhythms of the poem express similar gropings, hesitations, and doubts. By introducing towards the end, the opening two lines of *Les Rois Mages*, Frénaud emphasises not only this remarkable continuity but also some fundamental differences. In *L'Étape dans la clairière*, the quest is no longer specifically related to the Biblical journey, and an allusion to the offerings of gold and myrrh only underlines the absence of the wise men. One is conscious now of different, and hostile, religious features, like the serpent and the desert; of strange portents, such as the laughter of 'l'oiseau cruel'; of sudden destruction in the natural order, symbolized by 'le poirier en flammes'; and of an infinite nothingness 'le monde n'a pas fini d'être muet'. Instead of the defiant challenge:

> Mes chiffres ne sont pas faux,
> ils font un zéro pur.

there is a tentative belief:

> Il me semble que mes comptes sont en ordre.

The main difference, however, lies in the tone which, though potentially violent, is calm, neutral, disciplined. Experience of uncertainty has brought compassion, and a greater concern for man and for man's humble possessions.

In the conclusion, the poet expresses his desire to return to childhood, to the 'Néant' which, as he states in an unpublished commentary on the poem, is *always* there, 'comme il sera à la fin et à la source'. The quest ends as it began with an epitaph:

> Un parti de pâquerettes dans la clairière.
> Un paradis frêle à l'abri des saules.
> De l'eau doucement nous recouvrirait, les menues graines.
> C'est ici où je voudrais m'évanouir
> à l'instant où le monde est bon.

In these three poems the quest is contemplated rather than actually lived. The immediate 'lived' experience, absent from them, is everywhere present in both the substance and the structure of the collective volume *Il n'y a pas de paradis*. In this representative work the poems are arranged in such a way that they create and communicate directly the impression of a continuing journey, punctuated by the poet's questioning, his ironic comment and profound despair, and also by moments of tenderness, childlike fantasy, lyrical joy and illumination. It is precisely because 'there is no paradise', either in childhood or in the future, that the present (the tense of Frénaud's poetry) and everything concerned with the journey take on added importance and poignancy. This is especially true of the poet himself whose presence, as a 'voyageur' and a 'routier', as a visionary and the representative and symbol of all men, is felt in every poem. Obsessed by the 'Néant', he constantly asserts the fact of his own existence, and of all that is his; giving this an almost aggressive emphasis by the repeated use of 'Je', and of possessive adjectives in the first person.

Yet Frénaud is as altruistic as he is personal. He feels with a more than usual intensity about other people—the woman he loves, children, friends (what poet has dedicated so many poems to friends?), and the unheroic 'bonnes gens', peasants, artisans, townsmen and other people met on the journey, in a house or an inn, 'par les lieux où les hommes rompent leur pain'.

As a poet of love, of childhood, and of 'le peuple quotidien', Frénaud has produced great poetry; but it is in poems addressed to woman that he comes nearest to finding the meaning of the quest. These poems are (to quote the title of one of them) 'pour réconcilier', and in *Source Entière* woman is seen, almost in the surrealist manner, as a 'désir de lumière', a purifying force. The poet's love, ranging from 'malamour' through eroticism to tenderness and passion, finds ecstasy in a total union: 'notre élan a couronne verte... un seul nid de l'air dans l'air'. A series of striking and highly original images, that read like a litany, celebrate the lovers' union as 'une seule présence réelle'. But the reality of this ecstasy is transient, and the next poem *Armoiries pour une arrivée le jour de la fête des rois* (the last in this particular sequence) strikes a recurrent note of 'ici, dans cette halte de roi mage', which makes the poet savour the present more intensely and, at the same time, reminds him of the need to continue the journey. Yet, as he is half aware, the pauses and the interludes, rather than the journey itself, hold the key to the quest. It is in moments of respite such as those evoked in the love poems, and in *Autour de Grasse*, *Le Tholonet-Cézanne* and *Ménerbes*, more than in the periods of searching, that the urgency of the quest is felt.

In interludes of another kind Frénaud reveals, as in *Veille* and *L'Auberge dans le sanctuaire*, a generous, but frustrated, 'sociabilité' (according to Eluard,[7] a dominant feature in his poetry); in *14 Juillet*, feelings of fraternity; and in *La Maison en Ré* friendship. This last poem, dedicated to a friend, is about a particular house on the Île de Ré; but the 'maison modeste' is also an image that is frequently used, as it is here, to represent an important interlude in the journey (in contrast to the château, its metaphysical counterpart, which symbolizes the end). In *La Maison en Ré*, several other subjects—the sea, nature, people, friendship—are skilfully related to the theme of the house to create in all the poet sees a vibrant stillness and a feeling of infinite, yet ephemeral, happiness. This is, as he states in the concluding line which unites his journey with that of other men, a moment of respite

> avant les traversées, la tempête, l'écueil fatal.

These halts in the journey give a precise context at once geographical and human to Frénaud's metaphysical adventure, and so make it immediately accessible to the reader. It would not, however, be paradoxical to maintain that the real nature of the quest is communicated most convincingly in passages in which there are no people, and where the poet is content to look and to record faithfully what he sees. Such passages might be called, to use the term Diderot applied to Chardin's still-life paintings, 'compositions muettes'. One thinks in particular of that remarkable poem *Vieux Pays* (which was composed in 1953 but not published until 1967),[8] and of the sequence *Où est mon pays?* in *Il n'y a pas de paradis*. Throughout Frénaud's work there are sharply defined, Imagist-like pictures of things seen on the journey:

— le triangle d'un village dans sa fumée.
— Bonheur rouge des vignes en automne.
— Des ruisseaux où les poissons dorent le courant léger.
— Sur un champ, une charrette se dresse bleue.
— le petit mille-pattes luisant de la herse.
— la belle eau verte du foin frais.
— ces nuages ronds comme des galets.
— la colline immensifiée par l'enfance.
— la géométrie tâtonneuse des étoiles.
— O troupeau enfantin des arbres, petits fronts taurins empanachés de tiges blanches, par le grand vent résistant, assaillis, ô frères tutélaires!

These 'pictures' are not the product of strange juxtapositions and, unlike the Surrealists' images, they are not intended to produce in the reader a disturbing shock. They surprise by their very naturalness. In Frénaud's poetry, however, objects and places unexpectedly change their 'sign' and their symbolic meaning ('Les signes changent. Se meurt la patrie désirable', as we read at the end of *Vieux Pays*). One could in fact have chosen different examples, in which phenomena manifest themselves in ways that are obviously strange, 'unnatural', and more complex—in ways that express the conflicting forces at work in the universe, or reflect man's ambivalent emotions. In the opening stanzas of *L'Étape dans la clairière*, for instance, there is a line reminiscent of the kind of animism found in some of the poems of Nerval and Hugo:

Jusque dans les micas grésillent des yeux inquiets

and in the same poem 'l'oiseau-phénix' of *Campagne* has become 'l'oiseau cruel'. In *Pour une plus haute flamme par le défi*, the flame that illumines and inspires, also blackens and destroys, just as the light of day which in some poems is 'neuve' and radiantly clear is, in others, dark and 'aveugle'; and the house which, in *La Maison en Ré* and other poems such as *La Maison de Sennecey-le-Grand* and *J'ai bâti l'idéale maison*, is a symbol of hospitality, joy and friendship is also, as in *Maison éteinte*, a house where there is no light—and so no shadows—a tragic symbol of absence and of a love that no longer exists:

Mon amour défait n'a pas laissé d'ombre.

But however objects are used, they are never merely properties in a narration or a description. They have a special quality and function, both in themselves and by virtue of their relationships with other phenomena. They suggest a plenitude of existence to which the poet aspires; their apparent simplicity is the result of complex and opposed elements ('Beauté de l'instant, issue des éléments contraires', as Frénaud says in *Campagne*), and their aura of stillness encloses a promise as well as a threat. They are silent witnesses of the poet's quest, and he values them not only for their own sake, but also because, like him, they are waiting for the 'passage de la Visitation', the moment of illumination when the ephemeral and the eternal, the poet and the quest, are one. This may occur when an object or a place suddenly becomes the source of 'un bonheur arc-en-ciel', or receives the power to reflect light and colour:

comme un paon immense, invisible
qui n'aura jamais fini de mordorer et d'être[9]

and to reveal 'le vrai monde, la face bleue de l'ange'.[10]

The goal of the quest, or what appears to be its goal, assumes many forms. At times, these are abstract, evanescent, or absent—such as a light, a shadow, music, an echo, childhood, reality, nothingness; at others, they are visible and clearly apprehended—a temple, a tomb, an inn, a house, a town or village, an island or country, a woman, and—most frequently of all—a crenelated castle. The variety, the richness and the extremes of the imagery are accompanied by a corresponding range of vocabulary. One of the most striking features of Frénaud's style is the use of words such as 'quête', 'chevalier', 'blason', 'armoiries', vaillance', 'droiture', which are interspersed among more familiar, robust, or intentionally coarse terms.[11] The effect of this is to give dignity and ironic dignity, heroism and mock heroism, to a quest which seems at once futile and all-important.

In this 'cheminement d'un être-en-quête'[12] the 'château fort' is a key image and represents the desired end of the adventure. The castle is an imaginary object made of words, feelings and ideas—a *château-poème.* This 'petit monument de langage'[13] which on occasions is only a 'murmure misérable' or a 'machine inutile', is at other times 'la musique de l'être', and a 'transformateur d'énergie', Frénaud's 'vrai pays', his 'patrie métaphysique'. His aim, as he states in *Sans avancer*, is metaphorically to build *himself*, by means of words, into a castle; and even in the most sombre places of his work, where man appears to be savagely cruel, or utterly humiliated (as in *La Sainte Face*), the stress is ultimately on the creative activity implied by recurring verbs such as 'construire', 'ordonner', 'organiser'. Identification with the château is, as we learn from two important texts, *Le Château et la quête du poème* and *Note sur l'expérience poétique*, a symbol of union with 'la Réalité'. At this moment of tragic exaltation, the poet participates in 'la violence des contradictions dans l'Unité', and his personal drama becomes that of man and of the universe. These moments of 'visitation' and supreme illumination are, however, exceptionally rare; and the poems in which they are expressed form, as it were, a series of plans or miniature models—'petits monuments verbaux imprévus'—of an unknown château that is destined never to be completed. In accordance with the dialectical movement which gives tension to Frénaud's work, construction is followed by destruction,—'château aboli sans limites'[14]—identification by alienation, and a vision of 'le Tout' by an awareness of 'le Néant'. Echoing Rimbaud's famous (and misunderstood) cry, Frénaud exclaims 'De nouveau "la vraie vie... absente" '.[15]

In common with many contemporary French poets, Frénaud feels the need to explain his poetry (thus depriving readers of that pleasure 'de croire qu'ils créent' which Mallarmé had somewhat ironically allowed them); and to discuss, theorize and speculate, in philosophical and semi-mystical language, about the function of the poet and the meaning of his *art poétique*. But in the poetry itself he has done something more difficult than protest and revolt as a 'poète métaphysicien'; he has expressed concretely, in original images and taut, vital rhythms, the complex reality of his own 'nature contradictoire'. From his first volume *Les Rois Mages* to his most recent work, *La Sainte Face*, 'ce miroir ténébreux' as he has termed it, Frénaud has, over a period of twenty-five years, enriched every aspect of his fundamental theme. Like the wise men of his early poems, he has found no star to guide him, or to mark the end of his searching. He may never reach the 'multiple château étoilant la nuit lente';[16] but even if, finally, all seems illusion, and his adventure only a series of failures, it is also a series of triumphs, at once a 'désastre' and, because of the poems it has inspired, a 'beau désastre'.[17]

Frénaud has been described as a modern Sisyphus; but while he is conscious of being enslaved to an unending and seemingly unproductive task, he also believes that he is a freed slave, a 'prisonnier radieux'. There is nothing supernatural about his quest. It is not the adventure of a 'voleur de feu' but, in his own memorable phrase, of an 'homme porte-lumière'.[18] As a purely human bearer of light, passing on what he has unexpectedly received, or with difficulty gained, he has revealed beauty in humble objects, 'nos pauvres avoirs', and a certain, if at times ironic, nobility in ordinary people, the 'petit peuple travailleur'. Not least, he has found for *homo absurdus* a precarious hope and 'une possible dignité de vivre'.[19]

NOTES

[1] 'Un prisonnier libéré, André Frénaud', *Poésie 42*, No. 4 (1942), pp. 31–41.

[2] First published by Seghers in 1943 and again in 1944, 1946 and 1966, the last edition being a 'nouvelle édition revue et corrigée'.

[3] First published by Gallimard in 1962. A new and modified edition appeared in the collection *Poésie* (Paris, Gallimard) in 1967, with a preface by Bernard Pingaud.

[4] *L'Étape dans la clairière* suivi de *Pour une plus haute flamme par le défi* (Paris, Gallimard 1966).

[5] See the preface to *Excrétion, misère et facéties* (Rome, Biblioteca Minima 1958).

[6] See G. E. Clancier, *André Frénaud* (Paris, Seghers 1963), p. 53.

[7] In the preface to *Les Mysterès de Paris* (Paris, Éditions du Seuil 1944): 'La sociabilité est un des caractères dominants de la poésie d'André Frénaud'.

[8] In a limited edition, with engravings by Raoul Ubac (Paris, Maeght); and also in the review *L'Ephémère*, No. 3, 1967.

[9] *Les Paysans*.

[10] *Le Tholonet-Cézanne*.

[11] See Eluard's comment (*loc. cit.*): 'Toujours dans la rue, le langage d'André Frénaud est de quatre saisons, il gèle, il bourgeonne, il s'enroue, il s'enflamme. Il est la conscience de la réalité...'

[12] *La Sainte Face* (Paris, Gallimard 1968), p. 256.

[13] *Ibid.*

[14] *Sans avancer.*

[15] *Note sur l'expérience poétique.*

[16] *Où est mon pays?*

[17] *Une fumée.*

[18] *Autoportrait.*

[19] *Ménerbes.*

BAUDELAIRE AS A CRITIC OF CONTEMPORARY POETRY

by
P. MANSELL JONES

NO one who knows much of Baudelaire's work could think of him as other than a highly critical mind. Yet as a critic of poetry in the collection of pieces called *Réflexions sur quelques-uns de mes contemporains* he is surprisingly free from censoriousness and devotes himself in nearly every case he deals with to differentiating what he finds good. It is appreciation often of the most generous and ingratiating kind that strikes the reader who may have been expecting severities. Baudelaire is always concerned with interesting issues—if not always with great poets then with one or other of the greater genres. Everything is said with feeling, predominantly in a positive vein, and the approval is often exuberant. He does not hesitate to employ the strongest, full diapason and to praise in the top register by using the simplest and straightest superlatives. And yet if one reads with strict attention, one is likely to find the appreciation carefully graded and threaded with reservations that show a discriminating mind at work under the favourable approach. And at all times the treatment is careful, the language so well adapted to the particular poet's case that one realizes sooner or later the very choice for treatment is an act of discrimination which judges by excluding those thought to be inferior from any treatment at all, even perhaps from mention. Thus one perceives how a couple of paragraphs can be given to Gustave Le Vasseur—not to dismiss him as a versifier of no merit, but because Baudelaire has so subtle a regard for him and his verse that in two paragraphs he has summed up the man and his poetry in what is no less than a charming prose-poem.

For Hugo he has nothing but praise—or perhaps I should say a graduated appreciation. And it is interesting to see how he maintains the tone of reasonable admiration without slipping into adulation.

He begins with the Man, giving a strong impression of the personality by means of a character sketch in *visual* terms. Similarly in bringing out the sense of the universal in Hugo's genius he uses, not abstract language, but firm plastic impressions in which the appropriateness of the images strikes the eye. He believes Hugo could work as he strolled about Paris and that his great gifts enabled him to say to external nature: 'Enter through my eyes so that I can recall you!'

Baudelaire insists on Hugo's admiration for objects of the past, picturesque furniture and ornaments. It would, he thinks, be a critical error to neglect this detail. Not only does it confirm his literary doctrine, which Baudelaire prefers to call a renewal rather than a revolution, but it is an indispensible complement to a poetic character of universal scope.

A fine paragraph follows in which the Hugo of the earlier poems, a solitary but enthusiastic admirer of life, is contrasted with what he has become. The illustrative details are well chosen: it is no longer in the wooded and flowery environs of the capital or on the variegated quays of the Seine or along the paths which teem with children that his feet and eyes wander. Like Demosthenes he now converses with the winds and waves. Formerly he roamed alone through places teeming with human life; today he wanders through solitudes peopled only by his thoughts. And the paragraph ends with the identification of this later Hugo as 'la statue de la Méditation qui marche'.

Baudelaire fervently acknowledges the Master's achievement in the renewal of French poetry and maintains that the movement he created continues under the eyes of everyone who has eyes for the revival of the arts. He promises to do no more than stress Hugo's outstanding qualities as a poet. With this object in view Baudelaire does not stint the language of praise, and this might seem to us rhetorical were it not saved by the inventiveness of the imagery, and indeed of the ideas themselves, through which he continues to make his perceptions personal and characteristic. Hugo he regards as the man best endowed to express the mystery of existence through the appreciation of form, attitude and movement, light and colour, sound and harmony. No writer is more universal, more apt to take a 'bain de nature'. Not only does he express clearly what is clear, but also with indispensible obscurity what is obscure and confused. His work could be said to abound in *tours de force*, did we not realize how natural such turns were to him. His verse shows his ability to extract not only all that is human in things, but also what is divine, sacred or diabolical.

Then comes one of those strikingly complete passages that occur not infrequently in Baudelaire's appreciative prose. Rich in detail and pertinent in reference, his aesthetic philosophy maintains the fundamental exactitude of metaphors, comparisons and epithets when used by the supreme poets. A favourite comparison from Swedenborg's Theory of Correspondence is brought in here as philosophical basis. Hugo's exceptional endowment of this gift of perception puts him on a level with the greatest poets of other modern nations: Goethe, Shakespeare and Byron. The next paragraph is so rich in suggestion and so pertinently expressed through applying a contrast with Voltaire, worded not flippantly but with genuine wit, that a close translation must be attempted.

From his gift for absorbing external life which is unique in its amplitude, and from his other powerful faculty of meditation, there has resulted in Victor Hugo a poetical character of a very special kind, interrogative, mysterious and, like nature, immense and minute, calm and agitated. Voltaire saw mystery nowhere or in a very few things. But Victor Hugo doesn't cut the Gordian knot of things with the military petulance of Voltaire; his subtle senses reveal abysses; he sees mystery everywhere. And, in fact, where isn't it to be found? Thence derives that feeling of fright which penetrates several of his finest poems; thence those turmoils, those accumulations, those avalanches of verse, those masses of stormy images, carried away with the speed of a fleeting chaos; thence those frequent repetitions of words, all destined to express the captivating darkness or the enigmatic features of mystery.

In the third subdivision of his treatment Baudelaire maintains the same thoughtful, discriminating line of argument, again avoiding abstraction, repetition or monotony by turning to the painters for comparisons, explaining that for him, no one fully merits the name of painter unless he can paint in all the genres. He illustrates this universal type by name: Rubens, Veronese, Velasquez and Delacroix. Like them Victor Hugo is a genius without frontiers. What is remarkable here is the way Baudelaire illustrates the contention that Hugo puts the palpitation of life into everything he mentions. All the points are made with attention to the detail and significance of their value as illustrations or supports of the argument. 'If he paints the sea', Baudelaire says, 'no *marine* will equal his'.

As for those aspects of human life which interest the genre painter and the painter of historical subjects, what could be richer than Hugo's lyrical poems? Attracted to anything that reveals strength and by all the artists and poets who, since records began, have celebrated strength before him, he is drawn by natural contrast to the cause of the poor, the weak and the bereft. Here Baudelaire's expressive ingenuity seems at its most inventive when characterizing Hugo's originality in the broadly human sphere. 'Le fort qui devine un frère dans tout ce qui est fort, voit ses enfants dans tout ce qui a besoin d'être protégé ou consolé.' From the certitude of strength is derived the sense of justice and charity. Few, Baudelaire thinks, have noticed how frequently goodness of heart adds its charm to the expression of strength in Hugo's poems. And the observation reflects on Baudelaire himself. What rapid reader of *Les Fleurs du Mal* would suspect such sensitive humanity in their author? With delicate ingenuity he points to certain of Hugo's sensual poems in which ethics are not imposed as the object of the poems but are mingled and involved in them as they are in life. 'Le poète est moraliste sans le vouloir,' says Baudelaire, 'par abondance et plénitude de nature'.

Another remarkable subdivision is devoted to Hugo's speculations on the nature of the universe. These are said to be based not at all closely on science, but on the fantasy and reverie of an immensely powerful imagination. Baudelaire supports Hugo's choice of means by claiming that, had he described what is, the poet would have degraded himself to the rank of professor, but by speculating on the possible he remains faithful to his function; and, Baudelaire contends, in his function Hugo is a collective soul who hovers interrogatively, who hopes, and who sometimes guesses the truth.

In a fifth and last section Baudelaire deals with the *Légende des Siècles*. He does not attempt an analysis of any particular poem, but discusses the form Hugo chose for his last great series. The development of history having made the traditional type of epic impracticable, Hugo has not attempted to vie with the narrative forms of the past. He has been content to borrow from history only what history can legitimately and fruitfully lend to poetry, namely legend, myth and fable, which are like concentrations of national life, 'deep reservoirs in which sleep the blood and tears of nations'. And Baudelaire concludes that Hugo has created the only type of epic poem which could be produced by a man of his time for readers of his time.

Surprisingly enough, the piece on Théophile Gautier is a defence of Gautier as a poet of sentiment against those whom Baudelaire calls the idle critics who claim, with Gautier in view, that a work can be too well written and for that reason lack feeling. Gautier, Baudelaire declares, is, comparatively speaking, almost unknown as a poet, if one attempts to balance the slight popularity his poems have gained with their immense and brilliant merits. Then comes one of those finely wrought passages which frequently occur in Baudelaire's prose and which depend on the elaboration of an image—here one drawn from Hugo and turned as a compliment to Gautier, the poet. Hugo has an ode which pictures Paris submerged by floods until all that remain are those monuments capable by their strength of maintaining and exhibiting the City's history. This image Baudelaire simply but ingeniously applies to an imaginary discovery of another kind: Gautier's poems found after some disaster. The person who has made the discovery has sufficient taste to recognize the quality of his find and exclaims: 'Voilà donc la vraie langue française!' And Baudelaire pictures with what delight the eyes of the finder will scan poems at once so pure and so preciously ornate. From them all the resources of the French tongue could be defined and appreciated. That will be Gautier's reward for a life of devotion to his art sustained against the ingratitude of his contemporaries. Here Baudelaire reflects on the history of literature by referring to the intelligent commentators who are establishing links between contemporary poetry and that of the Renaissance. Hugo, he points out, is being taught and paraphrased in the universities. But what man of letters does not realize that the study of his splendid poems should be accompanied by the study of Gautier's? And he makes an acute differentiation in his favour. While the majestic poet (Hugo) has been found by some judges to be carried away by an enthusiasm not fully propitious to his art, the precious poet (Gautier), more faithful to his and more concentrated, has never exceeded his own virtual limits. And as if to acknowledge what support he can find, Baudelaire concludes this part of his defence by admitting that others have noticed that Gautier has added to the powers of French poetry, enlarging its repertory and extending its vocabulary without ever failing to observe the severest rules of the language of his birth.

Then comes an apostrophe to Gautier whom Baudelaire salutes as a man worthy of envy: he has loved nothing, sought nothing but the Beautiful. Even when a grotesque or hideous object presented itself to his eyes, he has known how to extract beauty from it. Here, we see, Gautier conforms to the faith Baudelaire worshipped along with many of his most serious contemporaries: the aesthetic faith. This faith Baudelaire had no hesitation in expressing in the clearest and most explicit terms, and he has no reservation in declaring Gautier to be endowed with this unique faculty, powerful as fate. For Gautier has expressed without strain or fatigue all the attitudes, aspects and colours that belong to nature as well as the intimate sense enclosed in all the objects that present themselves to the contemplation of the human eye.

The piece ends with another compliment ingenuously contrived. For Gautier idea and expression are not two contradictory things which can only be accorded by making a great effort or by weak concessions. To him alone has it been given to say without over-emphasis: 'There are no inexpressible ideas!' And Baudelaire finishes by reverting to the image with which he began. If to exact from the future the justice due to Théophile Gautier he had supposed that France had disappeared, it was in the belief that the human mind, by consenting to emerge from the present, can the better conceive the idea of justice. He denies any intention of prophesying disaster for his country and admits having constructed a fable in order to facilitate the demonstration of Gautier's excellence to the weak and the blind. For among those who are clairvoyant today, who doesn't perceive that some day they will cite Théophile Gautier as they do La Bruyère, Buffon and Chateaubriand, that is as one of the surest and rarest masters of language and style?

This is the positive side of the religion of art. Baudelaire's tone is religious and he does not hesitate to use superlatives. The attack on an example of poetry whose *raison d'être* is not autonomous in itself as art, but depends on what it expresses, receives an equally direct illustration in an article on Auguste Barbier, the strength of whose work Baudelaire is anxious to allow for, although radically disapproving of its author's attitude.

He begins with an all-important reservation. If he declared Auguste Barbier's objective to be the quest of the beautiful—his exclusive and primordial quest—Barbier, he believes, would be angry with him, and clearly he would be right to feel annoyed. However magnificent his verses can be, the *verse* itself has not been the principal object of his loving attention. He has evidently assigned himself an end he thinks nobler and more elevated. Baudelaire admits that he has not the authority to undeceive him, but he accepts the chance Barbier's work offers to discuss once again that wearisome question of the alliance of the Good with the Beautiful—a question whose obscurity he traces to the feebleness of contemporary mentalities.

To do justice to Barbier's case Baudelaire proceeds to allow him some of the highest qualities a poet could be accorded. 'He has written some superb verses; he is naturally eloquent; his soul makes leaps that carry the reader away.' Here admiration is expressed in direct and personal terms, and one has no reason to suspect their sincerity. But, Baudelaire declares (and at this point his argument swings up into the aesthetic metaphysic to which he is dedicated), having allowed for, indeed having extolled Barbier's legitimate success, he feels bound to make the reservation that the source of his fame is not pure. It is born of circumstance; whereas poetry is self-sufficing. Poetry is eternal and should never have need of external support. Against the Latin tag *Facit indignatia versum*, Baudelaire points out that indignation is a common feeling and it by no means invariably produces good verse; whereas there is a chance that the verse made simply for the sake of making a fine verse may outlast the verse prompted by indignation. If Barbier is a true (*grand*) poet, it is because he possesses the faculties that make a true poet, not because he expresses the indignant thoughts that good people feel.

The next paragraph is so important for Baudelaire's argument that I attempt a translation.

> In the error the public makes there is a confusion which is quite easy to disentangle. A certain poem is beautiful and good (*honnête*), but it is not beautiful *because* it is good. Another poem is beautiful but bad (*déshonnête*); but its beauty doesn't derive from its immorality, or rather, to speak clearly, what is beautiful is neither good nor bad. It happens most often, I know, that really beautiful poetry bears the soul towards a celestial world; beauty is so strong a quality that it cannot help ennobling the soul. But *that* beauty is something totally independant of conditions, and much could be wagered that if you (any poet is addressed here) decide beforehand to impose a moral end, you will diminish considerably your poetical power!

Baudelaire compares the condition of morality imposed on works of art to any other incompatible element and deplores attempts to express ideas drawn from other worlds alien to the arts, such as the scientific or the political. Minds that think erroneously get this wrong from the start. The ideas they regard as the most important element. (They should say the idea and the form are two entities in one.) But since for them the idea is all-important, the form can be neglected. The result is the annihilation of poetry.

Despite his endowment as a poet, and Baudelaire insists: a *grand poète*, Barbier's anxiety to express good or useful thoughts has gradually led to a slight scorn for correctness, for polish and finish, which would suffice of itself to constitute a decadence.

Baudelaire admits that the natural grandeur and lyrical eloquence of Barbier's first poems reappear brilliantly expressed in all the poems *adapted* to the revolution of 1830. But, he insists, these were adapted to circumstances and, fine as they are, they are marred by the miserable characteristics to which they are made to conform *Mon vers, rude et grossier, est honnête homme au fond.* But, asks his critic, was it as a poet that he picked up from the conversation of lawyers the commonplaces of simple-minded morality? And here Baudelaire manœuvres skilfully against certain common faults he finds in Barbier's work, such as negligence in grammar, some of which prompts the question: Can one picture a *Muse* that *grimaces*? Nor can he resist censuring a new fault—not that of the negligent rhyme or the suppression of the article, but one he calls a certain flat solemnity or solemn platitude which was formerly presented as a majestic and touching simplicity. Baudelaire explains his attitude by saying there are fashions in literature as in painting and dress. There was a time when in poetry as in painting the naïve was the object of much research. A new kind of preciosity was cultivated and platitude became highly esteemed. He illustrates by a line given him by another poet:

Les cloches du couvent de Sainte-Madeleine.

For the rest Baudelaire is outspoken. He finds the same faults and the same qualities throughout Barbier's work. He names collections which everyone would agree have a moral aim; then fastening on one called *Rimes héroïques*, he declares they reveal all the folly of the century. Under the guise of writing sonnets in praise of great men, the author has celebrated lightning conductors and sewing machines. Such efforts send Baudelaire into raptures of despair; he proclaims disconsolately that 'the object is to spread enlightenment among the people and, with the aid of rhyme, to fix more easily the discoveries of science in the memories of men'.

This article, he says, he concludes more in pain than in raillery. Auguste Barbier is, he maintains, a true poet and will always with justice pass for one. But he has been a true poet despite himself, so to speak; he has tried to spoil by a false idea of what poetry is his own superb faculties. Most happily these faculties were strong enough to resist the poet who strove to diminish them.

Confronted by a subject which might have led to conventionalities, in presenting the case of Théodore de Banville, Baudelaire discusses the contemporary use of classical genres in the liveliest and most personal manner. How does he contrive to present so favourably a poet for whose work we have lost taste? He begins by drawing a strong contrast between the Paris of the time at which he is writing—un *tohu-bohu*, he calls it, peopled with imbeciles absolutely rebellious to the pleasures of literature—and Paris, as it was when Banville's first volume, *Les Cariatides*, appeared: a city well stocked with connoisseurs and eager at the suggestion of new poetry. What first struck the readers of Banville's verse was its abundance and its brilliance. But the numerous and involuntary imitations, the very variety of tone, according as the young poet underwent the influence of one or other of his predecessors, went far to divert the reader's mind from his principal faculty, what was to be his ultimate mark of originality, namely the certitude of his lyrical gift.

The language Baudelaire uses is often highly pitched, but it is never facile. The praise he bestows is judiciously applied and informed with genuine feeling and thought, which make it all the more interesting to note what he says, how in this instance, for example, he characterizes the qualities of Banville's work and justifies his own reactions to it. One thing that strikes us at once as different between the taste of his time and that of our own is the ease with which Baudelaire and his contemporaries—despite their nearness to the Romantic revolution—could still accept the classical model and respond favourably to what we should be tempted to call the pseudo-classicism of an art like Banville's. Baudelaire confesses elsewhere to a strong partiality for the Latin classics, and his own art is decidedly formal. But what he says in it is personal in a stronger sense than anything Banville expressed. Many of his ideas have a depth, a curiosity, an audacity far beyond Banville's reach. They survive in the work of a poet to whom we turn for something markedly different; whereas Banville, we feel, may be an expert but is still a minor.

Baudelaire himself must have felt the difference. But let us see what he contrives to say in praise of his junior and what he sees in his favour. How does he contrive to praise Banville so positively—a poet the basic conventionality of whose gifts we should not, I think, find attractive today? Already in *Les Stalactites*, Banville's second volume, the verse, Baudelaire admits, is less copious and more disciplined: many of the best poems of the group are quite short and affect the elegance of antique pottery. Baudelaire then commends some of the work of Banville's prime which, after infinite experimentation, combine his youthful exuberance with the art of his maturity in masterpieces comparable in their elasticity and *ampleur* to those of Ronsard. As an example of this bounding, superhuman pride and joy Baudelaire gives:

> Vous en qui je salue une nouvelle aurore,
> Vous tous qui m'aimerez,
> Jeunes hommes des temps qui ne sont pas encore,
> O bataillons sacrés!

Then he asks, and it is interesting to see how he proposes to answer his own question: 'What is this mysterious charm which the poet himself recognized he possessed and which he increased to the point of making it a permanent quality of his verse? If we cannot define it exactly, perhaps we can find words to describe it and discover from what in part it derives'. Thereupon the critic indulges in subterfuge by combining two statements, one his own—'Banville's poetry represents the finer hours of life when one feels happy to be thinking and living'; the other is an injunction adopted from a critic who is not named: 'To divine the soul of a poet, or at least his principal preoccupation, look for the word or words that recur in his work with most frequency. They will betray his obsession.' The keyword Baudelaire differentiates as *la lyre*. And by an argument which he excuses as too mathematical, he arrives at the conclusion that at first the poetry of Banville suggests the finer hours of life; then it assiduously presents the eyes with the word 'lyre'; the lyre being expressly charged to translate the finer hours, that is man's ardent spiritual vitality—in a word, 'l'homme hyperbolique'. And so, Baudelaire infers, the talent of Théodore de Banville is essentially and decidedly lyrical.

If this mode of argument strikes the reader, despite Baudelaire's explanations, as a trifle fanciful, he will probably be reassured by one of those finely wrought paragraphs that develop an argument effectively through a series of images or illustrations which change in a manner that stimulates interest by revealing fresh aspects of the main idea. The argument is vivid throughout, often visual, and so far from being abstract that it is difficult to represent without attempting translation. All men, he argues, even the most ill-favoured, have at times impressions which sweep the soul aloft. To these elevations there correspond a lyrical manner of speech, 'a lyrical world, a lyrical atmosphere—landscapes, men, women, animals which all participate in the character assigned to the Lyre'.

A paragraph of the same quality follows, giving what might be called an illustrative definition of the lyrical mode by emphasizing its distinctive characteristics of hyperbole and apostrophe. Then differentiating the mode as appropriate to general, not particular traits, Baudelaire illustrates this distinction with a vivid practical contrast: 'La lyre fuit volontiers tous les détails dont le roman se régale. L'âme lyrique fait des enjambés vastes comme des synthèses; l'esprit du romancier se délecte dans l'analyse.' Another distinguishing feature is that the women in the ode have the stature of goddesses but the heads of children, implying that most beautiful human faces should be free from the strains of passion, anger, sin, anguish and care. The lyrical poet must be in love with the superhuman. His own destiny is nothing less than an apotheosis, and Baudelaire quotes with express approval three of Banville's stanzas, beginning with

> Mais moi, vêtu de pourpre en d'éternelles fêtes,
>   Dont je prendrai ma part,
> Je boirai le nectar au séjour des poètes,
>   A côté de Ronsard.

These he defends vigorously with the reservation (which is the highest compliment) that to use such language, one must be absolutely lyrical, and few have the right to pretend to the pure gift.

Now we come to the subtlest, the most sophisticated part of the defence. What if someone asks can the lyrical poet never descend from the ethereal regions, feel the movement of life surging around him and observe the spectacle of the perpetual grotesqueness of the human animal, the sickening *niaiserie* of women, etc.? Baudelaire's answer is yes: even the ideal form of poetry can deal with the living, and he insists on the validity of anachronism. 'Car peut-on commettre un anachronisme dans l'éternel?' Here we come to a paragraph so important in itself, and so interesting as a definition of the poetry of Baudelaire's time, that we must not avoid giving it in words as close to the original as possible. It does what modern critics rarely do: it defines the gift of the poet and relates him to an equally clear and courageous definition of the poetry of the time.

> To tell all the truth we think, Théodore de Banville must be considered an original specimen of the most elevated kind. Indeed, if one cast a general glance over contemporary poetry and its best representatives, it is easy to see that it has reached a mixed state of a very complex nature; plastic genius, philosophic sense, lyrical enthusiasm and humorous spirit are combined in it and mingle in infinitely varied doses. Modern poetry draws at once from painting, music, statuary, arabesque art, philosophic raillery, and the analytic spirit; and so happily, so skilfully adjusted that it presents itself with the visible signs of a subtlety borrowed from diverse arts. Some people might perhaps see in it symptoms of depravity. But that's a question I don't wish to clarify here and now. Banville alone, I've already said, is purely,

naturally and voluntarily lyrical. He has returned to the ancient modes of poetical expression, doubtless finding them quite sufficient and perfectly adapted to his purpose.

Baudelaire's argument continues to be personal and interesting. What he here says of the choice of means applies with no less justice to the choice of subjects. Up to a fairly advanced point in modern times, he maintains, art, poetry and music have had for object simply to enchant the mind by presenting it with scenes of beatitude which contrast with the horrible life of contention and struggle in which we are plunged. From Beethoven he traces a change. It was Beethoven who began to stir up the worlds of melancholy and incurable despair amassed like clouds in the inner heavens of man's mind. Maturin in the novel, Byron in poetry, Poe in poetry and the analytical novel are cited as writers who have developed this tendency. They have projected dazzling rays on the latent Lucifer that is installed in every human heart. And Baudelaire finds that this infernal part of man that man takes pleasure in explicating to himself increased daily, as if the devil was preparing himself some succulent feast.

Banville he excludes from those who hang over such spectacles of blood and filth. Like ancient art his work expresses only what is fine, happy, noble, great and rhythmical. In his verse everything wears an air of fête and innocence. His poetry does not merely express nostalgia; it is a deliberate return to the paradisal state. From this standpoint we can consider him an original poet of the most courageous kind. And so without strain or flattery Baudelaire concludes his generous estimate in the loftiest language: he ends by claiming that Banville is a perfect *classic* in the noblest and most truly historic sense.

In this group of Reflections on poets of his time Baudelaire's discrimination of three as 'natural' poets shows that his own taste and judgement could be more adaptable, more natural and above all more capable of sympathy with common human types and situations than one might have assumed from much of his own work. In this category he places Mme Desbordes-Valmore and Auguste Barbier; to it he adds Pierre Dupont, from whom he quotes more than from any other in this series, showing an unexpectedly spirited and genial appreciation for natural forms of poetry inspired by aspects of life lived in close touch with the land and its cultivation. *Les Paysans* is an example. The episode quoted from the *Chant des Ouvriers* Dupont sang to Baudelaire, when in doubt about its value. He admits how much moved he was on hearing it; and his favourable impression seems to have assured the author.

At the same time he admits that the works of Pierre Dupont do not conform to the standard of finished and perfect taste, but claims for their author the instinct, if not the 'reasoned sentiment', of perfect beauty. And he speculates on the probability of this *Chant* having been one of the symptoms of revolution which clairvoyant observers perceived gathering in the air. Whether this was so or not, the resounding hymn adapted itself admirably to the political revolutionary spirit of the time and became almost at once the rallying cry of the outcast.

Nevertheless Baudelaire is anxious to insist that the genius of Dupont is not a clarion of war like Bérenger's. Dupont is a tender spirit, leading the way to Utopia, and truly bucolic: war he can tolerate only as a means of preparing for universal reconciliation.

Assuming that Pierre Dupont is the type of poet one would not expect Baudelaire to enthuse over, it is surprising with what ingenuity and refinement he appreciates his work in the final paragraph of this essay. No hand at abstractions, Dupont, he thinks, shares with women the singular privilege that all his poetic qualities, as well as his defects, come to him from sentiment. Happily the phase of revolutionary activity through which he lived did not divert him from the path Baudelaire underlines as his *natural* way. No one has told in sweeter and more piercing terms the small joys and great sorrows of humble folk. To this appreciation of Dupont's instinctive gifts Baudelaire adds a comparison with what he calls, using an English phrase, a certain *turn of pensiveness* characteristic of our best didactic poets.

Despite frequent negligence in language and a slackness of form which Baudelaire laments as truly inconceivable, he esteems Dupont as one of their most precious poets. 'Pierre Dupont', he says in conclusion, 'belongs to that natural aristocracy of minds that owe infinitely more to nature than to art and who, like two other true poets (*grands poètes*), Auguste Barbier and Mme Desbordes-Valmore, find only through the spontaneity of their souls the expression, the song, the cry destined to engrave itself for eternity on the memory of everyone'.

I have suggested that the type of criticism characteristic of this series is that of judicious but appreciative discrimination. Such an impression would not hold for the last of them, in which Baudelaire feels he has to excuse and explain what some of his readers might consider an excess of severity. Actually these reservations make this final essay one of the most interesting and at least as revelatory as any by its author in a critical rôle.

It is evident almost from the start that Baudelaire regards the work of Hégésippe Moreau as deplorably facile and the appreciation it received during and after the poet's lifetime as excessive. His way of suggesting this does not lack ingenuity. He begins with the statement: 'La même raison qui fait une destinée malheureuse en fait une heureuse'. The way this far from self-evident proposition is explicated is interesting. Contrasts are drawn between the cases of the unlucky Gérard de Nerval and Edgar Allen Poe, on one hand, and that of Hégésippe Moreau who, Baudelaire argues, more through his lack of luck than through the little he achieved in literature, won a degree of popularity, denied in their lifetime to the other two—one of whom he refers to as 'un grand génie', who was allowed to sleep in the gutter. . . . Moreau not being above the level of the crowd, the latter makes of his misfortune an immense source of genius, whereas Baudelaire's estimate of him is an 'enfant gâté qui ne méritait pas de l'être'. Then having quoted four unfortunate verses which he astutely analyses, Baudelaire makes a series of adverse criticisms which reveal a shrewd anti-academic reaction from influence at work. But having alighted on the word *enfant*, he declares he will draw from all that it implies what praise he can find to give to Moreau. This he does at the end, where he feels bound to allow that Moreau was '*un enfant*, toujours effronté, souvent gracieux, quelquefois charmant'. Despite the amount of pastiche which as schoolboy Moreau couldn't resist, Baudelaire is anxious not to deny the accent of truth striking through the rant, an accent he characterizes as sudden, native and impossible to confuse with any other accent. This and the undeniable grace of Moreau's 'paquet d'emprunts' inspire in his critic something like an immense regret for what the writer who chanced upon *la Voulzie* and the song of *la Ferme et la Fermière* could, with more care, have achieved. Admitting he may be thought to have gone too far in the allocation of blame, Baudelaire protests that the law of equilibrium is based on action and reaction, favour and cruelty alternating in the process of producing a sound judgement. What is at stake here is the over-estimate of a man whom some people have wished to make prince of poets in the country that has given birth to Ronsard, Victor Hugo and Théophile Gautier.

It would require more space than can be afforded to represent all the points of interest in this critique, but one more must be noticed. After considering lives of heroic struggle against poverty, like Balzac's, Baudelaire protests that Moreau had no love for pain. He could not recognize it as a benefit: 'il n'en devinait pas l'aristocratique beauté'. Far from belonging to those who have known the extremes of suffering and whose sufferings make them sympathetic, Moreau belonged to the class of travellers who are satisfied at little expense and who are content with bread, wine, cheese *et la première venue.*

THE REJECTED SOURCE IN RACINE

by

R. C. KNIGHT

ARE studies of sources and *genèse* discredited for ever? Dare one, especially in this *Festschrift*, revert to a form of scholarship which owed so much of its impulsion to a philosophy now largely abandoned? Dr. Odette de Mourgues has lately redirected our attention to 'the finished product of the creative mind' as the only proper interest of criticism. The recipient of this volume has more than once proclaimed untenable the notion that poetic creation has a *genèse* consisting of steps that can be retraced.[1]

Of the kind of poetry that most attracts the modern reader we can assuredly say that its *genèse*, if we could know it, would not prove to be methodical—probably not conscious. Is this true of all poetry?—of what Racine recognized as poetry, at a time when the word *art* had not acquired its capital letter, but usually denoted, like the not-yet-invented synonym *technique*, the secrets of a craft? ('Il est constant qu'il y a des préceptes', said Corneille, 'puisqu'il y a un art'.[2] The relevant rules for the poet were provided by the arts of grammar and rhetoric, which he learned at school, and poetics, for which Racine had studied Aristotle and, undoubtedly, Corneille.) Is it true for literature that does not aspire to the condition of poetry, or for hybrid genres like poetic drama?

Here is a summary we can accept as pretty accurate of the conscious, technical, preliminary thinking required to produce a play:

For Racine . . . the problem must have been the same with each successive tragedy. He needed first to find a 'subject'; . . . next to carve out of that 'subject' a 'story' . . . then (although I do not insist upon this chronology in the creative process) to give to each of the persons involved in the drama the kind of character that would make it possible for him to do what he needed to do in the drama. . . . At some point in the process, finally, he needed to decide upon how he would order and present the materials—and to determine in great detail precisely the order of staging the materials that he would adopt.[3]

It is common ground with all critics, I think, that in many genres of literature this kind of thinking has to be done, this kind of choice made. It need not follow that all the reasons for all his choices are known to the artist, though I believe the good artist is conscious of choosing and rejecting (as Racine the lyrical poet called Boileau in to help in the choice of his vocabulary). If this is true in any genre at all, it must certainly be true in drama, which is written to be accepted for performance by actors, who must believe that with it they can please an inattentive but exacting public, and whose daily bread depends on this belief proving correct.

It is salutary to have tried one's hand at some time at the task of turning the plot of a play into the plan of a series of scenes properly 'liées entre elles' as seventeenth-century theatre convention demanded (and for good practical reasons: an empty stage meant the end of an act and an interval for refreshments). One understands better afterwards why, for instance, Corneille could not show his audience the state of mind of Horace, as well as that of Camille, before one kills the other, or Racine the state of mind of Pyrrhus, before he takes leave of Hermione; and one feels less tempted to despise Racine for having made prose synopses.

All this, I know, concerns what Professor Vinaver calls drama, not what he recognizes as tragedy. But if it is granted that there must be drama, if only so that in it poetry, or tragedy of which poetry is the vehicle, may deign for a space to appear, does it follow that, instead of thinking of tragedy as the fruit of the tree or, perhaps better, as the golden bough grafted on a foreign stock, we must see one as the enemy of the other? If I have understood anything of the structuralism which is now so popular among French critics, it suggests that every component in a work of art has necessary links and common origins with everything else; and others have made the useful point that Tragedy, in a tragedy, can only arise from dramatic situations prepared by a careful dramatist's hand.[4]

When we define this element, shall we wish to deny all value to everything we exclude? A compatriot of Shakespeare will savour the tragic moments in *Andromaque* more, rather than less, for the moments of Terentian comedy that precede them. And if *Andromaque*, *Bérénice* and *Phèdre* were obliterated from the record, if nothing but, say, *Cinna* and *Nicomède*, *Britannicus* and *Bajazet* were left as the high spots of French serious drama, we should still give an honoured place to the genre which its creators called tragedy.

The master to whom I owe all my love of Racine will not, I hope, disavow this approach as sterile or trivial. His own contribution has been made at different, and deeper, levels. But he will allow that any emphasis implies a deliberate selection, and that more than one emphasis is possible and in the end desirable; and he will, I am sure, accept this as a—much too slight—addition to what he has been pleased to call 'nos dialogues raciniens'.

To return to the rôle of source-studies. It seems at first as if a literary source can at most contribute to the understanding of the cooking and not the feast, the drama and not the tragedy. And it is certainly true that we can no longer, as once, regard it as an 'efficient cause' of the play: as Lucien Goldmann has pointed out, the identification of a literary influence only sets a bigger problem —the reason why that particular influence, among so many, was submitted to.[5]

But what if, instead, we seek to use sources as evidence of final causes—as clues to the author's purpose? And must not this purpose have included—however dimly conceived—the tragic emotion which was to be the crowning achievement of his play?

That literary sources do exist, the facts are sufficient to establish. The existence of other stimuli to writing, which certain modern critics prefer to dwell on—in general, memories, conscious or unconscious, of incidents in public or private life—may well be admitted as a hypothesis, rarely demonstrable however with any degree of probability in any given case. Sometimes no doubt such memories supply concrete data; more often perhaps they provide the unconscious motivation for the choices the writer makes.

If then it is once accepted that literary activity must be partly conscious and rational—the work of choosing and deploying (*inventio* and *dispositio*, in terms of rhetoric) elements provided by whatever means—it is not difficult to accept, as we used to, that the pieces in the pattern may themselves come more often than not from literature—in some writers at least, and Racine for one.

Literature, for one thing, is so much tidier than life, of which the significant moments are chaotic, uncharted, unverbalized (even if a tragic poet has a great number of tragic personal memories to draw on). Art is stylization: a predecessor in one's own art, perhaps in one's own genre, has already tried his hand at the transposition. Here I cannot resist the pleasure of quoting at some length from a work I ought to have read long ago, but in fact only opened after writing most of this article.

> There seems to have been current for generations the false assumption that a poet can either write down his own sentiments in his own words, which is praiseworthy, or he can derive his words, and therefore his thoughts, from other writers, which is certainly suspicious, and probably quite enough to condemn him. The facts which contradict this assumption are obvious enough. . . . The most obvious fact is the excellence of the poetry written by the derivative poets. . . .
>
> The poetry of ancient Italy, and Europe since, was fortunate in that Naevius, Plautus and Terence combined, or 'contaminated', plots of different Greek works. It was fortunate, too, that Vergil combined different *Idylls* of Theocritus into one *Eclogue*. Vergil remembered everything but the organization of details; and his personal feelings provided a new organization, which was, however, not too new to allow their expression to be generalized, in touch with tradition, and so artistic. . . .
>
> Vergil's practice as Donatus describes it looks at first sight like very conscious work. So does the further fact recorded by Donatus that Vergil wrote the *Aeneid* in a prose draft. . . . But he adds that Vergil created the poetry as the fancy took him, any passage at any time. . . . He worked and planned, and decided at least what he thought he wanted to do, however much the wayward poetic drive might distort his human planning. But the planning itself was contributing to the

unconscious integration. 'Take care of the conscious' is a psychologist's advice, 'and the unconscious will look after itself.' It is not all mad, mysterious, automatic, or fortuitous. Hard thinking, facing facts, planning and reasoning were just as important in the unconscious centre of Vergil's creation as old heard melodies, not understood, but caught and held. . . .

The unconscious process, therefore, was not independent of the conscious processes of thinking and planning and choosing—even down to the mere choice of what to read; and it was also followed by a conscious process, of judging, criticizing, and correcting what the unconscious mind had delivered. There is something unconscious still in such criticism and correction. Taste is involved. . . .

The word 'integration' might reasonably be used to mean [also] the integration of impressions from life. Vergil's true integration, however, preponderantly works on literary reminiscences, . . . and they had to be stored for a long time in his mind. . . . [His] best passages usually prove, on examination, to have the largest number of such reminiscences at their root. In this, Vergil is apparently like Coleridge, Goethe, and no doubt many other poets. . . .

Sometimes, of course, the history of Vergil's expressions might be said to start in Vergil's own mind, for he may be the first to associate together, into a new complex, sounds, thoughts, and words never put together before. But often, and probably most often, the history and ancestry goes back to earlier poetry, sometimes old, and sometimes almost or quite contemporary. . . .

According to different computations, Vergil reflects Lucretius once in every twelve lines or once in every four or five. Some of the resemblances consist of pairs of words, coming together in an obvious and perhaps inevitable conjunction, so that they might be called fortuitous. It is not important to decide whether they are fortuitous, or whether Vergil would have used some of these phrases if he had never read Lucretius. It is sufficiently certain that the work of Lucretius had sunk so deeply into his mind that it guided his expression almost as much as the general quality of the whole Latin language guided it; and yet Vergil's lines and Vergil's Latin are very different from any other, all the time. . . .

[Integration] can be classified according to scale. On the smallest scale there are words and phrases; and on the largest scale there is the story. . . . It is not impossible to get the impression that Vergil would always use an existing legend faithfully, if he could, inventing only when he must. On the contrary, Vergil, who like most great poets scarcely ever invented anything, equally rarely, and probably never followed any legend faithfully.[6]

It is passive acceptance which is nowadays called plagiarism. But it seems that the real artist can never accept another artist's solution without reservations; usually he will adapt it, and he may reject it, for reasons connected with his own taste and temperament and (just as important) those of his public.

I suggested long ago[7] that Racine might have learnt much of his art, *par esprit de contradiction*, by trying to distinguish himself from Gilbert, Corneille or Quinault. Study of his rejected sources may be capable of revealing some of the choices he had to make and his reasons for making them. And the decision to reject, with its motives, must have been a powerful factor in the invention of the solution finally adopted.

The rejected source can thus be an influential source (the dénouement of *Iphigenia* in Euripides—and Rotrou; the corrections, made by his contemporaries in the story of Phaedra, some—but not all—of which Racine corrected in his turn). Source-studies turned in this direction may still tell us something.

What if, for instance, that unexpected first moment of pure tragedy in *Andromaque*, at the point where the heroine learns that she can endure neither alternative of her dilemma, is connected with Racine's rejection of Rodélinde's solution of the same dilemma in *Pertharite*? What if

> Quoi, Céphise, j'irai voir expirer encor
> Ce fils, ma seule joie, et l'image d'Hector. . . .
> (*Andr.* III, viii, 1015 f.)

is the answer to

> Puisqu'il faut qu'il périsse, il vaut mieux tôt que tard;
> Que sa mort soit un crime, et non pas un hasard; . . .
> Que ce jeune monarque, immolé de ta main,
> Te rende abominable à tout le genre humain.
> (*Perth.* III, iii, 985 ff.)

To take an example on a smaller scale, that of the single scene, we remember how Phèdre's speech, *Oui, prince, je languis* . . . takes rise from a flash of genius in Seneca, who before Racine, made his heroine identify Hippolytus in her imagination with the young Theseus. The passages run parallel, with a certain amount of *classische Dämpfung* in the French, until the lines

> Ma sœur du fil fatal eût armé votre main.
> (652)

> Tibi fila potius nostra nevisset soror.
> (662)

Seneca goes on, after an invocation to Ariadne, with an abject appeal to Hippolytus:

> Te, te soror, quacumque siderei poli
> In parte fulges, invoco ad causam parem....
> ...En supplex jacet
> Adlapsa genibus regiae proles domus....
> Miserere amantis.
> (663–71)

Racine will have none of this; and so he builds on what he has already written, replacing Ariadne in her turn by Phaedra, and finds a great, and so far as we know a quite unprompted, climax:

> Mais non, dans ce dessein je l'aurais devancée
>
> . . . .
>
> Et Phèdre au Labyrinthe avec vous descendue
> Se serait avec vous retrouvée, ou perdue.
> (653–62)

In *Iphigénie* there was more than the dénouement to correct. Racine knew that the *Poetics* had condemned the 'inequality of character'[8] shown by the heroine when, after begging for her life, she goes to the altar as a willing sacrifice. When Rotrou wrote his tragicomedy he took this hint; but his solution would not do for Racine. Rotrou's princess is a 'généreuse' and 'glorieuse' in the Cornelian tradition who forfeits our pity by her disdainful hardness. Racine—if it is not presumptuous to attempt to retrace his thought—must have wished to keep the pathos and yet to reconcile it with consistency and *bienséance* of character: Iphigénie must then be allowed to plead for her life appealingly, as in Euripides, not resentfully, as in Rotrou, yet never cease to appear courageous, dignified, dutiful. Her *plaidoyer* in Act IV, sc. 4, to Péguy the masterpiece of Racinian cruelty, is built on the need to reconcile these opposites; and the means to do so are found, in fact, in an element of Euripides' plot which Euripides, at this point, had neglected—the figure of Achilles. In Euripides too the Thessalian hero had been offended that his name had been used to lure Iphigenia to Aulis, and felt bound in honour to protect her, though he was not romantically in love. Both French plays had built up the love-interest in response to contemporary taste. Racine shows his Achille as being correspondingly more furious with Agamemnon than his Greek counterpart (and turns here to the *Iliad* for hints from the quarrel over Briseis); but Iphigénie herself restrains him—

> Songez, quoi qu'il ait fait, songez qu'il est mon père
> (998)

—and forces him to wait while she and Clytemnestre try the effect of their entreaties; a happy invention of Racine, for in Euripides it was Achille who advised them to exhaust all other expedients before he intervened.

When therefore she meets her father she is able to protest in all sincerity that she will accept death submissively if she must, though she makes no pretence that it is not unwelcome; and yet can use all the arts of persuasion she can muster, because interests other than her own are at stake.

> Je saurai, s'il le faut, victime obéissante,
> Tendre au fer de Calchas une tête innocente...
>
> . . . .
>
> Mais à mon triste sort, vous le savez, Seigneur,
> Une mère, un amant, attachaient leur bonheur.
> (1181 f., 1211 f.)

If she fails, Achille will confront Agamemnon, and one of the two men she loves will probably die.

Only one detail of this delicate and moving speech can be traced back to Euripides:

> Fille d'Agamemnon, c'est moi qui la première,
> Seigneur, vous appelai de ce doux nom de père, etc.
> (1193 ff.)

All the rest is the supremely adroit amplification, according to the soundest principles of rhetoric, of the data which Racine himself has introduced into his plot.[9]

Perhaps this sort of thing is not tragic; but it is part, for me, of the essential flavour of Racine.

My last example will be drawn from *Bérénice*, and it will have rather too much, I fear, to do with the mechanics of plot. *Bérénice* has a plot, however unobtrusive; and without one Racine could not have offered the play to the Hôtel de Bourgogne. It has a *nœud*—the suspicions, bitterness and resistance shown by Bérénice when she learns the decision of Titus. The resistance must be maintained to the end, or the parting will be mere elegy; and the dénouement must see it abandoned, so that the struggles and questionings of both the lovers, though not their suffering, may be put to rest.

Racine got no help from history for this dénouement, nor from any source we know of in contemporary literature, nor from gossip about the king's amours. The source which his preface suggests he had in mind—and we know of no other—is the parting of Dido and Aeneas in Virgil. Dido there maintains her complaints and recriminations to the end: but she dies, and her death supplies a conclusion tragic enough.—Or nearly enough; for Racine may have judged, as the modern reader does, that the pious Aeneas cuts an intolerable figure as he takes flight, for all his lofty motives. Racine might have allowed Bérénice to die, in defiance of history (where her rôle finishes, in any case, at this point); but then Titus would have had to die too for an acceptable dénouement, and this was impossible.

How then was he to end?

A dénouement by a 'simple changement de volonté' would not

have answered; and it had been specifically condemned by Corneille.[10]

The means he devised depend on the figure of Antiochus, and render indispensable a rôle which, in the earlier acts, had never been quite this. (There had to be *something* to space out the confrontations of Bérénice and Titus and fill up the five acts; and Antiochus, once invented, is made to fulfil this purpose admirably with the false hopes in which he never quite believes. In somewhat the same way writers of seventeenth-century rhyming couplets seem often to have written the second line first, for the sense; then filled up the first, for the rhyme, as best they could—and sometimes very well.)

I assume that what I am about to say about Antiochus' part in the fifth act is obvious to every careful reader; though it is curious to note that no critic has ever, to my knowledge, thought fit to explain it clearly; and Professor Weinberg considers the King of Commagene, though useful in the earlier acts, superfluous here.[11] It must be admitted that the mechanics of this dénouement are not the most perfect product of Racine's dramaturgy, depending as they do on that too accommodating device—to which he rarely resorts—the *quiproquo*: a misunderstanding engineered by the playwright but not designed by any of the characters. But this I take to be one symptom of the strain which Racine felt in keeping so slender an action in movement—a strain which had already shown itself in the almost ludicrous way in which Antiochus gets lost at the beginning of the last act, and, once found, fails to give the explanation for his absence and return which dramatic theory required.[12] For at this point he has been deprived of any motive for living, let alone for coming or going anywhere in particular.

But had Antiochus known how things really stood between the two lovers, it is impossible to guess what he would have said and done: perhaps nothing. He has to be made to believe that they are reunited.

> Vous vous êtes rendu: je n'en ai point douté,
> (1453)

he says to his rival; and if from this point we read back, we see that undesigned, but in fact rather strange, ambiguities of expression on the part of Titus have made it impossible for him not to think as he does. Titus had closed Act IV with the words:

> Voyez la Reine. Allez. J'espère à mon retour
> Qu'elle ne pourra plus douter de mon amour.

When we next see him, he calls Antiochus to follow him:

> Venez, Prince, venez. Je veux bien que vous-même
> Pour la dernière fois vous voyez si je l'aime.
> (1291–92)

(Yet, even later, he goes to Bérénice, so he says, 'sans savoir mon dessein', 1382.)

Now (after he has nearly escaped a second time) Antiochus is called in by the emperor to applaud the decision he has not been allowed to hear, and is hailed in these words:

> Venez, Prince, venez. Je vous ai fait chercher.
> Soyez ici témoin de toute ma faiblesse.
> Voyez si c'est aimer avec peu de tendresse...
> Jugez-nous.
> (1426 ff.)

So now he bids farewell to his friends—telling Titus what he did not yet know, that he too loved Bérénice—and to life itself. And his threat of suicide, the third we have witnessed, tips the scale in a way not explained rationally: partly because there are now two valuable lives that the queen can save by a word. She orders Antiochus to live (though still forbidding him to hope), and sets him the example by resolving to live herself, thereby complying with the emperor's terms and saving his life also.

At bottom she has been overcome, I think, by a kind of emotional contagion; and one may wonder if Racine is not attempting to reproduce one of the 'sublime' effects which he must have admired, with all his century, in Corneille. It occurs first in *Cinna*, where it is only the final stroke of Maxime's confession, after the revelations concerning Cinna and Emilie, that brings the monarch to his solution of paradoxical magnanimity; whereupon Auguste's example converts the conspirators. It comes again in *Nicomède*, where the magnanimity of the victorious hero awakes a response in the hostile Arsinoé, and then in the king. (In both plays, it may be noted, Corneille had to correct *his* sources.)

Here, then, Bérénice has at last come to believe, not rationally but emotionally, that Titus still loves her no less than ever. Her resistance to this belief must itself have been emotional. The play can now end.

From this last example the conclusion I would propose to draw is not the truism that art depends on technique, but that we have here a case where a decision to obtain a tragic dénouement of a certain kind involved the playwright in submission to what Corneille called *le nécessaire* ('Je dis donc que le nécessaire, en ce qui regarde la poésie, n'est autre chose que *le besoin du poète pour arriver à son but ou pour y faire arriver ses acteurs*')[13]—the use of certain technical means in a play which, with such drastically reduced data, strained the resourcefulness even of Racine.

Certainly it cannot be claimed for any of these speculations (they are no more) that they do anything to unveil the mysterious sources of the tragic emotion. (I should be sorry, I think, to believe that they ever could be fully unveiled—or those of laughter either.) They constitute at most an additional demonstration, after so many, that works of literature, and even of poetry, may sometimes, to some extent, be understood by evidence provided by the study of technique. And in what other art could it ever seem ridiculous to suggest that invitations or difficulties presented by the material or the occasion may be among the sources of inspiration of the artist?

NOTES

[1] See particularly, 'L'éclosion du tragique dans le théâtre de Racine', *Bulletin de l'Académie Royale de Langue et de Littérature françaises*, XLIV (1966), pp. 111–25.

[2] *Discours de l'utilité... du poème dramatique*, in *Writings on the Theatre*, ed. H. T. Barnwell (Oxford, Blackwell 1965), p. 1.

[3] B. Weinberg, *The Art of Jean Racine* (University of Chicago Press 1963), pp. x–xi.

[4] E.g., H. T. Barnwell, *The Tragic in French Tragedy* (Inaugural Lecture), The Queen's University (Belfast 1966), p. 17.

[5] 'Structure de la tragédie', in *Le théâtre tragique*, ed. J. Jacquot (Paris, C.N.R.S. 1962), pp. 252–3.

[6] *Roman Vergil*, translated by W. F. Jackson Knight (1944), Penguin Books (1966), pp. 99, 107–10, 113–14, 119–20, 112–13. I am indebted to the translator and Penguin Books for their kind permission to quote these passages.

[7] 'The Evolution of Racine's "Poétique" ', *MLR* XXXV (1940), pp. 19–39.

[8] Chap. 15.

[9] *Cf.* my *explication* of this speech, in *French Stylistic Analysis*, ed. A. J. Steele and P. D. Nurse (Edinburgh U.P., in preparation).

[10] *Discours des trois unités*, in *Writings on the Theatre*, p. 67.

[11] *The Art of Jean Racine*, pp. 153–5; *cf.* however p. 150.

[12] Si mon retour t'apporte quelque joie,
Arsace, rends-en grâce à mon seul désespoir.
(1260 f.)

[13] *Discours de la tragédie*, in *Writings on the Theatre*, p. 59.

Plate I

THE CONTEMPORARY STAGING OF THEOPHILE'S *PYRAME ET THISBÉ:* THE OPEN STAGE IMPRISONED

by

T. E. LAWRENSON

THE approach to a practical study of French staging in the first half of the seventeenth century has been considerably facilitated of recent years. We have for a long time had in our possession a central contemporary document which is a mine of staging information about the seventeenth century Hôtel de Bourgogne in the years preceding *Le Cid*. This is, of course, the *Mémoire de Mahelot*.[1] But the mine has not yet been exhausted by any means. Not that it has not been studied. The study of it begins, so far as we know, with Beauchamps in 1735. Mahelot's section of the *Mémoire* contains forty-seven sketches of sets, in a delicate ochre wash, all belonging to the stage of the Hôtel de Bourgogne, ranging from 1622 to 1635, in the opinion of Mme Deierkauf-Holsboer, and in the opinion of Henry Carrington Lancaster, from 1634 to 1635.[2]

What was inhibiting a more effective study of the drawings was our relative ignorance of the dimensions of the stage of the Hôtel de Bourgogne. In the work mentioned, Mme Deierkauf-Holsboer, basing herself on a contract of 1647, for alterations to the theatre, concluded that the stage of the Hôtel was 56 feet wide and 33 feet deep, a much more grandiose affair than we had thought. Donald Roy, arguing from the same document, and in particular from a piecing together of sales of land round the theatre, argued that the stage was 33 feet deep (which was already known), but that the width was only forty-two feet, which corresponds a little more to our previous impressions of the (very relative) exiguity of the stage. The décors and acting area would be 30 feet wide (stage opening) and 27 feet deep.[3] In what follows I accept these dimensions.

Now, we have possible stage dimensions, we have forty-seven décor sketches and we have a majority of extant texts. It follows that the possibilities of a practical investigation of a complex and often nebulous staging convention are very considerable. One such attempted reconstitution has already been done, in a semi-performance of *Agarite*, by Durval (Southern, Roy, Iris Brook, Lawrenson and the comédiens du lycée Louis-le-Grand, Royaumont, March 1963). The experiment threw up more questions than it answered, but tentative conclusions about the operation of the convention were as follows:

1. The staging system of the *décor simultané* functions to a certain point but 'creaks' audibly, or to be paradoxical, visibly, in so doing. It is the open stage imprisoned. To mount the play adequately *within its own convention*, at least three more compartments not figuring in the Mahelot sketch would have been necessary.

2. The dramatic poet is not strictly writing for the stage—he does not *see* the set. This naturally varies from author to author, nevertheless, the definition of scenic space and place remains the central problem.

One question was elicited by the experiment, and not entirely answered: by positioning himself in, or in front of, a specific item of décor, the actor defines the entire scenic space. Yes, but what, in the course of the action, *cancels*, conventionally, that definition? Is it just possible that, in order to cancel it, the actor had to exit by the entrance that he had used? This seems unlikely, since it would render difficult the lengthy journeys which are so often a feature of plays of the time (e.g. Rotrou's *Heureuse Constance*).

Let us now address ourselves to the play in hand. This is how Laurent Mahelot describes the set for Théophile's *Pyrame*:[4]

Il faut, au milieu du theatre, un mur de marbre et de pierre fermé; des ballustres; il faut aussy de chasque costé deux ou trois marches pour monter. A un des costez du theatre, un murier, un tombeau entouré de piramides. Des fleurs, une éponge, du sang, un poignard, un voile.

Un antre d'ou sort un lion du costé de la fontaine, et un antre a l'autre bout du theatre ou il rentre.

Mahelot supports these indications with a stage picture. (Plate 1.) Furnished with the foregoing evidence, we can at least attempt a stage plan. (Fig. 1.) Extrapolating from the frontal stage picture one cannot, of course, guarantee the precise angle and orientation of the flats, but the range of possible error is by no means unlimited. The look of the stage is perhaps better illustrated by an oblique view. (Fig. 2.)[4]

What of the play itself? It is of considerably greater literary merit than the majority of plays of the collection and is of course well known as a striking example of the baroque in French dramatic literature. Popular in seventeenth century France even after being attacked by Boileau, it was highly esteemed and indeed imitated by Scudéry, who was to attack Corneille for

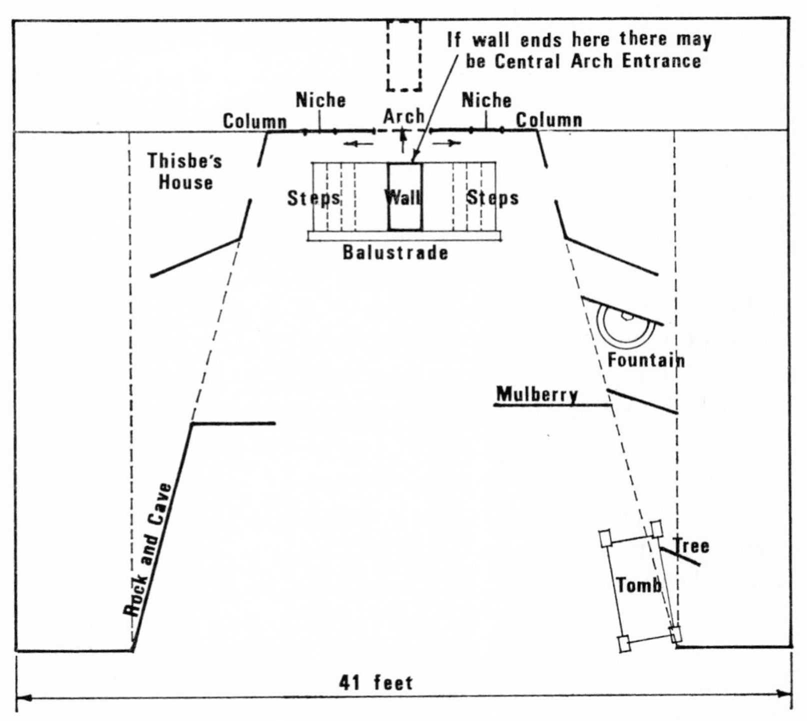

FIG. 1

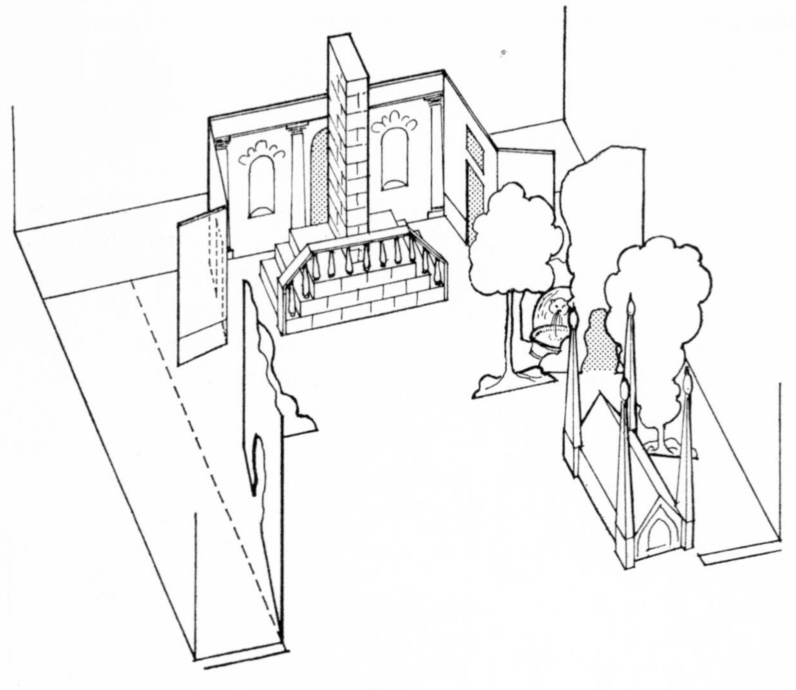

FIG. 2

scenic crimes less heinous (within the frame of reference of *les règles*) than are to be found in it.

Let us now try to identify, from the stage picture, the various items of decoration. The first point is that there is nothing whatever to tell us which of the two upstage houses is that of Pyrame and which that of Thisbé. Let us, quite gratuitously, assume that Thisbé's house is upstage (English) right. On top of the steps and balustrade, running downstage, with its end facing the audience, is the famous wall. Immediately behind it, a central archway, partly obscured by the wall, and which can be used provided that it is real and not painted, and provided that the wall does not abut directly onto it. Just as the wall is the central feature of the Pyramus legend, so is it of Mahelot's décor and, indeed, of a controversy around the stage, for it was to cause great pain to the Abbé d'Aubignac:

On peut juger de là combien fut ridicule dans la *Thisbé* de Théophile, un mur avance sur le Theatre, au travers duquel elle et Pyrame se parloient et qui disparoissoit quand ils se retiroient afin que les autres acteurs se pussent voir: car outre que les deux espaces qui estoient deça et delà ce faux-mur presentoient les deux chambres de Thisbé et Pyrame, et qu'il estoit contre toute apparence de raison, qu'en ce méme lieu le Roy vint parler à ses Confidens, et moins encore qu'une Lyonne y vint faire peur à Thisbé, je demanderois volontiers par quel moyen supposé dans la vérité de l'action, cette muraille devenoit visible et invisible? par quel echantement elle empéchoit ces deux Amans de se voir et n'empéchoit pas les autres? ou bien, encore par quelle puissance extraordinaire elle estoit en nature, et tantost elle cessoit d'estre.[5]

These remarks are fascinating. How long did the set of the Mahelot period remain in use at the Hôtel de Bourgogne? D'Aubignac published the *Pratique* in 1657, but at this time of writing was it the Mahelot performance to which he was referring back, since he is clearly reminiscing? How far back does his memory go? If he is indeed talking about a performance, of whatever date, with Mahelot's set, an interesting consequence follows.[6] It is that the wall 'qui disparaissait' was pushed forward from behind the back flat, and could be withdrawn backstage when not in use. Yet, as far as we can see, it is as high as the stage picture—certainly, at least, more than of equal height to the surrounding edifice ending in the two side wings which are the houses of Pyramus and Thisbe. If this is so it is an exceptionally tall 'appearing feature' for the *Mémoire* compared for example, to the 'lit de parade' of Durval's *Agarite*, and when pulled offstage would virtually bisect the area immediately behind the back set. In this case, any idea that the 'théâtre supérieur', that upper stage used behind the back flat or backcloth for the appearance of Gods or others, was probably *not* a fixed structure, is reinforced. There are two practical possibilities. Either the entire backcloth (or *ferme*, where it was one, as probably here) was opened at the centre to allow the entire item, including steps and balustrade, to be pulled back, closing in front of it, or it opened just sufficiently to allow the wall alone to disappear. Is this what Mahelot means by *un mur . . . fermé*?[7]

Continuing our description of the Mahelot set, and moving stage left, we come to the other house, which, if we postulate the stage-right house as being Thisbé's, must inevitably be that of Pyrame and his father. (If, when d'Aubignac says 'deça et delà ce faux mur... les deux chambres de Thisbé et de Pyrame' he is 'looking at' the stage picture and thinking, as would be natural, from viewer's left to viewer's right, then we have the houses in the correct place.) Moving downstage left, we come to the fountain, which, in Mahelot's picture, looks like a death's head on a stick, next, jutting well out in consonance with its salient position in the legend, the mulberry tree, with, immediately beside it, the grotto and rock, more foliage, and then the tomb of Ninus. The only remaining item is stage right, rock and cavern again. An unbalanced décor, which makes it unusual in the *Mémoire*, as has been frequently noted.

Now, bearing in mind the uncertainty as to the use of a front stage curtain, at least between acts,[8] let us commence the play, giving only the briefest indications of the action, concentrating upon problems of entry and exit. One assumes that the wall is concealed (*fermé*?) for the moment, though this is hard to determine. Thisbé comes out of her house in search of solitude, and takes the stage. I assume that she has left the house and is wandering outdoors. She is overtaken by Bersiane, the nursemaid, whom she upbraids for interrupting her musing. There are no indications of how either of them now make their exit, but presumably Thisbé, who leaves first ('Adieu') goes offstage 'further afield' between her own house and the downstage right rock and cave, since it seems reasonable to preserve the stage left items from use, as belonging to a more distant, though not too distant, part of the country—they are those items which will be used for the rendezvous of Pyrame and Thisbé. Bersiane goes back into the house, promising herself to find out the reason for Thisbé's state of mind.

Having introduced us to the one household, Théophile now introduces us to the other. Narbal, father of Pyrame, comes storming out of his house, moving downstage, followed by his confident Lidias. He is angry because Pyrame persists in loving Thisbé despite his interdict. Lidias defends the young man. Both presumably disappear back into the house at the end of the scene. Unlike the first scene, in which Thisbé and the nurse are, I think, supposed to be outside, the second provides us with a typical example of the convention, since there is no reason to suppose Narbal and Lidias anywhere other than inside. They define the whole stage as the house by issuing from it.

Enter the King and his henchman Syllar, a complication introduced by Théophile into the original legend. Unless we postulate a central arch with free access, thus assuming that the wall is sufficiently withdrawn backstage to permit of entry in front of it, it is extremely difficult to get the King onstage in any meaningful manner, though that is a commonplace difficulty in many of the plays of the *Mémoire*, and not normally even potentially soluble, as it is here. The back set does indeed look like a palace façade and that is where Mahelot normally places his palaces. Let us then bring on the King through the central arch, followed by Syllar. Again, they come downstage. The King is in love with Thisbé, who has rebuffed him, and he is of a mind to adopt violent measures: he will have Pyrame slain. Syllar is to undertake the enterprise.

'LE ROY: Je sais que tout service est digne de loyer...' exit, upstage centre, followed by Syllar after a short soliloquy. End of Act I, which thus falls almost inevitably into a pleasing symmetry of entrance and exit: upstage right, upstage left, upstage centre. One envisages the upper portion of the stage as being well utilized, emphasizing that the downstage left and downstage right elements are some way from the scene of the action of Act I, though we must not forget that the long monologues, e.g. on the divine right of monarchs (by the King!) were almost certainly pronounced downstage centre. After the departure of the King and Syllar, the wall appears.

Act Two, Scene One

Enter Pyrame and Disarque, his confidant, from their house, pursuing a dialogue already begun offstage, Disarque trying to talk Pyrame out of his love for Thisbé, and Pyrame not to be persuaded. Towards the end of the scene, Pyrame asks to be left alone:

> Adieu, laisse moy seul m'entretenir icy...

Disarque goes back into Narbal's house. The next line, 'Voici la nuict qui vient' calls for a night effect, achieved possibly by the dropping or drawing across the upstage facing décor of a night cloth, i.e. a black cloth possibly with motifs of stars.[10] It must disappear during the course of the play since it seems to reappear in Act Four, Scene One.

At this juncture Pyrame clearly goes to the wall to await Thisbé, the whole scene just elapsed having been played conventionally in his own house, so that he is now repairing to the party wall between the two dwellings:

> Une petite fente en cette pierre ouverte
> Par nous deux seulement encore descouverte
> Nous fait secrettement aller et revenir
> Les propos dont l'Amour nous laisse entretenir...
>
> Mais j'entends quelque bruit, c'est elle sans faillir...

Thisbé emerges from her house (physically only, for conventionally she is still inside it), mounts the steps slowly and goes to her side of the wall, a movement described by Pyrame himself in verse of considerable visual quality:

> Je voy comme elle approche et marche à pas comptez,
> Soubçonneuse eslançant ses yeux de tous costez.

Act Two, Scene Two

There follows the traditional love scene through the crack in the wall. The end of the scene presents no difficulty: they go down the steps, back into their own compartments. They promise to meet again in one hour. Exit the wall.

Act Three, Scene One

Syllar and another hired assassin, Deuxis, lie in wait for Pyrame. They emerge possibly from the upstage centre arch entrance, since they are hired by the King, or they may enter by any of the downstage entrances, indicating that they have come some distance, the general area where they lurk being some little way, though not too far, from the dwellings. If, for example, they enter in between Thisbé's house and the rock and cave downstage right, this can be established as a route from the houses-palace complex, so that Pyrame and Thisbé can follow it later. Deuxis has moral doubts about the enterprise, but these are calmed by Syllar. They see Pyrame coming, and take cover, a thing they could very well do in the rock-and-cave angle-wing downstage right, provided that Pyrame uses that same entrance. They fight, Deuxis is wounded and Syllar flees by the same entrance. Deuxis, dying, confesses all, and this will motivate Pyrame's flight with Thisbé. Pyrame goes back to warn his beloved. (Same exit as Syllar) and we are left with that abiding nuisance of the period, the cadaver on the stage, or 'comment s'en débarrasser'? How indeed was the corpse removed? Does Deuxis, after his confession, stagger off to die? Is the corpse hauled off by Pyrame as he goes? Why should it be? Does Deuxis, in an access of pre-Brechtian *franchise*, get up and (to use Sheridan's charming expression), 'spring off with a glance at the pit'? (By no means impossible.) Was there an act curtain after all? We simply do not know.

Act Three, Scene Two

The King and a messenger enter upstage centre. The messenger informs the King that Thisbé has again rebuffed him.

> Mais voicy de retour mon fidelle ministre...

Syllar comes on by the same entrance and recounts the disaster. He is exhorted by the King to try again. All exit upstage centre, Syllar last, after a short monologue. Re-enter the wall.

Act Four, Scene One

Pyrame and Thisbé enter from their respective houses and converse at the wall. They agree to flee, and to meet at the tomb of Ninus. For once, we have in the text a direct description of items of décor, by Pyrame:

> Là coule un clair ruisseau tout au pied d'une roche,
> Qui de ses vives eaux entretenant les fleurs

> Maintient à la prairie et l'ame et les couleurs:
> Un arbre tout auprès, fertile en Meures blanches,
> Nous offre le couvert de ses espaisses branches...

We now see that the original night effect must have disappeared, since a previous remark by Thisbé suggests that it is coming on again:

> Mais la course du jour s'en va desja passee,
> La Lune se confond avecque sa clarté,
> Il est temps de pourvoir à nostre liberté;
> Il faut que nostre fuitte à la nuict se hazarde...

From this moment onward we must then assume a progressive night effect.

Act Four, Scene Two

Thisbé's mother comes out of the house, followed by her *confidente*. She is having second thoughts, beginning to repent of her harshness towards Thisbé's love for Pyrame, for she has had a horrid dream in which, in the middle of a wilderness, she has seen a total eclipse of the sun, the ground opening beneath her feet and thunder emerging, a flight of crows settling upon her, the moon going down, an earthquake, storms, drops of blood falling on her head, a hideous lion, the dead bodies of Pyrame and Thisbé, and other *incommodités d'usage*. The exit of these two characters could take place in the normal way, back into their own house.

Act Four, Scene Three

Thisbé arrives by the stage right entrance, between cave and house, demonstrating that she has journeyed some distance, and is arriving at the tomb of Ninus. We do not bring her on directly from her house, as her mother has just gone back into it, and they might be held to meet, although it must be said that if we were compelled to do so, that would merely constitute a standard awkwardness which cannot always be avoided.[11] She addresses the moon, which presumably has now risen:

> Deesse de la nuict, Lune mere de l'ombre...

In her monologue Thisbé identifies the stream, the caves and the trees. And then the lion arrives. Mahelot tells us precisely where the lion comes on: 'un antre d'où sort un lion *du costé de la fontaine*, et un autre antre à l'autre bout du theatre ou il rentre.' Thus in the Mahelot period the beast undoubtedly crossed the stage. Thisbé flees, possibly through the stage right exit, but as she might in so doing encounter Pyrame, thus averting the tragedy, possibly upstage left, behind the fountain. She drops her veil, which the lion savages with his bloody teeth before disappearing into the cave downstage right. All this suggests that the lion was played by an actor, the blood effect being achieved using the sponge, soaked no doubt in red wine, and mentioned by Mahelot in his list of properties.

Act Five, Scene One

Pyrame now enters stage right. He too identifies the *lieu composite*, the tomb, the mulberry tree, the running water. He sees the blood which has dripped from the jaws of the lion. He blames himself bitterly for suggesting such a place as the rendezvous. In the meanwhile, dawn arrives, and he apostrophizes the sun as it appears. As is well known, the excess of the imagery here used is among the most remarkable of French baroque poetry:

> En toy, Lyon, mon ame a fait ses funerailles,
> Qui digerez desja mon cœur dans tes antrailles.

Finally, in his unbearable guilt, he stabs himself, several times, inviting, for he remains a very baroque Pyramus even *in extremis*, his Thisbé to look inside the wound for the purpose of verifying the authenticity of his grief. Thus saying, he dies in the middle of the stage. Thisbé re-enters from wherever she left; dawn is still approaching:

> ... ...car le jour n'est pas loin
> Je n'entends plus que l'eau que verse la fontaine

so that we must have a very slow dawn effect. And so she comes, in the half light, across the body of Pyrame, thinking him to be asleep. But she soon realizes that he is dead. The references to the décor are here quite intense, and suggest that Mahelot, as always, had, to the best of his ability and store room, built his set around the tragic poem. We get the central effect of the Pyramus legend: the white mulberries turning red. Thisbé finally finds the poignard, mentioned by Mahelot, giving us another famous baroque image which has echoed down the centuries:

> Ha! voicy le poignard qui du sang de son Maistre
> S'est soüillé laschement, il en rougit, le traistre.[12]

She then stabs herself with it.

So we are left with two corpses on the stage, at the end of the tragedy, and the same spectrum of possibilities is left to us, including that of a final stage curtain.

* * *

It would be idle to pretend that the above reconstitution can lay claim to completion, or to complete accuracy. The possible variations of setting, entrance, exit, movement, stage effects, remain enormous. Nevertheless, a door has been opened. Théophile's *Pyrame* is by no means the most complex setting of Mahelot's section of the *Memoire*: that honour must probably be reserved for Auvray's *Dorinde*, which Mahelot calls *La prise de Marsilly*, a play which badly calls for attention. When we have examined this, and no doubt all the extant plays for which there are sketches, and collated the questions raised, we shall know more about French staging at one of its most neuralgic moments: a convention built to work on a long outdoor platform (or amphitheatre), was imprisoned and was about to explode, and that imprisonment formed one shock-wave in the explosion which we call *La querelle du Cid*.

NOTES

[1] The most useful edition is *Le Mémoire de Mahelot, Laurent, et d'autres décorateurs de l'Hôtel de Bourgogne et de la Comédie Française au XVIIe siècle*, ed. Henry Carrington Lancaster (Paris 1920).

[2] S. Wilma Deierkauf-Holsboer, *L'Histoire de la mise en scène dans le théâtre français à Paris de 1600 à 1673* (Paris 1960).

[3] Donald Roy, in *Revue d'Histoire du Théâtre*, juillet-septembre (1962). In referring to 'feet' I ignore the slight difference between the French foot of the first half of the seventeenth century (*le pied de Charlemagne*) and the current English foot.

[4] (Paris 1623.) H. C. Lancaster (*History of French Dramatic Literature in the Seventeenth Century*, pt. 1, vol. I, p. 169), surmises that it was composed in 1621 and first played in that year.

[5] I am indebted to Mr. W. Harwood, Dip. Arch. (Manc.), A.R.I.B.A., for Figures 1 and 2.

[6] *La Pratique du Théâtre*, ed. Martino (Alger, Paris 1927), p. 104.

[7] The balance of probability is that it was the Mahelot performance that he had seen. Around 1640, along with others, he is already busy considering these matters. See Martino, preface, p. iv. Equally, it was in about 1640 that he decided to write the *Pratique*. (Martino, p. 11.)

[8] There are many references to the wall in works on the seventeenth-century French theatre, e.g. Lancaster, *History*, pt. 1, vol. I, p. 170; Lawrenson, *The French Stage in the Seventeenth Century* (Manchester 1957), p. 88.

[9] See Deierkauf-Holsboer, *op. cit.*, pp. 77 sqq.

[10] D. H. Roy, 'Mahelot's "Nights": A Traditional Stage Effect', *Gallica. Essays presented to J. Heywood Thomas* (University of Wales Press 1968), pp. 121–6.

[11] Working still from the *Mémoire* sets, Auvray's *Dorinde*, *inter alia*, is riddled with examples of this problem.

[12] All quotations from the text are taken from the edition published by J. Hankiss (Strasbourg 1933).

DIDEROT AND THE *LEÇONS DE CLAVECIN ET PRINCIPES D'HARMONIE*, PAR BEMETZRIEDER (1771)

by

ROBERT NIKLAUS

DIDEROT once exclaimed: 'La musique est ma folie, ma vie, mon existence, mon être,'[1] and what we know or surmise about his temperament and sensibility fosters belief in the truth of this assertion. Of the power of music on our very being he had no doubt; 'je suis sûr qu'avec des cordes de boyau et de soie, des sons et deux petits bâtons, on peut faire de nous tout ce qu'on veut,' he wrote to Mlle Volland.[2] Yet in relatively few of Diderot's writings is music the chief subject under discussion, or even a direct point of reference. This is one reason for the importance of examining the *Leçons de clavecin*, a work commonly neglected by *diderotistes*.

It is true that as early as 1748 Diderot had written five *mémoires* dealing with technical matters concerning music, and that he later wrote three other studies on the subject in addition to a text preserved in manuscript form in the Leningrad collection.[3] These works raise questions of a scientific nature, e.g. about vibrations, etc., which bring out the author's competence, second only to that of d'Alembert among the Encyclopaedists. In his *Principes généraux d'acoustique*, he summarized usefully works by Mersenne, Taylor, Sauveur and especially Euler. He was clearly anxious to promote technical progress as part of his general encyclopaedic programme, and showed a sure grasp of his subject. In the Querelle des Bouffons (1753),[4] he naturally sided with the *Coin de la Reine*, along with other Encyclopaedists, Grimm, d'Alembert, d'Holbach and Rousseau in particular, whose *Lettre sur la musique française* brought issues to a head. They all upheld Italian music against the *Coin du Roi* whose adherents, mostly wealthy patrons of music and conservative-minded people, stoutly defended the tradition of French music, in particular the opera form inherited from Lulli. The latter charged the former with being intellectuals not conversant with music, and lacking in patriotism. The adherents of the *Coin de la Reine* were prompted to rejoinder, and wrote scathing pamphlets such as the *Arrêt rendu à l'amphithéâtre de l'Opéra* (1753), by Diderot. The echoes of the debate still lingered on when Diderot wrote the *Leçons de clavecin*, but the issues no longer seemed so clear-cut and, in what in any case is a typical fashion, Diderot took up a conciliatory attitude. This is brought out both in the *Leçons* and in the *Neveu de Rameau*. If Diderot objected to Rameau's dogmatic and pseudo-scientific approach to music, he nevertheless admired his undoubted genius and powers of invention.[5]

The first question that has to be asked about the *Leçons de clavecin* concerns its authorship. Assézat, who reproduces the work in its entirety in his edition of Diderot's complete works,[6] is convinced that Diderot had a hand in its composition, and a cursory examination of the flow of ideas, and especially of the style bears this out. P. Trahard[7] goes further by referring to its author as 'pseudo-Bemetzrieder' and quoting from it freely in support of his general argument about Diderot's *sensibilité*. Yet Diderot stated unequivocally in a foreword:

> ...il n'y a rien dans cet ouvrage, mais rien du tout qui m'appartienne, ni pour le fond, ni pour la forme, ni pour la méthode, ni pour les idées. Tout est de l'auteur, M. Bemetzrieder. Je n'ai été que le correcteur de son français tudesque... Et je ne revendique que les fautes de langue et d'impression.[8]

At first sight one is tempted to think that Diderot confined himself to providing a free translation after the fashion of his *Essai sur le mérite et la vertu*. But the dialogue is certainly Diderot's, as is borne out by a passage which appears also in the *Neveu de Rameau*, in a scarcely modified text.[9] The idea of using the dialogue form for didactic purposes is no doubt also Diderot's. Furthermore, the perusal of Bemetzrieder's other works fills his reader with perplexity. His *Traité de musique* (1776), dedicated to Mgr. le duc de Chartres, is very badly written and in quite another class. We know from many examples that Diderot re-wrote or ghosted for the abbé de Prades, Grimm, Raynal, Galiani, etc. There is, too, the self-indulgent pleasure he took in mystification,[10] which leads one to think that in the passage quoted above he does protest too much. In any case he was demonstrably incapable of touching on any idea without re-creating it through his powerful imagination and intellect. It was enough for a chance meeting or reading to kindle his mind; and his refutations of Helvetius, his observations in the margin of a volume by Hemsterhuis, bring this out very clearly. Without wishing to suggest that Bemetzrieder was not a good teacher of the harpsichord, well able to phase his lessons, it may well be correct to think of Diderot as illuminating what might have been merely a technical discussion by flashes of musical and philosophical insight. Bemetzrieder may be more real than the real Neveu de Rameau (as opposed to the part he plays in Diderot's masterpiece), but Diderot has added something to the music teacher's system, which might well have been presented as pure abstraction. How else could it be? For by undertaking the work was not Diderot satisfying his own insatiable intellectual curiosity, studying the practice and theory of an art which appealed deeply to his own sensitivity and was to contribute to the development of his own aesthetic, as well as furthering the musical gift of his beloved daughter, Angélique?[11]

The knowledge he so acquired provided the solid foundation on which are based some of the main ideas of the *Neveu de Rameau*, a work more concerned, however, with questions of ethics and aesthetic than with purely musical issues, but which may be seen as complementary to the *Leçons de clavecin*.

The *Leçons de clavecin* also deserve attention as marking an important stage in the history of musical thought, coming as it does after Rameau and the recent vogue of Italian music represented by Duni, but immediately prior to Glück. How far the work reflects enlightened thought at the time or merely Diderot's own conceptions is a question which musicologists have not yet decided.[12] Be that as it may the *Leçons* remained a standard text-book for the teaching of the harpsichord so long as this instrument retained its popularity. It was based on sound pedagogical principles, and practical experience, a knowledge of acoustics and mathematics, and constituted the first steps needed for the study of harmony.

Diderot tells us that the dialogue presented is a real dialogue between *Le Maître* (Bemetzrieder), *L'Élève* (his daughter Angélique), and *Le Philosophe* (Diderot himself who claims the title as a 'titre honorable que je tiens de l'indulgence de mes amis, et qui, restreint à son étymologie, peut me convenir ainsi qu'à tout homme de bien');[13] to which might have been added *Le Disciple*, a 30-year-old disciple of Schobert who is incapable of playing. Here Diderot is acting as he did in the case of Saunderson in the *Lettre sur les aveugles*, of *Dorval et Moi*, of the *Entretien entre d'Alembert et Diderot*, the *Neveu de Rameau* and countless other *entretiens*, for the sake of verisimilitude and clarity.[14] The characters chosen were good. Bemetzrieder was certainly the leading teacher of the day, and Diderot had practised the harpsichord as well as acquired rudiments of harmony. He states: 'J'entends fort peu la pratique de l'harmonie; mais quelque assiduité auprès du clavecin, entre le maître et son élève, m'en a rendu la théorie familière, et les productions de l'art m'en sont devenues plus intéressantes.'[15] This statement may partly be prompted by the needs of his didactic presentation of the treatise, for elsewhere he claims to some knowledge of composition: 'J'ai étudié la composition sous le grand Rameau, sous Philidor, sous Blainville', even if he feels that this knowledge is inadequate.[16] Earlier conversations with Rousseau and d'Alembert must have furthered his musical awareness, both theoretical and practical, and he had shared the encyclopaedists' desire to found a science of music, and to establish a new universal method for composition. His interest in technical matters was pushed to the point of inventing a new organ; and it was partly because Rameau's approach to music became too intellectual that he quarrelled with it. To understand the *Leçons de clavecin*, as indeed the *Neveu de Rameau*, with which it is so closely linked, it is necessary to recall the state of conflict which characterizes music in the middle of the century, and to provide an outline of the background to it with special reference to opera, the dominant musical form. Lulli's conception of opera, which is fundamental to French opera, was of a 'tragédie en musique' in which music was subordinated to drama, presented in formalized works of five acts, complete with a prologue to the greater glory of the monarch, and other topical allusions. This stately and dignified type of opera outlived the reign of Louis XIV and dominated the schools of music as well as popular taste. It avoided startling chords, intervals or modulations, and has been likened to tragedy, in which violence and passion occur off-stage. Lulli, no doubt observing the manner of declamation employed at the Comédie Française, created the syllabic recitative, which could prove natural and varied, but could also prove monotonous in its rhythmic and melodic patterns. Lulli himself said of his music: 'Mon récitatif n'est fait que pour parler,' and its relative complexity, if compared with the Italian recitative, has no doubt been exaggerated. The singer in French opera required less skill but a clearer enunciation and a better understanding of the text than that in Italian opera. Italian opera postulated the mixing of genres so as to allow inflection either towards poetry or towards music. This was bound to stimulate Diderot, who was involved in creating a new form of theatre-*le drame* which was in between comedy and tragedy; and more generally in the fusion of the arts. His frequent references to the *clavecin oculaire* of the Père Castel with its multi-coloured ribbons are significant in this respect—as well as for bringing out the essentially visual nature of his own imagination. Just as French opera, which has been said to incarnate in music the aesthetic of Boileau, became increasingly conventional, insipid and barren, Italian opera seemed destined to open up new artistic possibilities. The decline of French opera with its stereotyped form and official sponsoring must have owed much to changes in taste, especially during the Regency and the early days of the reign of Louis XV, when *opéra-ballet* became the vogue, and *ballets* invaded the *tragédie lyrique*. Italian taste can be recognized by the use of

Italian background, the insertion of Italian arias and cantatas, the occasional use of the *da capo* form and by harmonic innovations common in the works of Scarlatti. The *Leçons de clavecin* provide examples of variations in the use of vocal arias and similar technical differences. All these features, together with freer modulations, greater use of appogiaturas, seventh chords, chromatic alterations, paved the way for Rameau, who was first an organist, and made his operatic debut late with *Hippolyte et Aricie* (1733), hailed by traditionally minded critics as a capitulation to Italian influence. Rameau's music represents the thorough-bass style, as did the music of Bach and Handel. His tonalities are clear, and contrary to the practice of Lulli, he used his choruses for dramatic purposes. For him it was essential that music should draw closer to reality and to nature, a point of view also stressed by Diderot, and in line with the new current of thought. He did not, however, subscribe to Diderot's definition of *le chant* as *le cri animal de la passion*. The new aesthetic, and the forms it took in opera, led to the creation of a whole conventional language of musical images for conveying landscapes, sunrises, brooks, thunderstorms, earthquakes and other natural phenomena: and the depiction of storms (also to be found in literature[17]) became particularly popular throughout the century, leaving its traces in the nineteenth century in Beethoven's Pastoral Symphony, for instance. Rameau was certainly at his best in portraying action. Above all perhaps, he captured the impression of the movement of dancers through his rhythmic invention. His dances have been defined as 'gesture made audible', and his dance airs are sung by solo, ensemble or chorus, as well as being played by the orchestra. He was less of a dramatist than Lulli, and his librettos are correspondingly less satisfactory. Yet in spite of all his genius and his innovations, his operas require their contemporary setting and cannot be disassociated from a dead tradition both operatic and social. Notwithstanding the changes he wrought, he appears to musicologists today as having merely prolonged the life of dying French opera. As a theorist, it is his conception of the fundamental bass which is his most valid claim to fame. But he soon sacrificed his musical genius to follow an intellectual craze, propounding theories and embarking on scientific investigations. Diderot's sketch of Rameau in the *Neveu de Rameau*,[18] deliberately short, is comprehensive and fair:

> C'est le neveu de ce musicien celebre qui nous a delivrés du plein chant de Lulli que nous psalmodions depuis plus de cent ans; qui a tant ecrit de visions inintelligibles, et de vérités apocalyptiques sur la théorie de la musique, ou ni lui ni personne n'entendit jamais rien, et de qui nous avons un certain nombre d'operas ou il y a de l'harmonie, des bouts de chants, des idées decousues, du fracas, des vols, des triomphes, des lances, des gloires, des murmures, des victoires a perte d'haleine, des airs de danse qui dureront éternellement, et qui, après avoir enterré le Florentin, sera enterré par les virtuoses italiens, ce qu'il pressentait et le rendait sombre, triste, hargneux.

Rameau eliminated the octaves from the *corps sonore* or resonating body, thus reducing it to a tonic triad. Each member resonates, though not audibly, its own tonic triad. From this results the entire system of harmony and enharmony. Rameau expounded this theory in his *Traité de l'harmonie* (1722), a beginner's handbook on harmony, improvisation and composition, and worked out in the *Nouveau systéme théorique* of 1726. It was then that Rameau sought to become a philosopher. He published his *Génération Harmonique* in 1737, and in spite of a poor response, he followed this up in 1749 with his *Mémoire où l'on expose les fondements du Système de Musique théorique et pratique de M. Rameau.* He had great trouble in expressing himself in words and may have had recourse to Diderot for editorial advice. The Académie, whilst recognizing the practical value of the work, did not agree to his basic contention that music was a science, and did not elect him to its number. From 1749 to 1753, Rameau remained on excellent terms with the Encyclopaedists and d'Alembert wrote the report on the *Mémoire* of 1749 which was soon after published by Durand. D'Alembert also praised Rameau in the *Discours préliminaire* (1750). The *Eléments de Musique théorique et pratique suivant les principes de M. Rameau* was published by Durand, David and Le Breton, and the *Nouvelles réflexions sur sa démonstration* by Durand. The *Mémoire* was re-entitled *Démonstration du Principe de l'Harmonie servant de base à tout l'art musical théorique et pratique*. It included a full transcription of d'Alembert's report, a preface which had not been read to the Académie or reviewed by its Committee and was addressed to d'Argenson. Rameau in this preface pushed his claim to the point of absurdity:

C'est dans la Musique que la Nature semble nous assigner le principe Phisique de ces premières notions purement Mathématiques sur lesquelles roulent toutes les Sciences, je veux dire, les proportions, Harmonique, Arithmétique & Géométrique, d'où suivent les progressions du même genre, & qui se manifestent au premier instant que résonne un corps sonore.

In the *Nouvelles Réflexions sur sa Démonstration*, Rameau goes one step further. The fundamental bass is seen as 'une de ces causes premières dont la connaissance est au-dessus de nos facultés, & que les vrais Philosophes se dispensent aujourd'hui de chercher'. In Music lies the basic principle of all the arts, and the artist is to be elevated to the rank of *philosophe*. Trouble came with Rousseau who in the *Lettre sur la Musique française* (1753) attacked the French operatic tradition, formerly supported by the Encyclopaedists, thereby sparking off the second *Querelle des Bouffons*. But Rameau would not be deflected from his own train of thought, as is manifest in his *Observations sur notre instinct pour la Musique et sur son principe* (1754), in which he states that the proportions of harmony are the base of all the sciences and the arts as well as of all music. He launched an attack on Rousseau in *Erreurs sur la musique dans l'Encyclopédie* which was thought to challenge also d'Alembert who had contributed a number of articles on music to the *Encyclopédie*. In a preface to the second edition of the *Eléments de Musique* d'Alembert listed the inconsistencies and fallacies on which Rameau had based his theories. Undaunted, Rameau wrote the *Code de Musique* (1760) and the *Lettre aux Philosophes* (1762), the logical conclusion of which is that the resonating body is the spirit of God incarnate. He died in 1764, leaving in manuscript at least three folders of unfinished pamphlets. Diderot must have known the full story of his life and works and of his increasing aberrations. He certainly admired him as a composer, but could not have accepted his views as a philosopher.

Indeed Rameau's whole thinking, which implies moving from a premiss of limited validity to a broad all-embracing philosophy, is quite contrary to that of Diderot.

In the *Leçons de clavecin*, Diderot shows by his clear exposition how well he understood Rameau's original contribution and line of approach. He praises him likewise in the *Neveu de Rameau*, but he adds: 'C'est que, si cette musique est sublime, il faut que celle du divin Lulli, de Campra, de Destouches, de Mouret et meme, soit dit entre nous, celle du cher oncle, soit un peu plate.'[19] Interestingly, it is Lui (*i.e.* the *neveu*) who praises 'le grand Rameau' most, thereby accentuating the Neveu's general feeling of malaise and frustration, and warning us that statements made by Diderot's characters cannot simply be transposed as his own.

The definition of the fundamental given in the *Leçons de clavecin* is careful but general:

> ...vous apercevrez qu'il en est du son comme de la lumière; et qu'un son, ainsi qu'un rayon, est un faisceau d'autres sons qu'on appelle ses harmoniques, entre lesquels il y en a qui affectent l'oreille plus fortement, que l'expérience journalière nous a rendus plus familiers à notre insu, et qui déterminent l'organe à les entamer après le son principal dont ils sont les harmoniques, et qu'on appelle le générateur, le fondamental.[20]

Its merit is that it permits a simpler system for the study of harmony. Its shortcomings are, however, brought out and Bemetzrieder works out his own, non-mathematical, yet scientific theory, which he calls the *théorie des appels* and defines in these terms:

> Qu'est-ce donc que la musique? On s'élèvera contre mon opinion, mais l'expérience se réunira avec moi pour la définir: l'art de choquer les sons naturels pour en rendre le retour plus agréable. Qu'on s'écarte de cette règle dans la pratique: plus de mélodie, plus d'harmonie.[21]

This is the very antithesis of Lulli and Rameau, who confined themselves to the diatonic form, thus limiting melody as we now think of it and making little use of the chromatic. The Italians on the other hand used commonly both the chromatic and diatonic. This required greater technical skill on the part of the instrumentalist, since the smaller the interval the harder it is to be accurate; and greater sensitivity to convey the necessary emotional depth: 'Pour lier ensemble les sons principaux, il emploierait d'autres sons tant diatoniques que chromatiques; mais il se garderait bien de traiter ces sons de passage, qui servent de teintes et de nuances entre les diatoniques, comme des sensibles de nouvelles modulations.'[22] The importance of modulations is stressed, and brings Bemetzrieder (and Diderot) closer to Schobert than to Duni: yet he still seeks the simplification found in Italian opera and requested by Rousseau. Bemetzrieder's attitude to music throughout the *Leçons de clavecin* is that of a technical expert; for him the basis of music as an art must be the science of harmony, on which musical comprehension and sensibility must rest. But he never loses sight of the artistic purpose at the very base of theory, and he provides a wide variety of musical examples and exercises. The return of the *corps sonore* is not pleasant to the ear, whatever the nature of the shock sustained or the disonance; otherwise there would be no need for any system. Selection should be made according to the laws of nature which have fixed the composition of chords. Thus the artist is ultimately governed by the natural order, and in keeping with Diderot's general aesthetic by which imaginative and creative processes are part of nature and do not transcend it.[23]

In both the *Leçons de clavecin* and the *Neveu de Rameau*, music is seen as representational, and to be placed alongside poetry or drama. It has its language, which is admirably suited to imitate the voice of nature and express the passions, but cannot, of course, convey a moral purpose; a limitation which made Diderot uneasy, but which he overcame to some degree through presenting moral issues in the *Neveu de Rameau* through the use of mime: visual images translating musical experience. The following passage, stylistically analysed by Leo Spitzer, illustrates his technique. It associates words with rhythms and its expressive quality carries with it its own conviction:

Mais vous vous seriez echappé en eclats de rire, a la maniere dont il contrefaisoit les differents instruments. Avec des joues renflées et boufies, et un son rauque et sombre, il rendoit les cors et les bassons;

il prenoit un son eclatant et nazillard pour les hautbois; precipitant sa voix avec une rapidité incroyable, pour les instruments a cordes dont il cherchoit les sons les plus approchés; il siffloit les petites flutes; il recouloit les traversieres, criant, chantant, se demenant comme un forcené; faisant lui seul, les danseurs, les danseuses, les chanteurs, les chanteuses, tout un orchestre, tout un theatre lyrique, et se divisant en vingt roles divers, courant, s'arretant, avec l'air d'un energumene, etincelant des yeux, ecumant de la bouche. Il faisoit une chaleur a perir; et la sueur qui suivoit les plis de son front et la longueur de ses joues, se meloit a la poudre de ses cheveux, ruisseloit et sillonnoit le haut de son habit. Que ne lui vis je pas faire? Il pleuroit, il rioit, il soupiroit; il regardoit, ou attendri, ou tranquille, ou furieux; c'étoit une femme qui se pame de douleur; c'etoit un malheureux livré a tout son desespoir; un temple qui s'eleve; des oiseaux qui se taisent au soleil couchant; des eaux qui murment [*sic*] dans un lieu solitaire et frais, ou qui descendent en torrents du haut des montagnes; un orage, une tempete, la plainte de ceux qui vont perir, melée au sifflement des vents, au fracas du tonnerre; c'etoit la nuit, avec ses tenebres; c'etoit l'ombre et le silence; car le silence meme se peint par des sons.[24]

and the whole of the work is orchestrated as a symphony.

Pantomime and *drame lyrique* are drawn ever closer one to the other. The definition of the word *chant*, however, excludes imagination;

Le chant est une imitation, par les sons, d'une echelle inventée par l'art ou inspirée par la nature, comme il vous plaira, ou par la voix ou par l'instrument des bruits physiques ou des accents de la passion.'[25]

That given in the *Leçons de clavecin* is more interesting:

C'est (le chant) une succession de sons agréables parce qu'ils réveillent en nous quelques sentiments de l'âme ou quelques phémonènes de la nature.[26]

since it raises the problem of communication, the appeal from one imagination—the composer's—to another—the musician's—and through him to the listener.

Le clavier, c'est l'alphabet; les touches, ce sont les lettres. Avec ces lettres on forme des syllabes; avec ces syllabes, des mots; avec ces mots des phrases; avec ces phrases, un discours,[27] says Bemetzrieder, failing to take the full process into account. For music can't speak in such concrete terms as language nor tell a story. It can only suggest one by its tone, its speed, its instrumentation, its various combinations. Its interpretation of nature, however real, is transferred to us through the imagination. In Diderot's eyes the composer, like the painter, must have some *modèle idéal* or *modèle intérieur* which he must keep in the front of his mind, and which he must transcribe as best he can, leaving it to others to interpret. He, too, needs a hieroglyph:

L'emblème délié, l'hiéroglyphe subtil qui règne dans une description entière, et qui dépend de la distribution des brèves dans les langues à quantité marquée, et de la distribution des voyelles entre les consonnes dans les mots de toute langue.[28]

This hieroglyph may be likened to harmony; and the linking of sounds and their succession is what kindles emotions and ideas.

We see more clearly why Diderot was drawn to opera, which combines singing with music. As he puts it: 'le discours parlé, le récitatif noté et le chant d'expression sont trois teintes de la palette du musicien.'[29] Once again we note the visual image, and the constant effort to convey meaning by transposition from one sense impression to another, but we observe chiefly that declamation is seen as an essential part of music and passage to recitative as natural. Declamation has thus its place in opera as well as in drama. In the *Paradoxe sur le comédien*, Diderot compares declamation with musical harmony and singing, since both fit into equally rigorous systems:

...ce n'est pas le désespoir qui les inspire? Nullement; et la preuve c'est qu'ils sont mesurés, qu'ils font partie d'un système de déclamation; que plus bas ou plus aigus de la vingtième d'un quart de ton, ils sont faux;... qu'ils sont, comme dans l'harmonie, préparés et sauvés.[30]

But declamation has to be employed with discretion, and the poet and musician must show a proper discrimination. As he says:

...en observant seulement la loi de l'harmonie prescrite à tous les beaux arts; c'est-à-dire que le récitatif noté précède le chant et lui serve d'annonce, à moins qu'un mouvement de passion violente, inattendue et subite, circonstance qui n'est ni trop commune, ni trop rare, dispense l'artiste de cette transition.[31]

The musician can do what the painter does:

Un grand coloriste jette quelquefois sur sa toile les couleurs les plus tranchantes et les plus ennemies.[32]

In opera, the dramatic element should be subordinated to music until such time as a more satisfactory operatic form can be devised. The dramatic material will be less from the quantitative standpoint than in a play, but the artist must strive to create as great an effect and co-ordinate his efforts with those of the composer. Essentially Music and Poetry are complementary. Music sets the mood, drama illustrates and explains it. Music's chief quality is that it comes from the heart and is directed back to the heart. Emotions, 'le cri animal, énergique', are immediately conveyed, and may provoke in man the 'ivresse' of which Diderot sometimes speaks. This *ivresse* may be related to the *enthusiasm* derived philosophically from Shaftesbury, which is the prerogative of the creative artist, as also of the sensitive individual, a mere cog in an enormous wheel who can nevertheless vibrate with the harmony of the spheres and enjoy, within nature and without a full transcendental experience, the beatitude of a kind of mystical awareness. Communion with the cosmos may thus be achieved. 'Nous sommes l'univers entier,[33] wrote Diderot; and as he said to Falconet, the distant sound of heavenly flutes heard by the inner ear of the artist, gives intimations of immortality. *Une belle femme, qui a une voix touchante...*[34] *une belle vie qui est comme un beau concert...*[35]

One last observation will at first confuse, although it in fact confirms the general view put forward here with regard to the ultimate symbolical significance of music for Diderot. In his works, as indeed that of Rousseau,[36] references to sounds and to music do not figure at all prominently. True music is to be found in an inner harmony. Both these 'frères ennemis'[37] constantly wrote prose poems in measured or idiosyncratic rhythms which fulfil completely Diderot's requirement in a work of art of 'unité de discours', the basic style of the Artist or Poet who has found his very own form of expression.

NOTES

[1] A.-T. (= Assézat), XII, p. 181 and IX, p. 157. See P. Trahard, *Les Maîtres de la sensibilité française au XVIIIe siècle* (1715–89), II, ch. xii, pp. 243–70, for a useful chapter on Diderot's musical sensibility and bibliographical references. I am indebted to Mrs. Dorothy F. Thomas, whose musical competence led her to make some shrewd observations in her undergraduate dissertation on 'Music in Diderot'. The article on 'Diderot as Musician' by P. H. Lang, and that on 'Rousseau et la querelle musicale de 1752. Nouvelle mise au point' by Servando Sacaluga, which are to be found in *Diderot Studies* X, 1968, appeared after the completion of the present study. They supplement it most usefully by situating Diderot in the wide perspective of eighteenth-century music.

[2] A.-T., XIX, pp. 193–4.

[3] *Ibid.*, IX, p. 76. Assézat's reference to the last text needs investigation. *Inventaire du fonds Vandeul et Inédits de Diderot*, by H. Dieckmann (Droz 1951), p. 63 gives only the *Leçons de clavecin*, Tome XXVI.

[4] See Rousseau, *Confessions*, VIII, 2nd part; *Le Neveu de Rameau*, ed. J. Fabre (Droz 1950), pp. xl-xli, pp. 217–20; and P. Trahard, *op. cit.*, II, pp. 251, 257.

[5] Cf. *Le Neveu de Rameau*, p. 32.

[6] A.-T., XII, pp. 171–534.

[7] *Op. cit.*, p. 246. P. Trahard refers the reader to A.-T., XX, p. 21 and more generally for information on the relationship of Diderot and Bemetzrieder, to XII, pp. 173, 525; XX, p. 138.

[8] A.-T., XII, pp. 176–7 and p. 526 for a further reference to 'mauvais français tudesque'.

[9] *Ibid.*, 526. Cf. *Le Neveu de Rameau*, ed. cit., pp. 91–2. Lui and Bemetzrieder have certain common features. They both share the view that teaching music is a satisfactory way of earning one's living and of getting about in society. Both act out of expediency. Neither is wholly wrapped up in his profession. Bemetzrieder would have preferred to teach history or geography, Lui to have been a musical genius. Neither had the qualities that make for true genius, but for obvious reasons Diderot could not stress this point in the *Leçons de clavecin*.

[10] See my review article 'Diderot's Moral Tales', *Diderot Studies*, VIII, p. 309.

[11] According to Burney, Mlle Diderot was one of the ablest harpsichord players in Paris. Quoted by Romain Rolland, *Musiciens d'autrefois* (Hachette 1919), p. 209.

[12] Grétry is known to have consulted Diderot on the partition of *Zémire et Azor*. See A.-T., V, p. 459, n. 1.

[13] A.-T., XII, p. 175.

[14] In the *Supplément au Voyage de Bougainville*, where we have a dialogue between Interlocuteur A and Interlocuteur B, we see how much is lost by the impersonal type of presentation of ideas in dialogue form.

[15] A.-T., XII, p. 175.

[16] *Ibid.*, p. 525.

[17] See *Dorval et Moi*, Troisième entretien, A.-T., VII, p. 134.

[18] *Le Neveu de Rameau*, ed. cit., p. 6.

[19] *Ibid.*, p. 79.

[20] A.-T., XII, p. 194.

[21] *Ibid.*, pp. 494–5.
[22] *Ibid.*, p. 517.
[23] See my article 'L'esprit créateur de Diderot', *Cahiers de l'Association Internationale des Etudes Françaises*, 20 (1968).
[24] *Le Neveu de Rameau*, pp. 84–5.
[25] *Ibid.*, p. 78.
[26] A.-T., XII, p. 186.
[27] *Ibid.*, p. 520.
[28] A.-T., I, p. 376.
[29] A.-T., VIII, p. 459.
[30] *Ibid.*, p. 369.
[31] *Ibid.*, pp. 459–60.
[32] *Ibid.*, p. 460.
[33] A.-T., XVIII, p. 224.
[34] Lettres à Sophie Volland, III, p. 288.
[35] A.-T., IX, p. 104.
[36] The oft-quoted 'cri des aigles', 'cri des bécassines', and a few others should not blind one to this fact, which a statistical count would easily demonstrate.
[37] J. Fabre, 'Deux frères ennemis: Diderot et Jean-Jacques', *Diderot Studies*, III.

WHAT IS A CLASSIC?

by

MARIO PRAZ

OF the two celebrated essays with the title *What is a Classic*?, the one, by Sainte-Beuve (*Qu'est-ce qu'un classique*?—*Lundis*, III, p. 38, dated 1850) gives of the term a 'définition... grandiose et flottante, ou, pour tout dire, généreuse', the other, by T. S. Eliot (*What is a Classic*?, being the Presidential Address to the Virgil Society in 1944, now collected in the volume *On Poetry and Poets*, London 1959), is on the contrary to a large extent exclusive, concluding as it does that 'no modern language can hope to produce a classic, in the sense in which I have called Virgil a classic. Our classic, the classic of all Europe, is Virgil'.

Sainte-Beuve, after having said that 'un classique, d'après la définition ordinaire, est un auteur ancien, déjà consacré dans l'admiration, et qui fait autorité en son genre', and after having recalled the original meaning of *classicus*, 'un citoyen de première classe, qui possède au moins un revenu d'un certain chiffre déterminé', and Aulus Gellius' definition of a *classicus assiduusque scriptor* as 'un écrivain qui compte, qui a du bien au soleil, et qui n'est pas confondu dans la foule des prolétaires' (almost a best-seller!), proceeds to give his own definition:

Un vrai classique, comme j'aimerais à l'entendre définir, c'est un auteur qui a enrichi l'esprit humain, qui en a réellement augmenté le trésor, qui lui a fait faire un pas de plus, qui a découvert quelque vérité morale non équivoque, ou ressaisi quelque passion éternelle dans ce cœur où tout semblait connu et exploré; qui a rendu sa pensée, son observation ou son invention, sous une forme n'importe laquelle, mais large et grande, fine et sensée, saine et belle en soi; qui a parlé à tous dans un style à lui et qui se trouve aussi celui de tout le monde, dans un style nouveau sans néologisme, nouveau et antique, aisément contemporain de tous les âges.

A classic is an author 'qui nous rende nos propres pensées en toute richesse et maturité' and 'cette impression habituelle de serénité et d'aménité qui nous réconcilie, nous en avons souvent besoin, avec les hommes et avec nous-même'. Classics are 'les écrivains qui ont gouverné leur inspiration plutôt que ceux qui s'y sont abandonnés davantage'. In conclusion, he maintains that

Le Temple du goût... est à refaire; mais, en le rebâtissant, il s'agit simplement de l'agrandir, et qu'il devienne le Panthéon de tous les nobles humains, de tous ceux qui ont accru pour une part notable et durable la somme des jouissances et des titres de l'esprit.

Some of these ideas have been taken up by Eliot, for instance the association of maturity with classicism, and the use of a 'style à lui et qui se trouve aussi celui de tout le monde':

The classic must, within its formal limitations, express the maximum possible of the whole range of feeling which represents the character of the people who speak that language. It will represent this at its best, and it will also have the widest appeal: among the people to which it belongs, it will find its response among all classes and conditions of men.

England, according to him, cannot produce a classic, because 'the English language is one which offers wide scope for legitimate divergencies of style; it seems to be such that no one age, and certainly no one writer, can establish a norm'; but neither can France boast a classic, because Racine and Molière leave out the element of richness present in Rabelais and in Villon. Goethe, on the other hand, 'appears, to a foreign eye, limited by his age, by his language, and by his culture, so that he is unrepresentative of the whole European tradition, and, like our own nineteenth-century authors, a little provincial'. Virgil, on the contrary, being 'the consciousness of Rome and the supreme voice of her language', provides us with a criterion, a standard by which to judge other literatures. 'Without the constant application of the classical measure, which we owe to Virgil more than to any other poet, we tend to become provincial', and by 'provincial' Eliot means a distortion of values, the exclusion of some, the exaggeration of others, which springs, not from lack of wide geographical perambulation, but from applying standards acquired within a limited area, to the whole of human experience, which confounds the contingent with the essential, the ephemeral with the permanent. . . . It is a provincialism, not of space, but of time; one for which history is merely the chronicle of human devices which have served their turn and been scrapped, one for which the world is the property solely of the living, a property in which the dead have no shares.

Ours is an iconoclastic age; the idea which made Brigid Brophy write *Fifty Masterpieces One can do Without* was already anticipated by Giovanni Papini at the beginning of the century with his debunking (*stroncatura*) of *Hamlet* and *Faust* (1916). Sainte-Beuve's intended Pantheon is likely to turn out a cemetery of dead divinities. There is in the Vatican an office which distributes relics of saints, scraps of stuffs or of bones generally destined to be laid under the main altar of a new church. Roger de Peyrefitte made capital of this institution in his *Clefs de Saint Pierre*, but what interests us here is the demand for such holy scraps: whereas this demand is high for fragments associated with Saint Francis or Saint Teresa, there is a huge bone of a Saint Modestus which lies on the shelf without anyone ever applying for it. And again: there is a Catalan cloister (San Cugat del Vallès) whose capitals record in stone the melodic structure of the hymn *Iste Confessor* in a special version followed by that cloister for the feast of Saint Cucuphatus. Who speaks nowadays of those once worshipped saints? The position of many classics of the past is nowadays no better than that of Saint Modestus and Saint Cucuphatus. Nevertheless literary histories are crammed with many a name which is *vox et praeterea nihil*.

The situation would be desperate if the *Temple du goût* had a permanent façade. But fortunately for the numberless Saints Modestus and Saints Cucuphatus of literature, that façade is perpetually changing, and the 'wan shades and feeble ghosts' of the classics may hope, like the dead in Homer's Hades, that an infusion of new blood from sacrifices may one day make their voices heard again. Because the classics exist only in so far as the moderns recognize or imagine they recognize themselves, their own aspirations and anxieties, in them. The world is indeed the property solely of the living, and the dead have a share in it only when the living mirror themselves in them. The case of the immense popularity enjoyed by John Donne in our age is not due to Grierson's 1912 edition of his poems (though this edition was greatly instrumental to it), but to T. S. Eliot's finding in Donne elements congenial to his own poetics, so that, as Frank Kermode wrote in 1956,[1] 'Donne was, astonishingly, transformed into a French poet, most like Laforgue'. And as for the coming back into favour of the art of mannerism, which was neglected and even despised in the nineteenth century, Arnold Hauser makes these illuminating remarks:[2]

Mannerism begins by breaking up the Renaissance structure of space and the scene to be represented into separate, not merely externally separate but also inwardly differently organized, parts. It allows different spatial values, different standards, different possibilities of movement to predominate in the different sections of the pictures: in one the principle of economy, and in another that of extravagance in the treatment of space . . . The final effect is of real figures moving in an unreal, arbitrarily constructed space, the combination of real details in an imaginary framework, the free manipulation of the spatial co-efficients purely according to the purpose of the moment. The nearest analogy to this world of mingled reality is the dream, in which real connections are abolished and things are brought into an abstract relationship to one another, but in which the individual objects themselves are described with the greatest exactitude and the keenest fidelity to nature. It is, at the same time, reminiscent of contemporary art, as expressed in the description of associations in surrealist painting, in Franz Kafka's dream world, in the montage-technique of Joyce's novels and the autocratic treatment of space in the film. Without the experience of these recent trends, mannerism could hardly have acquired its present significance for us.

In a way the definition of the classics given in the 1835 edition of the *Dictionnaire de l'Académie*, quoted by Sainte-Beuve, comes near enough to the truth: 'ceux qui sont devenus *modèles* dans une langue quelconque.' History is indeed, in a sense, 'a chronicle of human devices which have served their turn and been scrapped'. Ezra Pound, in *How to Read*, reserved Parnassus for a few geniuses only, discoverers of new devices, of new demesnes of the imagination, and gave short shrift to the others, followers and imitators, mere tyros and parasites: Petrarch himself was in his opinion a mere exploiter of the troubadours and the poets of the *stil nuovo* and therefore hardly worth preserving, that very Petrarch whose name had been for centuries an inspiration to the lyric poets of the West. Ezra Pound made light of scrapping it as a worn-out tool. Alexander Pope, an equal of the classics for his age, was dethroned by the romantics, who saw in him the opposite of what a poet should be: for over a century it was impossible to do him justice. But the discarding of the romantic standards of criticism brought about a revaluation of Pope and his reinstatement as a model for a school of poets (the New Movement), almost at the same time when the revulsion from the impressionist viewpoint in judging of painting had as a result a reappraisal of the painters of the Biedermeier period. Pope's prosody was an antidote against the loose, formless pre-war versification.

Pope's famous line about 'true wit': 'What oft was thought, but ne'er so well expressed' is as good a definition of a classic as may be devised. Still, perfect as it may be, an expression may embody a point of view which is alien to a new age, and the position of the classic in question may then be likened to that of a dethroned king:

> Upon the sodden ground
> His old right hand lay nerveless, listless, dead,
> Unsceptred; and his realmless eyes were closed.

Well may Rex Warner write of Milton's *Lycidas*:[3]

> One may well wonder how such a miracle could have proceeded from so antiquated a method and so well-worn a theme: The laurels and myrtles and ivy, the muses and the shepherds, the complaint to the nymphs, the imaginary deification of the dead shepherd—all these are borrowed from Greek and Latin literature. . . . How then, with no obvious originality, did Milton come to write a poem which is unique, a poem which equals the beauty and exceeds the power of any Eclogue of Virgil?—

this last equation would have shocked T. S. Eliot at that stage of his career when he considered Milton the worst possible model for an English poet. On the contrary, a similar success of John Donne in assimilating a conventional Petrarchan theme in *The Extasie* is highly appreciated by a critic in the wake of the metaphysical revival.[4]

If in the whole history of the nineteenth-century novel there is one work which deserves to be called a classic, this is certainly Flaubert's *Madame Bovary*. Such was, at least for some time, a widespread or even, one may say, the universal opinion. But listen now to Clifton Fadiman:[5]

> *Bovary* may be a perfect novel—but it is also a perfect period novel. I find (I've made four attempts) that I cannot be moved by poor Emma's troubles unless by an effort of will I transport myself in fancy back to the provincial life of France in the 1840s. This effort of will—which I need not make for other nineteenth-century novelists, Dickens or Tolstoy—blunts my reading pleasure. . . . Since Emma's day her story has been too often rewritten, and often quite skilfully. The analysis of provincial manners, of bourgeois Philistinism, of the neurosis of erotic romanticism—all this has been carried so much further and worked out in so much greater detail that Flaubert's novel, though accurate and truthful, has the accuracy and truthfulness of a blueprint. We cannot easily react freshly to Emma's struggles and fantasies and adulteries. The tale has been told too many times; the poor lady is almost too easy to understand. In a sense we understand her better than her creator did—and that is fatal. Like that of many French masterpieces, from Racine to Mauriac, the novel's psychology is exact; but, also like them, it seems, when compared with the tumultuous richness and 'thickness' of the work by Dickens or Dostoevski, thin and schematic. It is clear but cold. There can be an excess of detachment as well as of commitment.

Others may think that Dickens's novels are, rather, period pieces, and in fact one of the earliest revaluations of Dickens in our time, Osbert Sitwell's *Dickens* (1932, in Chatto and Windus's 'Dolphin Books'), begins with pictures of Victorian London flashing before the mind's eye of the author while reading *Oliver Twist*. Of course Osbert Sitwell does not mean that in order to appreciate Dickens one must transport oneself in fancy back to Victorian London, but of how many 'classics' may we not say that the period piece aspect is what keeps them alive? Can we appreciate Corneille without its historical background, or Jane Austen's novels without connecting them with the tidy, serene conversation pieces of her time? How many would feel inspired, while reading the *Gerusalemme liberata*, to write modern epic verse, as Norman Nicholson did in *Millom Delivered?*

There are then, it seems to me, works of the past that we continue to read with pleasure on account of their atmosphere of 'period pieces', and works of the past which we read because they enrich our spirit through the profundity of their observations, without any intervention of that meretricious element which is the sense of the past. Dostoevski belongs no doubt to the second category: who would find the *Memoirs from the Underworld* picturesque? But I am not sure that the appeal of Dickens is not largely due precisely to the picturesque element, both in characters and surroundings. His descriptions of the gloomy aspects of early industrial England are deservedly famous.

A different view of Flaubert, however, has been taken by Nathalie Sarraute.[6] She admits that the descriptive form is the essential basis on which the greater part of his work rests. She draws however a distinction between the fabrication of mental pictures attempted in *Salammbô*, and resulting in conventional images in the mind of the reader, and the subjective description of things seen through Madame Bovary's eyes. This is the great contribution of Flaubert to the art of the novel:

> This new element, this unknown reality, which Flaubert was the first to make the material of a book, is what has been called inauthenticity. . . . We all remember that *trompe-l'œil* universe, the world as seen through the eyes of Madame Bovary: her desires, her imaginings, the dreams on which she seeks to build her existence, all of which are made up of a succession of cheap images drawn from the most debased, discredited forms of romanticism. One has only to recall her adolescent daydreams, her marriage, her love of luxury, her vision of the lives led by the 'upper crust', of 'artistic and Bohemian' circles, of Parisian life, her periods of fervent mysticism, her mother-love, her sex life—

all roles that she was continually playing for others and for herself—and which were based on the most platitudinous of conventions. . . . The description of a conventional image, of this collection of clichés, constituted by these characters in their roles of fashionable aristocrats of the time, is projected on to other clichés, on to those that make up Madame Bovary's world. And this play of the different *trompe-l'œil*, reacting to one another, confers upon this description a subtlety and a sheen that are rarely equalled.[7]

Who, reading this, can miss the allusion to the art of Joyce, who in *Ulysses* suited his vision and style to the psychology of his various characters? The final monologue of Mrs. Bloom has led Nathalie Sarraute to see in Flaubert a precursor. And if Flaubert was a model, then also Joyce was a model for subsequent writers, and both, according to Sainte-Beuve's broad definition, can be considered classics. And the difference between a classic in the full sense of the word, and a period piece, is that this latter does not see through its own clichés, no matter how delightful they may be (as, for instance, D'Annunzio's *Il Piacere*), whereas the classic arrives at an ultimate truth.

NOTES

[1] 'A Myth of Catastrophe', *The Listener*, 15 November 1956, p. 792.

[2] Arnold Hauser, *The Social History of Art* (1951), I, p. 358. *Cf.* II, p. 937: 'Only mannerism had seen the contrast between the concrete and the abstract, the sensual and the spiritual, dreaming and waking in a similarly glaring light'. I quote here by kind permission of Routledge and Kegan Paul, London, and Alfred A. Knopf, New York.

[3] *Milton* (London, Max Parrish 1949).

[4] George Williamson, 'The Convention of the Extasie', in *Seventeenth-Century Contexts* (London, Faber 1960).

[5] Clifton Fadiman, *Enter, Conversing* (Cleveland–New York, The World Publishing Company 1962), p. 160 ff. I quote here by kind permission of the publishers and Fadiman Associates, Ltd., New York.

[6] See *Partisan Review*, Spring 1966, pp. 193–208.

[7] © 1966 by *Partisan Review*. I quote here by kind permission of the author and publishers.

BAUDELAIRE AND THE IMAGINATION

by

GARNET REES

THE originality of Baudelaire is by now almost a consecrated theme in the canon of criticism but such is the inexhaustible richness of this poet that successive generations are able to discover new motives for admiration and development. Thus it is that Baudelaire's theory of the imagination, evolved gradually through his criticism and correspondence, as well as in his verse, has become central to an understanding of his work. The structure, the themes, the *truth* of his poems all depend, in one way or another, on the vital place he assigned to it amongst the essential poetic qualities. To say that, in this respect at least, Baudelaire is the most English[1] of French poets is not to deny him his Frenchness nor to seek to remove him from a French tradition but Baudelaire runs so strongly counter to the consecrated definitions of the imagination proposed in France for more than three centuries that his originality stands out the more sharply.

The literary speculations of the seventeenth-century French critics call the imagination into question on two grounds, firstly as a mode of knowledge and secondly as a stimulant in the production of literary works. On the first issue the critics unite, following the lead of Montaigne, in condemning the imagination as a dangerous and misleading power. La Mothe le Vayer has an interesting passage on faith-healing which assigns to the imagination a dubious rôle:

Je ne doute nullement que ce ne soit par une grace particuliere du Ciel, que nos rois guérissent les Ecrouëlles. Mais si ceux d'Angleterre ont autrefois soulagé les Epileptiques, ceux de Hongrie les Icteriques, et ceux de Castille les Demoniaques, comme leurs Historiens s'en vantent, je crois que l'opinion des peuples y a beaucoup de part. L'on a crû, au temps du Paganisme, que le pouce du pied droit de Pyrrhus touchant un homme indisposé de la rate lui ôtoit son mal, et il faut tenir pour assuré que, s'il s'est passé quelque chose qui approchât de cela, l'imagination y avoit la meilleure part.[2]

The ironic tone of this passage does not conceal the message: phenomena which temporarily lie beyond the range of reason or of scientific knowledge may be, if acknowledged at all, attributed to the imagination. Furthermore, the imagination can operate collectively in *les peuples*: it is a persuader of the masses, even a mild form of mass hysteria. The well-known passage of Pascal taken from that section of the *Pensées* called *Les Puissances trompeuses* is more profound and more accurate for it accepts the presence and power of the imagination in all men:

Imagination.—C'est cette partie décevante dans l'homme, cette maîtresse d'erreur et de fausseté, et d'autant plus fourbe qu'elle ne l'est pas toujours; car elle serait règle infaillible de vérité, si elle l'était infaillible du mensonge. Mais, étant le plus souvent fausse, elle ne donne aucune marque de sa qualité, marquant du même caractère le vrai et le faux.

Je ne parle pas des fous, je parle des plus sages; et c'est parmi eux que l'imagination a le grand don de persuader les hommes. La raison a beau crier, elle ne peut mettre le prix aux choses.

Cette superbe puissance, ennemie de la raison, qui se plaît à la contrôler et à la dominer, pour montrer combien elle peut en toutes choses, a établi dans l'homme une seconde nature. Elle a ses heureux, ses malheureux, ses sains, ses malades, ses riches, ses pauvres; elle fait croire, douter, nier la raison; elle suspend les sens, elle les fait sentir; elle a ses fous et ses sages; et rien ne nous dépite davantage que de voir qu'elle remplit ses hôtes d'une satisfaction bien autrement pleine et entière que la raison. Les habiles par imagination se plaisent tout autrement à eux-mêmes que les prudents ne se peuvent raisonnablement plaire. . . . Elle ne peut rendre sages les fous; mais elle les rend heureux, à l'envi de la raison qui ne peut rendre ses amis que misérables, l'une les couvrant de gloire, l'autre de honte.[3]

Pascal gives an example. If the wisest of men found himself on a wide plank suspended above a precipice, no matter how insistently his reason will assure him of his complete safety, his imagination will predominate and he will begin to shake and sweat with terror. What is interesting is that Pascal has no doubt at all in ascribing total power to the imagination over all men, not only over *les peuples* as La Mothe le Vayer suggested, but over the wisest and most experienced. It is a *superbe puissance*, 'l'imagination dispose de tout; elle fait la beauté, la justice, et le bonheur qui est le tout du monde'.[4] How close these words are to the descriptions of the power of the imagination which Baudelaire will later advance! But Pascal makes a very sharp distinction; the power of the imagination is divorced from the perception of truth and it presents to man, with equal force and authenticity, that which is true and that which is false. Far from being an instrument of moral discrimination, according to Pascal it is incapable of making necessary distinctions and even, since it is *ennemie de la raison*, blunts the very instrument which can permit man to make the differentiations of motive which govern his conduct. Here we are very far from Baudelaire.

The second context in which the imagination is attacked is in the field of aesthetics. A formidable list of authorities join in describing the imagination as something spasmodic and incapable of sustained brilliance. In the Abbé Rapin's *Réflexions sur la poétique* of 1675 he writes:

Il faut (dit Horace) de la grandeur d'âme et quelque chose de divin dans l'esprit: il faut de grandes expressions, de grands sentiments, et un ton de majesté pour mériter ce nom [de poète]. Un sonnet, une ode, une élégie, un rondeau et tous ces petits vers dont on fait souvent tant de bruit, ne sont d'ordinaire que des productions toutes pures de l'imagination. Un esprit superficiel, avec un peu d'usage du monde, est capable de ces ouvrages.

Boileau exposes similar ideas in *L'Art poétique*:

Un poème excellent, où tout marche et se suit,
N'est pas de ces travaux qu'un caprice produit:
Il veut du temps, des soins; et ce pénible ouvrage
Jamais d'un écolier ne fut l'apprentissage.
Mais souvent parmi nous, un poète sans art,
Qu'un beau feu quelquefois échauffa par hasard,

> Enflant d'un vain orgueil son esprit chimérique
> Fièrement prend en main la trompette héroïque.
> Sa Muse déréglée, en ses vers vagabonds,
> Ne s'élève jamais que par sauts et par bonds;
> Et son feu, dépourvu de sens et de lecture,
> S'éteint à chaque pas, faute de nourriture.[5]

The unchallenged assumption that lies behind these passages is that literary excellence demands a certain amplitude of composition which cannot be achieved by the short-winded impulsions of imagination. Baudelaire, of course, denies this as witness his letter to Armand Fraisse echoing Edgar Allan Poe:

> Quant aux longs poëmes, nous savons ce qu'il faut en penser: c'est la ressource de ceux qui sont incapables d'en faire de courts.[6]

To deny Racine the presence of a most profound creative imagination would be absurd and the critics quoted above are, as Eugène Vinaver has perceptively said, 'gens d'une époque qui croyait moins au génie qu'au talent'.[7] They are talking, it seems to the English reader, not of the imagination, but of fancy and fail to make the penetrating distinctions between them later made by Coleridge.[8]

The English Romantics accord an overwhelming position to the imagination both as a means of knowing and as a literary force. Blake's view can speak for them:

> This world of Imagination is the world of Eternity; it is the divine bosom into which we shall all go after the death of the Vegetated body. This World of Imagination is Infinite and Eternal, whereas the world of Generation, or Vegetation, is Finite & Temporal. . . . All Things are comprehended in their Eternal Forms in the divine body of the Saviour, the True Vine of Eternity, the Human Imagination.[9]

The French Romantics have other preoccupations and do not accord to the imagination the same over-riding qualities nor do they seek to rehabilitate it. The *Préface de Cromwell* launches the battle cries of *liberté*, *vérité*, *passion* and *nature*; its preoccupations seem to be more practical than theoretical, there is much more insistence on the aims of literature than on the rôle of the imagination in poetic creation.

How tempting it is to suppose that Baudelaire, younger than the generation of English Romantics, had found in their work the fundamental elements of the theory of the imagination which was to transform his work; but in the *Correspondance* where he displays so many of his ideas and confessions, the names of the English Romantics are absent. If he mentions the name of Coleridge, it is simply to reassure Sainte-Beuve that he had not forgotten his promise to find the allusion that Poe had made to the English poet. Indeed, if we must find an English origin for Baudelaire's ideas on the imagination because of this close affinity, we must go to Mrs. Catherine Crowe, author of a curious book entitled *The Night Side of Nature or Ghosts and Ghost Seers*, published in London in 1848. Her name does not feature in *The Oxford Companion to English Literature*, but there she is, 'cette excellente Mme. Crowe', enshrined in the *Salon de 1859* where Baudelaire examines most profoundly the rôle of the imagination in poetic creation. This odd literary affinity has been examined in detail by Margaret Gilman, G. T. Clapton and Randolph Hughes.[10] It is an outstanding example of the creative deformation which possesses certain privileged literary works when they cross national frontiers.

It is not my intention to trace the influences which stimulated Baudelaire in the slow elaboration of his own theories. Delacroix certainly has an important place, for his long meditations on the imagination contain much that Baudelaire was to adopt. Edgar Allan Poe is also a powerful catalytic agent and his borrowings from the American writer have been noted in detail. There is one passage which suggests with uncanny accuracy the ideas on the imagination which Baudelaire eventually formulates. In *A Chapter of Suggestions* (1845), Poe writes:

> That the imagination has not been unjustly ranked as supreme among the mental faculties, appears from the intense consciousness, on the part of the imaginative man, that the faculty in question brings his soul often to a glimpse of things supernal and eternal—to the very verge of the *great secrets*. . . . Some of the most profound knowledge—perhaps all *very* profound knowledge—has originated from a highly stimulated imagination. Great intellects *guess* well.[11]

The extent to which Baudelaire places the imagination in the very centre of his poetry may be judged from the fact that he refers to it, in letters to his mother, as though it were almost a physical thing, existing in himself but almost independently. With sad prescience he sees it as a most precious gift which can wither away leaving him an empty shell. In 1855 he wrote to his mother:

J'ai vécu comme une bête féroce, comme un chien mouillé. Et cela durera éternellement, jusqu'à ce que mon imagination s'évanouisse avec ma santé.[12]

Two years later he writes:

Pourvu qu'alors mon imagination, fatiguée par tant d'ennuis ne soit pas éteinte.[13]

and in 1861:

Des insultes, des outrages, des avanies dont tu ne peux pas avoir l'idée... qui corrompent l'imagination, la paralysent.[14]

What are the qualities Baudelaire attributes to the imagination? He makes the obvious point that it cannot exist alone but must be allied to the craftsmanship of poetry:

Plus on possède d'imagination, mieux il faut posséder le métier pour accompagner celle-ci dans ses aventures et surmonter les difficultés qu'elle recherche avidement. Et mieux on possède son métier, moins il faut s'en prévaloir et le montrer, pour laisser l'imagination briller de tout son éclat. Voilà ce que dit la sagesse; et la sagesse dit encore: Celui qui ne possède que de l'habileté est une bête, et l'imagination qui veut s'en passer est une folle.[15]

The poet is not a simple virtuoso and yet his skill must be intense to enable the *données* of the imagination to be transmitted in words. This is not at all the same idea as the idea of composition in length advanced by Boileau. Baudelaire is not specific in his definition of *métier* but it would include a carefully adjudged use of different poetic forms and an *enchaînement* of images.

The imagination cannot exist in the void; its raw materials are the observations made by the poet on the external world:

Tout l'univers visible n'est qu'un magasin d'images et de signes auxquels l'imagination donnera une place et une valeur relative; c'est une espèce de pâture que l'imagination doit digérer et transformer. Toutes les facultés de l'âme humaine doivent être subordonnées à l'imagination qui les met en requisition toutes à la fois.[16]

There is much here to enlighten us. Art is not the imitation of nature, as Baudelaire constantly repeats. The sonnet *Correspondances* states clearly that reality lies hidden behind appearance, that the *regard familier* of the objects which we perceive conceals a mysterious meaning which it is the poet's task to decipher. The external world is full of these *images* and *signes*; it is the aim of the imagination to assign them *une place et une valeur relative*. The aesthetic value of these *images* and *signes* is not in question but in relation to what is their value *relative*? It is a question to which we shall return.

The reference to the imagination as the faculty to which all others must be subordinated is reinforced in a well-known passage:

Mystérieuse faculté que cette reine des facultés! Elle touche à toutes les autres; elle les excite, elle les envoie au combat. Elle leur ressemble quelquefois au point de se confondre avec elles, et cependant elle est toujours bien elle-même, et les hommes qu'elle n'agite pas sont facilement reconnaissables à je ne sais quelle malédiction qui dessèche leurs productions comme le figuier de l'Evangile.

Elle est l'analyse, elle est la synthèse; et cependant des hommes habiles dans l'analyse et suffisament aptes à faire un résumé peuvent être privés d'imagination. Elle est cela, et elle n'est pas tout à fait cela. Elle est la sensibilité, et pourtant il y a des personnes très-sensibles, trop sensibles peut-être, qui en sont privées. C'est l'imagination qui a enseigné à l'homme le sens moral de la couleur, du contour, du son et du parfum. Elle a créé au commencement du monde, l'analogie et la métaphore. Elle décompose toute la création, et, avec les matériaux amassés et disposés suivant des règles dont on ne peut trouver l'origine que dans le plus profond de l'âme, elle crée un monde nouveau, elle produit la sensation du neuf. Comme elle a créé le monde (on peut bien dire cela, je crois, même dans un sens religieux), il est juste qu'elle le gouverne.... L'imagination est la reine du vrai, et le *possible* est une des provinces du vrai. Elle est positivement apparentée avec l'infini.[17]

The extent to which Baudelaire awards a position of centrality to the imagination amongst the other faculties emerges clearly.

It is the catalytic agent which activates; in its absence there is total intellectual sterility. Baudelaire ascribes to it two contradictory functions which result in two different operations: it decomposes the world and then recreates it in a new form. The act of decomposition must involve the intelligence for it presupposes that the imagination can critically evaluate the impact of the world by over-riding prejudice and accepted ideas. Nothing can be taken at its face value or in its traditional interpretations: the poet equipped with the terrible arm of the imagination must look afresh and recreate a new world from the assembled elements of the old. Synaesthesia, too, is a means of knowing, for it is a part of the process by which the poet fulfils his task of being a *traducteur* and *déchiffreur*. The act of disassociation is the first step in the process whereby the poet, like God, creates a new world. It is in the selection among the infinite number of possible elements and their regrouping into new and significant combinations that one must ask what principles will govern the *place* and the *valeur relative* given to the *images* and *signes* with which the poet will work. Aesthetic principles must clearly have a major place for the finished poem should present as vividly and clearly as possible the new vision of the world, but it is equally clear from an earlier quotation that technical skill must follow the demands made upon it by the imagination and not show itself in an irrelevant display of virtuosity. Is Baudelaire then saying, in direct opposition to Pascal, that the imagination is always infallibly the agent for finding the truth because it is *la reine du vrai*? Baudelaire is neither a professional philosopher nor an aesthetician; his definitions here tip over into a kind of mysticism. A letter to Alphonse Toussenel written in 1856 goes some way towards clearing up the problem:

> Il y a bien longtemps que je dis que le poëte est *souverainement* intelligent, qu'il est *l'intelligence* par excellence,—et que l'*imagination* est la plus *scientifique* des facultés, parce que seule elle comprend l'*analogie universelle*, ou ce qu'une religion mystique appelle *la correspondance*.[18]

It is surprising in this context to find the imagination referred to as the most scientific of all the faculties. Is Baudelaire taking sides in the long and bitter disputes which raged in nineteenth-century France over faith and doubt, religion and science, idealism and positivism? This is not likely for in other contexts Baudelaire attacks science as part of the illusion of progress. Flaubert too, who shares so completely many of Baudelaire's views on the rôle of literature, made a similar claim when, in a letter of 1867 he wrote to Madame ***: 'Le roman, selon moi, doit être scientifique, c'est-à-dire rester dans les généralités probables'.[19] Of course Flaubert is here concerned principally with the effect of the theory of determinism on the development of fictional characters but he clearly experiences no difficulty in equating science with certain aesthetic enterprises. Baudelaire wrote in 1859, in a passage which closely echoes Poe:

> Je pourrais ici renouveler mon éternelle thèse: La *morale* cherche le *bien*, la science, *le vrai*, la poësie et quelquefois le Roman, ne cherchent que le *beau*.[20]

The truth discovered by science is, for Baudelaire and Flaubert, a truth which is not coloured by human prejudice, by political, religious or moral attitudes. For both Baudelaire and Flaubert, art must be independent of these perilous extraneous influences and so, curiously enough, the preconditions for art and science are identical. Here the resemblance ends since science can be taught objectively and any scientist who is able enough can follow an idea even into the realms of that which is scientifically possible. The products of the imagination derive from a quick intuition and demand, from the poet as well as from the reader, the leap of faith. The poet's imagination will not undertake any systematic review of knowledge for Baudelaire held firmly that 'en décrivant ce qui est, le poëte se dégrade et descend au rang de professeur',[21] but from his work will emerge fragmentary insights, true as well as beautiful, imprinted with the truth of their origin:

> La morale n'entre pas dans cet art à titre de but; elle s'y mêle et s'y confond comme dans la vie même. Le poëte est moraliste sans le vouloir, par abondance et plénitude de nature.[22]

In this way, as R. Vivier has recently said, the critic becomes a metaphysician.[23]

Baudelaire's speculations on the rôle of the imagination in poetic creation have a compelling interest but we must prize him above all for his poetry. It will be important to examine one poem briefly to attempt to trace the poetic imagination in action. *Le Cygne* imposes itself for a number of reasons: not only is it contemporaneous with the *Salon de 1859* which is so central a source for our knowledge of Baudelaire's critical ideas (the poem was first published on 22 January 1860), but also it is one of Baudelaire's finest works. It was greatly admired by Proust and T. S. Eliot and it is satisfyingly appropriate, in this book above all others, to remind ourselves of the subtle commentary on *Le Cygne* written by P. Mansell Jones when he was a colleague of Eugène Vinaver in Manchester.[24]

The *métier* which Baudelaire considered to be essential to follow the imagination in its 'aventures' and to surmount the difficulties it proposes, is displayed in all its power in this poem. Mansell Jones has commented on its use of tones in the higher and lower registers as well as its singular form which make the poem into 'an experiment of great significance in the development of form of modern French poetry'. It is a taut construction, encompassing styles which vary from the traditionally Poetic to a more colloquial level; its rhythms change from the noble Racinian alexandrin to the barely accented:

> Comme je traversais le nouveau Carrousel.

This gradation of style which so triumphantly challenges previously accepted ideas of what constitutes poetic *unité de ton* and so opens up a new mode of poetic expression for poets, holds together, in a construction of the utmost tautness and subtlety, the illustrative images which Baudelaire has clustered around the theme of exile.

What Gaston Bachelard has called the 'puissance créatrice de l'imagination' is displayed in *Le Cygne* by the images Baudelaire uses. The *images* and *signes* are illustrations taken from Baudelaire's own experience—firstly, from the observations of Baudelaire the city-dweller: the swan, the rebuilding of Paris, the 'négresse amaigrie et phthysique'; secondly, from Baudelaire's reading:

Andromache, with Pyrrhus, Hector, Helenus and the wider medieval and Romantic resonances of the 'souffle du cor'; thirdly, from a wider range of reference in which physical exile is merged with a more desolate moral exile: in 'quiconque a perdu ce qui ne se retrouve', 'ceux qui s'abreuvent de pleurs', the 'maigres orphelins', the 'matelots oubliés dans une île', the 'captifs' and the 'vaincus'. The gap in social and literary hierarchy between the noble Andromache and the street-walking negress is bridged by the variations of style: the poem is further welded together by the compassion it shows for the living and the dead, confirmed by Baudelaire's own brooding sense of exile in time as witnessed by the changing face of Paris.[25] Throughout it all runs the generating power of the meditative memory.

The disparate nature of the social and literary references encompassed by the illustrations of exile contained in the poem owe their origin, as Baudelaire himself confessed, to his 'mémoire fertile': here is the analytical power which is part of the rôle of the imagination. Its synthesis is to be seen in the intricate intermingling of the themes. When Baudelaire sent the poem to Victor Hugo on 7 December 1859, he said in his accompanying note:

> Voici des vers faits pour vous et en pensant à vous.... Ce qui était important pour moi, c'était de dire vite tout ce qu'un accident, une image, peut contenir de suggestions, et comment la vue d'un animal souffrant pousse l'esprit vers tous les êtres que nous aimons, qui sont absents et qui souffrent.[26]

The simple *fait divers* which lies at the heart of the poem has, created around it, a new world of compassionate meditation which instantly impresses the reader with its deep originality. The totality of the poem is so much more than a bizarre catalogue. As Gaston Bachelard has penetratingly written:

> L'imagination n'est pas, comme le suggère l'étymologie, la faculté de former des images de la réalité; elle est la faculté de former des images qui dépassent la réalité, qui *chantent* la réalité. Elle est une faculté de surhumanité.[27]

This is where the poem has succeeded, by the dominating force of the imagination, in creating a new world and a new truth:

that man is by his very nature exiled from happiness and that to live is to experience a growing and irrevocable sense of loss. It illustrates Baudelaire's view that the imagination created the world; it justifies Bachelard's claim that the imagination is 'une puissance majeure de l'esprit humain'.[28]

NOTES

[All references to Baudelaire's works are taken from Baudelaire, *Œuvres complètes*, texte établi et annoté par Y.-G. Le Dantec, édition révisée par Claude Pichois, Bibliothèque de la Pléiade (Paris 1966). Extracts from the correspondence are quoted from Baudelaire, *Correspondance générale*, éditeé par Jacques Crépet et Claude Pichois (6 vols., Paris 1953).]

[1] This point is elaborated in the subtle book by L. J. Austin, *L'Univers poétique de Baudelaire* (Paris, Mercure de France 1956) which contains a chapter on 'L'Imagination de Baudelaire'.

[2] *Cit.* R. Pintard, *Le Libertinage érudit dans la première moitié du XVIIe siècle* (Boivin, Paris 1943), I, p. 528.

[3] *Œuvres de Blaise Pascal*, éditées par L. Brunschvicq (Hachette, Paris 1925), XIII, pp. 1–3.

[4] *Ibid.*, p. 10.

[5] *Chant* III, lines 309 ff.

[6] 18 février 1860. *Correspondance*, III, p. 40.

[7] In *Racine et la poésie tragique*, deuxième édition revue et augmentée (Paris Nizet, 1963), p. 41.

[8] There is an interesting discussion on this point in M. H. Abrams, *The Mirror and the Lamp* (Oxford University Press 1953).

[9] *A Vision of the Last Judgment* (1810). *Complete Writings* (Oxford University Press 1966), pp. 605–6.

[10] Margaret Gilman, *Baudelaire the Critic* (New York, Columbia University Press 1943); G. T. Clapton, 'Baudelaire and Catherine Crowe', *Modern Language Review*, XXV (1930); Randolph Hughes, 'Une étape de l'esthétique de Baudelaire: Catherine Crowe', *Revue de littérature comparée* (Oct.–Dec. 1937).

[11] *The Complete Works of Edgar Allan Poe*, edited by James A. Harrison (AMS Press, New York 1965), XIV, p. 187.

[12] 20 décembre 1855. *Correspondance*, I, p. 355.

[13] Letter to his mother, 8 février 1857. *Ibid.*, II, p. 5.

[14] Letter to his mother, 6 mai 1861. *Ibid.*, III, p. 281.

[15] *Salon de 1859*, p. 1029.

[16] *Ibid.*, p. 1044.

[17] *Ibid.*, pp. 1037–8.

[18] 21 janvier 1856. *Correspondance*, I, p. 368.

[19] *Correspondance de Gustave Flaubert*, nouvelle édition augmentée (Paris, Conard 1929), V, p. 277.

[20] 8 janvier 1859. *Correspondance*, II, p. 255.

[21] *Victor Hugo*, p. 711.

[22] *Ibid.*, p. 709.

[23] In '[Baudelaire] Critique et métaphysique', *Revue d'histoire littéraire de la France* (avril-juin 1967), 67e année, 2, pp. 413–42.

[24] In *The Assault on French Literature and Other Essays* (Manchester University Press 1963).

[25] See 'The Consciousness of Time in Baudelaire' by Ian W. Alexander in *Studies in Modern French Literature presented to P. Mansell Jones* (Manchester University Press 1961).

[26] Pp. 1537–8.

[27] *L'Eau et les rêves*, nouvelle édition (Paris, Corti 1947), p. 23.

[28] *La Poétique de l'espace* (Paris, Presses universitaires de France 1957), p. 16.

THE MYTHICAL BACKGROUND TO HENRI BOSCO'S *UN RAMEAU DE LA NUIT*

by
F. W. SAUNDERS

IT has become a feature of contemporary literary criticism to insist on the intimate connection between prose fiction and myth. 'Au sein du récit littéraire... les séparations entre le mythe, la légende, le conte ou le roman sont très floues.'[1] The great novelist, it is suggested, is one who is able to 'toucher au cœur du lecteur ces grands ressorts archétypaux qui structurent en secret les désirs, la rêverie et les préoccupations les plus intimes'.[2] The exponents of this aesthetic stress, however, that 'tout se passe comme si le mythe montait spontanément des profondeurs de l' inconscient et s'accrochait au contenu manifeste par tous les détails qui y donnent prise....'[3] In the case of the poet-novelist Henri Bosco, whose familiarity with the myths and cults of the Mediterranean world derives from patient study at the highest level of consciousness, the effect of spontaneity and the fusion of ancient theme and modern setting are the triumph of art, for evidence suggests that erudition may prove an impediment rather than an asset. In *Isis*, Villiers de l'Isle-Adam allowed his esoteric lore, together with fervent commitment, to sweep away the lineaments of plot in a flood of dithyrambic eloquence. Earlier, Bulwer Lytton, in *Zanoni*, preoccupied with the perpetuation of the old cults through initiation, lapsed into the formula of a catechism between master and novice. In our time, Giono, less erudite than Bosco, and using only the broader outlines of mythical figures and situations, has achieved considerable success, at least within the narrow compass of the *Pan* trilogy. What Bosco has attempted in *Un Rameau de la Nuit*, a full-scale novel, is an expanded and detailed transposition, not of a single myth and its protagonists, but of several, so as to suggest something like an evolutionary process. The resulting work has been acclaimed by Gaston Bachelard as 'un grand livre'.[4]

It is Bosco's narrator, Frédéric Meyrel, who ensures continuity between the familiar, near-contemporary world in which most of the author's novels are grounded, and the more remote and rarefied atmosphere of metaphysics, myth and ritual. By profession a classical palaeographer, Meyrel from time to time reveals his current preoccupations to the reader. The Greek texts from which he quotes serve not merely to authenticate the vocation with which the author has credited him; their contents, *pace* Professor Sussex,[5] shed a discreet light on the author's intentions. In this they are supplemented by a host of less obtrusive allusions.

The repeated introduction of certain natural phenomena and the atmosphere with which they are surrounded suggest that they have a symbolic function and acquired associations. The first to be encountered is the mirror-effect. The narrator, hearing that an acquaintance, a retired sea-captain, has been seen putting out to a derelict ship lying in the harbour at Marseilles on a foul night, follows to investigate. Going below, he loses his way in the maze of passages without locating the old man. The reflection of his lamp in the glass-door of a sideboard, when he peers into a saloon, starts a train of thought. He has the feeling that behind this reflection exists something which is striving to manifest itself: 'C'est vers moi que tendait sa fictive pensée, celle dont je sentais en moi la présence latente....'[6] This variant of the myth of Narcissus conveys Meyrel's impression of being haunted by a 'double': the phenomenon of duplication by reflection exteriorizes the feeling of *dédoublement*.

Here Bosco has introduced, in a highly subjective and personal form, a problem which on the level of metaphysical speculation, had greatly exercised the author of the Greek text prefixed to the novel: '. . . *φυγὴ μόνου πρὸς μὸνον*.' These are in fact the closing words of Plotinus' *Enneads*: Hadot translates thus: 'fuir seul vers le Seul'.[7] It will be recalled that one of the problems of the philosophical system of Plotinus is the reconciliation of *ταὐτὸν* and *ἕτερον*, the harmonization of an apparent dualism with an essential monism: 'Chaque être est double, il est un composé, et il est lui-même.'[8] Jean Trouillard comments: 'L'altérité est en effet la première détente qui permet à l'unité idéale de naître de la pure simplicité.'[9] On the personal level, Plotinus uses language which suggests duality, speaking of a superior and an inferior soul. The experience of Bosco's narrator may be seen as a confrontation of these higher and lower parts, for 'la tentation que symbolisent les miroirs de Narcisse et de Dionysos n'est jamais un pur attrait du néant, mais un regard ambigu du supérieur vers l'inférieur'.[10]

The same problem is inherent in the second Greek text which the scholar-narrator quotes: '*πάντα δὲ ἐν σοί, πάντα ἀπὸ σοῦ*', and which Bosco translates thus: 'Tout est en toi, tout vient de toi'.[11] At the one extreme the Ultimate Being is characterized by perfect unity; at the other, there is the infinite multiplicity of the phenomenal world. Bosco does not indicate the source of this text, though it may be found in the *Hermetica*, a collection of Gnostic writings by contemporaries, compatriots and adversaries of Plotinus.[12] Meyrel is particularly interested in the commentary on this text by an unnamed scholiast: 'Il n'est rien que tu ne possèdes: sans doute. Et même ce qui te possède. Car tu peux être possédé, et par toi-même, sans cependant te posséder. En toi, il y a l'autre...'[13] The 'altérité', the 'étrangeté', the 'otherness' of the image is thus stressed, and the way is prepared for the notion that Meyrel's personality has been invaded, 'possessed' by that of a stranger, a former member of the ship's crew. One symptom is Meyrel's increasing awareness of memories that are not his own. The point of departure would seem to be the experience in the ship's saloon, recalling the popular belief that he who looks into a mirror by night risks losing his soul (and, presumably, becomes available for occupation by any wandering shade). Such a shade has in fact been conjured up by the old captain whose purpose in visiting the abandoned ship was to perform a ritual to this effect.

Just before this episode Meyrel had been working on the interpretation of another Greek text, a papyrus, which Bosco does not identify but supplies in translation. The opening lines are particularly apposite: 'O Semblable, tu es en moi.... Crains un invisible démon. Il nous tend le miroir qui fascine et captive.... Ah! je sens que tu cèdes; te voilà pris et tu m'as quitté. Déjà tu me regardes: c'est toi et je me reconnais...'[14] They record the experience of the dissociation of a personality in terms of a *dédoublement*. All the author says about the text is that, although written in Greek, it seems non-Hellenic in origin. It is not to be found in the *Hermetica*, although Libellus XVII treats of mirrors and the reflection of unbodied forms.[15] If authentic, it could well be an extract from the roughly contemporary Egyptian magical papyri, from one of which—Pap. mag. Lond. 122—Bosco later quotes.[16]

The mirror is featured in another early episode. Meyrel, gazing into a lighted shop-window on a wet winter's night, is vaguely aware of a child standing next to him similarly engrossed. Then each catches sight of the other's reflection in a mirror forming the background to the display, and Meyrel identifies the child as Marcellin, from the café in Géneval. Although Bosco is at his most elusive here, the reader is left to infer from the succession of emotions reflected by the child's face that he sees, not Meyrel's image, but that of the 'double' Bernard, now dead and, conceivably, the child's father. The 'possession' is confirmed.

But the mirror as a symbol has other early associations in Greek mythology. The quotation from the Greek papyrus contains an allusion to the mysteries at Eleusis: 'le miroir qui fascine et captive',[17] one of the objects shown to the initiates being a mirror, to recall the device used by the Titans to beguile the young Dionysus and lead him to his death. Plotinus uses this legend as an analogy to illustrate the temptation held out to the soul by the flesh.[18] A further hint follows: we find Meyrel beginning the translation of an Orphic tablet. Now, in the context of the Dionysiac religion Meyrel (or Meyrel-Bernard) appears as an Orpheus-figure. Bernard had been an 'argonaut', travelling to remote places; both Bernard and Meyrel resist the allurements of the Siren, Clotilde, with Orphic misogyny. Orpheus may be seen as a culture-hero who strove to end the wild life of the hunter and introduce the peaceful ways of the farmer, and Bernard's diary reveals an analogous rôle, a losing battle to contain the aggressive exuberance of nature and persuade the dwindling community of Géneval to resist its encroachments: 'Ils l'ont soumise et refoulée, par leur travail. Mais elle attend. La moindre défaillance la réveille.'[19] Orpheus seems to be losing ground to Pan: indeed, Bernard's diary notes that the proliferation of natural forces became marked after the unearthing and re-erection of an altar sacred to Pan and the Nymphs.[20]

An Orphic situation is apparent in the nocturnal encounter between Meyrel and Clotilde deep in the woods of Loselée: the solitary, ascetic scholar falls into the clutches of a Maenad, though in resisting he is more fortunate than the Orpheus of legend.[21] In the Orphic theogony Night rules the universe after her father, Phanes, the creator of all, and one cannot miss the predominantly nocturnal setting of *Un Rameau de la Nuit*, in which the crucial events, encounters and insights almost all take place under the aegis of Night. Clotilde, retiring and insignificant by day, becomes an impressive and menacing figure by night; indeed, she and her aunt Mme. Millichel jointly evoke the Dark Queens of the Shades, Persephone and Demeter. Meyrel soon suspects that his tenancy of Loselée is not fortuitous: it has been contrived by Mme. Millichel and her cousin Drot. He is needed to reincarnate Drot's half-brother Bernard, a process initiated on board the *Altaïr*. Bernard had been an Orpheus who had not survived the 'descent' of his Eurydice, Alleluia's daughter, buried at sea. If Bernard represents Orpheus before the loss of Eurydice, Meyrel portrays rather the misogyny of Orpheus thereafter. In Mme. Millichel and Clotilde Bosco seems to be personifying the resistance of the cult of Demeter to the Orphic 'reformation'; the 'message' of the novel is that the chthonian deities are only finally routed when the advances made by the Orphic religion are consolidated and completed by the Judaeo-Christian revelation.

Mme. Millichel's mythical rôle is merely sketched in: her water-divining suggests close affinities with the earth; she ignores the ministrations of the abbé Bourguel and proclaims dogmas of her own; she gives Meyrel lunch and quizzes him in a cryptic, laconic manner until she elicits from him a quotation from an Orphic tablet designed to aid the dead on their passage through the Underworld: ' "*Mortel, immortel, j'ai erré...*" ...Je répétai les quatre mots, religieusement, à voix basse.'[22] The impression given is that the phrase is being used as a pass-word, as part of a litany giving evidence of allegiance or initiation; indeed, Meyrel has recently transcribed an Orphic fragment, ending with the word *téleïosis*, which he renders as 'perfection', but which also has the esoteric meaning of 'initiation'.[23] While the formula intoned by Meyrel does not seem to occur in any published Orphic fragment, a comparable phrase is found in the *Purifications* of Empedocles:

> . . . *ἐγὼ δ'ὑμῖν θεὸς ἄμβροτος, οὐκέτι θνητός*
> *Πωλεῦμαι μετὰ πᾶσι τετιμένος* . . .[24]

Zafiropulo translates thus: 'Quand à moi, je marche parmi vous en Dieu incorruptible, affranchi de la mort à jamais...' and comments: 'Formule orphique reprise par les Pythagoriciens... désignant ceux qui étaient parvenus à la contemplation parfaite, échappés au cycle des réincarnations, et s'en allaient rejoindre les Dieux.'[25] The formula also occurs in a poem of Hierocles; Delatte quotes it with the comment: 'Cette expression paraît avoir été une sorte de formule consacrée ou de mot de passe magique par lequel le défunt affirmait sa dignité et ses droits au paradis[26]'. Mme. Millichel says nothing to indicate her reaction, but shows physical signs of tension and abruptly changes the subject.

To complete the symbolic function of the mirror in the novel, it remains to note two incidents which involve its theurgical associations. When Clotilde first invades Meyrel's privacy at Loselée he sees her gazing enrapt at her own image in a pool.[27] Is she not seeking there the image of her lost lover Bernard, using the pool as the magic spring of romance, an example of which occurs in *Astrée* with the explanation: 'L'amant qui s'y regardoit voyoit celle qu'il aymoit; s'il estoit ayme d'elle, il s'y voyoit aupres...'?[28] The other example has more obviously classical antecedents. Mus, the old gardener at Loselée, whose name recalls faintly Orpheus' associate Musæus, remains devoted to Bernard and expects his return. One night Meyrel espies him bending over the surface of the fountain near the altar of Pan, and interrogating the image he sees there, which he takes to be that of his late master: 'Parlez plus fort, Monsieur Bernard...'[29] Certain oracles in central Greece were associated with Pan and the Nymphs, and at that of Apollo Thyrxeus, near Cyaneae, the god revealed the future in the surface of a fountain.[30]

The second motif to engage the reader's attention is the bird. When Meyrel takes up residence at Loselée he learns that the large deserted aviaries in the grounds had once been peopled by birds of all species, attracted by the powers of Bernard. The birds had left on Bernard's departure, but begin to return soon after Meyrel's arrival. The Orphic allusion is plain: Bernard and Meyrel share the hero's power to charm birds. It is revealing that when Meyrel tells Mme. Millichel of the birds' return the revelation of his Orphic gift causes her to blanch.[31] The very name Loselée suggests an estate rich in bird-life;[32] moreover, the crucial episode on board the derelict ship occurs under the sign of the bird, since this is the meaning of the Arabic *Altaïr*.[33]

The bird as a symbol of soul or spirit is familiar from Plato's *Phaedrus*; that it has this function in Bosco's novel is evident from the description of the simultaneous flocking and wheeling of all the birds at Loselée: 'Une puissante force ascensionnelle soulevait les oiseaux vers un point de l'espace... et insensiblement, ces milliers d'âmes suspendues au-dessus de la terre, s'apaisaient.'[34] There is a resemblance between this passage and Edouard Schuré's imaginative reconstruction of the *Poimandrus* of Hermes Trismegistus beginning with the words: 'Vois-tu cet essaim d'âmes qui essaye de remonter vers la région lunaire?...'[35] There is evidence that for both Orphics and Pythagoreans the ultimate destination of the freed soul was the Milky Way, with the moon as a staging-post.[36] Both these boundaries of ancient cosmography are affirmed in *Un Rameau de la Nuit*: the moon, illuminating the impure sublunar atmosphere from the boundary of the pure ether, also communicates the divine *νοῦς* to men; the term 'irradiation'[37] is the *ἔλλαμψις* which in Platonic and Neoplatonic philosophy denotes this infusion. 'Je jouissais d'une intelligence mobile qui s'épandait dans la clarté lunaire pour tout voir, tout entendre, tout saisir, sans même composer une pensée, par vertu du rayonnement qui m'enveloppait de sa flamme éblouissante', recalls Meyrel.[38]

The Milky Way, briefly observed on p. 148, is more significantly featured on the carved gem-stone which had belonged to Bernard.[39] The oval shape of the stone reflects the Orphic view of the structure of the universe, the Milky Way being located beyond the planets.[40] Rougier remarks that Breton peasants still refer to the Galaxy as 'le chemin de Saint-Jacques', as if it were thronged with the souls of the departed on their way to heaven.[41] Such inscribed stones (σφραγῖδες) began to appear in large numbers in the first century A.D.[42]

The myth of the death and resurrection of Dionysus was the corner-stone of the Orphic mystery. Initiation at Eleusis seems to have involved a symbolic death, a 'descente aux Enfers' like that of Orpheus himself, and a rebirth.[43] The *Altaïr* episode, perhaps the most memorable in Bosco's novel, is a modern version of this ritual. Meyrel, threading his way along a narrow, dark passage in the bowels of the ship, suddenly becomes aware of the esoteric significance of the circumstances; the cabins on either side evoke the subterranean chambers of a catacomb: 'Dès lors, il ne s'agissait plus de retrouver un homme, un vieil ami, Alleluia, égaré par un coup de folie dans quelque recoin de ce bateau voué à la démolition, où Dieu sait qui l'avait appelé douloureusement, cette nuit-là. Il fallait accomplir le parcours suivi par cette âme en quête d'un regret, d'un songe, et sans doute aussi d'elle-même... puis descendre, descendre avec elle aux enfers, atteindre les ténèbres et là, peut-être, plein d'angoisse, le voir apparaître soudain portant une faible lumière devant son visage.'[44]

The bearded figure of the old mariner is the guide, the mystagogue, leading the way through this ritual journey. It is indeed a descent into the realm of the dead, for Alleluia visits the cabin where his daughter had died at sea, to invoke her shade. The modern liner is still 'la barque des morts'. The initiate at Eleusis feigned death and was 'born again'; Meyrel, struck by an iron bar and rendered unconscious, awakens to find himself back on land, and experiences the freshness of perception characteristic of convalescence. He feels a 'new man' in the sense of being invaded by a strange personality, that of Bernard, once an officer on the *Altaïr*. Bosco ingeniously incorporates within this first *κατάβασις* a second, that of Alleluia's daughter whose sea-burial is imaginatively evoked and experienced by Meyrel while contemplating the scene of her death.[45] The complementary *ἀνάβασις* is introduced, less acceptably, through the delirious dream of the sick child Marcellin.[46]

If, as Dean Inge claimed, 'the Orphics were the first to teach that the Soul of man is "fallen"...'[47], they must have encouraged the view that the soul is an exile here on earth. A sense of alienation and exile, a nostalgia for some unnamed abode, is early manifested in the novel by Rose Manet, whose *Café du Souvenir* is decorated with a mural painting of a haunting, idealized landscape: 'c'était le pays d'ailleurs, celui qui nous cherche sans cesse quand nous le cherchons...'.[48] The child Marcellin, persuaded to sketch his version of the landscape, turns the lake into an ocean on which a ship leaves the shore marked *ici* for an island labelled *là-bas*. The message is now clear, for the antithesis Here/Yonder recurs frequently in Plotinus, drawing the distinction between the world of phenomena and the realm of the spirit. The two-dimensional drawing affords yet another example of that polarization on the vertical plane so frequent in Bosco's writings, for apart from any esoteric implications, the instances of descent and ascent noted have phenomenological validity as dynamic affirmations of a basic spatial dimension.

One further element in the novel's mythical *décor* claims attention. The 'dark bough' of the title introduces a motif which cannot properly be described as recurrent, since it is rather a continuing presence: the tree. Rooted in the earth, yet reaching up into the heavens, the tree manifests that upward tending of the chain of being which is fundamental to the philosophy of Plotinus: 'la procession plotinienne est avant tout ascendante'.[49] Bosco hints at sinister implications: the tree may envy man's superior status in the scale of being: '...il faut résister à l'attrait nocturne des bois. La présence de l'homme émeut leur être sombre qui obscurément sent en lui l'existence d'une âme; et c'est une âme qu'il désire...'.[50] In contact with the lower forms of being, man may be impeded in his aspiration towards the life of the spirit: 'l'âme cède à leur puissance... elle perd... le don du dénuement: c'est le signe même de l'âme'.[51] 'Dénuement', in the sense of the shedding of terrestrial attachments, echoes the spirit of Plotinus' teaching: 'Plus elle [the soul] se hâte vers le haut, plus elle oublie les choses d'ici-bas'.[52]

In addition to the rivalry which Bosco's narrator senses in the woods, there is a danger in the very notion of man's solidarity with the rest of creation, common to the philosophical systems which appeal to Bosco, a temptation to the individual to submerge his separate identity in the totality of the universe. Bernard's diary reveals that he felt the menace of this allurement and the vulnerability of not knowing his true name, for: 'le nom précise l'âme et lui seul la protège'.[53] The same temptation is held out to Meyrel by Bernard's half-brother Drot: 'C'est en s'oubliant qu'on est soi. Oubliez-vous.'[54] The sculpted Bodhisattva earlier glimpsed in Drot's inner sanctum now assumes significance, but Meyrel refuses the way of nirvana, and Buddha is excluded from the Pantheon.

Among the trees in the woods of Loselée, one species in particular claims Meyrel's attention. The oak, with its aromatic properties, diffuses into the atmosphere, and communicates to man, the strength which it has pumped up from the earth: 'Si c'est un chêne entier qui entre lentement dans votre souffle, la sève se mélange au sang, la force sombre de la terre s'épanouit dans l'être...'.[55] Meyrel, like Bernard before him, established contact with one spectacular oak by perching on a branch. These details assume relevance when one recalls the Orphic association of the oak: according to one tradition, Orpheus met his death in an oak-grove from Zeus' thunderbolt. The brass bells which Mus attaches to the lower branches of trees, ostensibly to give warning of wanderers in the grounds, have no recognizable Orphic connections, but recall the 'amplification' of the ancient oracle in the oak-grove at Dodona by the attaching of metal rods and earthenware vessels to the wind-stirred branches.[56]

Dark boughs constitute a decorative motif at several points in the novel: on the painted ceiling of Meyrel's bedroom at Loselée, on the tapestry of Drot's salon, and on the wall-paper of Marcellin's sick-room. This motif, embodied in the title, may well be a symbol of the sway of Demeter, enthroned beneath the black-poplar grove in Tartarus, an interpretation deriving some support from the fact that in Bosco's novel *L'Antiquaire* Mathias, manifestly a devotee of the Dark Queens, warns of the fascination of the chthonian deities thus: 'Sous l'arbre de la nuit on s'endort à jamais; et ne voyez-vous pas déjà, sur votre front, ses rameaux étendre leur noir feuillage?'[57]

Finally, the tree is used to represent the Orphic religion in a symbolic confrontation with its competitor Pythagoreanism. The child Marcellin, encouraged by Meyrel to study organic nature rather than the physical sciences, illustrates his 'conversion' pictorially by transforming the figure 4 into the likeness of a tree, covering it with foliage and adding fruit and birds. In rejecting the Tetractys, basic to Pythagoreanism, in which mathematics replaced ceremonies of purification and initiation, the sensitive, dreamy child seems drawn to the symbols of Orphism, as being more congenial to his nature than the abstract rule of Pythagoras.

Bosco's preference for allusion and insinuation rather than demonstration and clarification creates an atmosphere of mystery and suspense which sustains interest even though it sometimes leaves the reader bewildered. A key to much that is cryptic is the recognition of the mythical background and the purpose it serves: the dramatization of what might be termed the natural selection of the religious beliefs and practices of the Mediterranean world. The notion emerges of a kind of progressive revelation, with Christianity as its culmination. Bosco has centred his novel on a Provençal village where the abbé Bourguel ministers feebly to two or three worshippers.[58] As well as being hampered by age and infirmity, the priest is troubled in conscience. The advice he gives to Meyrel shortly before his death: 'Ici-bas... il vaut mieux aimer Dieu que Le connaître'[59] suggests that he has been tempted to seek the special insights claimed by the Gnostics. Fervour is rekindled and orthodoxy restored in the parish by the arrival of Elzéar, a saintly peasant who is reminiscent of 'le bon hermite' of romance: his name, with both Jewish and Christian sacerdotal associations, suggests a return to the primitive faith of Biblical times.

Bosco hints at a continuity behind the diversity of forms by the use of certain key-words which are equally meaningful in several religious and metaphysical contexts. When the villagers, impressed by the charity and simplicity of Elzéar, call him 'un pur', they are acknowledging a way of life prized equally by the Cathari of Provence,[60] by the disciple of Plotinus who through *κάθαρσις* has detached himself from wordly ties, and by the Orphic who has undergone the *καθαρμοί* of initiation. Similarly, the term 'dénuement', used on p. 200 with the Plotinian sense of 'detachment', recurs on p. 218 in a Christian context, conveying the feeling of abandonment experienced by the mystic before the moment of illumination, while the concepts of 'la chute' and 'l'ascension' are equally relevant to the Orphic myth, the Pythagorean and Plotinian cosmologies and Judaeo-Christian theology. After the arrival of Elzéar in Géneval, the action of the novel is directed towards the illustration of the Biblical doctrine of the Fall. The final entry in Bernard's diary refers to the temptation of forbidden fruit; Clotilde sheds her sombre and sinister associations, assuming the rôle of Eve and leading Meyrel to an Eden in a hidden valley.

Bosco achieves the most successful fusion of mythical themes and personal invention in his evocation of the Orphic 'reformation' and its echoes in Neoplatonism. It is here that the impression of spontaneity is most marked. The insertion into this context of Biblical theology disturbs the homogeneity of the novel's tonality, since in most readers it awakens responses on a different level of consciousness from that on which the Greek myths operate. In pursuing his allegorical purpose Bosco has had to steer a delicate course between discretion and didacticism, and if on occasion he veers towards each hazard, in general he errs on the former side. His characters have more individuality than the actors in a mystery play, yet because of their representative rôles they cannot offer the fully rounded personality and the details of private preoccupations characteristic of the nineteenth-century psychological novel. If the narrator is an exception in being more highly individualized, this is because from beginning to end the drama is viewed through his eyes and also because in him, one suspects, the author's own personality finds expression.

NOTES

[1] G. Durand, *Le décor mythique de la Chartreuse de Parme* (Paris, Corti 1961), p. 12.

[2] *Ibid.*, pp. 13–14.

[3] Ch. Baudouin, *Le triomphe du héros* (Paris, Plon 1952), p. 223.

[4] G. Bachelard, *La poétique de la rêverie* (Paris, P.U.F. 1960), p. 54.

[5] R. T. Sussex, *Henri Bosco, Poet-Novelist* (Christchurch, N.Z., Univ. of Canterbury Publications No. 7 1966), p. 110.

[6] H. Bosco, *Un rameau de la nuit* (Paris, Flammarion 1950), p. 60.

[7] P. Hadot, *Plotin, ou la simplicité du regard* (Paris, Plon 1963), p. 137.

[8] Plotinus, *Enneads*, II, 3, 9 (trans. E. Bréhier).

[9] J. Trouillard, *La procession plotinienne* (Paris, P.U.F. 1955), p. 17.

[10] M. de Gandillac, *La sagesse de Plotin* (Paris, Hachette 1952), p. 43.

[11] H. Bosco, *op. cit.*, p. 32.

[12] *Hermetica*, Libellus V, §10 (b), 11. 4–6, ed. W. Scott (O.U.P. 1924), vol. I, p. 164.

[13] H. Bosco, *op. cit.*, p. 32.

[14] *Ibid.*, p. 37.

[15] *Hermetica*, vol. I, p. 272.

[16] *Op. cit.*, p. 138.

[17] *Ibid.*, p. 37.

[18] *Enneads*, IV, 3, 12.

[19] *Op. cit.*, p. 301.

[20] *Ibid.*, p. 303.

[21] *Ibid.*, pp. 233–6.

[22] *Ibid.*, p. 165.

[23] *Ibid.*, p. 161.

[24] Empedocles, *Purifications*, Frag. 112, 1.4, in J. Zafiropulo, *Empédocle d'Agrigente*, 'Les Belles Lettres' (Paris 1953), p. 289.

[25] *Ibid.*, p. 288, note.

[26] A. Delatte, *Etudes sur la littérature pythagoricienne* (Paris, Champion 1915), pp. 77–8.

[27] H. Bosco, *op. cit.*, p. 203.

[28] H. d'Urfé, *Astrée* (Paris, Sommaville et Quinet 1647), I, p. 49.

[29] H. Bosco, *op. cit.*, p. 292.

[30] See Paulys *Real-Encyclopädie*, s.v. *Orakel.*

[31] H. Bosco, *op. cit.*, p. 164.

[32] *Cf.* Prov. auselalho: 'birds in general'.

[33] The choice of Arabic invites speculation as to whether Bosco may not have had in mind certain Sufi doctrines of esoteric Islam, notably the mystical

relationship between master and disciple, the recognition of a *tempus discretum* independent of chronological time, the concept of theophany, etc.

[34] H. Bosco, *op. cit.*, pp. 196–7. Bosco uses the same symbol of aspiration in *Des Sables à la Mer* (Paris, Gallimard 1950), pp. 83–5.

[35] E. Schuré, *Les grands initiés*, 2e éd. (Paris, Perrin 1893), p. 148. Dr. Eva Kushner notes the considerable popularity and influence of this work at the turn of the century, in her admirable study, *Le mythe d'Orphée dans la littérature française contemporaine* (Paris, Nizet 1961), p. 49, though she makes no mention of Bosco.

[36] L. Rougier, *La Religion astrale des pythagoriciens* (Paris, P.U.F. 1959), p. 82.

[37] H. Bosco, *op. cit.*, p. 141.

[38] *Ibid.*, p. 142.

[39] *Ibid.*, p. 298.

[40] See W. K. C. Guthrie, *Orpheus and Greek Religion* (London, Methuen 1935), pp. 92 ff.

[41] *Op. cit.*, p. 102.

[42] See E. R. Dodds, *The Greeks and the Irrational* (Berkeley, Cal., Univ. of California Press 1951), p. 306.

[43] See V. Magnien, *Les mystères d'Eleusis* (Paris, Payot 1950), pp. 114 ff.

[44] H. Bosco, *op. cit.*, p. 62.

[45] *Ibid.*, p. 75.

[46] *Ibid.*, p. 270.

[47] W. R. Inge, *The Philosophy of Plotinus* (London, Longmans 1929), vol. I, p. 201.

[48] H. Bosco, *op. cit.*, p. 18.

[49] J. Trouillard, *op. cit.*, p. 6.

[50] H. Bosco, *op. cit.*, p. 200.

[51] *Ibid.*

[52] *Enneads*, IV, 3, 32. (trans. Bréhier).

[53] H. Bosco, *op. cit.*, p. 301.

[54] *Ibid.*, p. 324.

[55] *Ibid.*, p. 184.

[56] See Paulys *Real-Encyclopädie*, s.v. *Orakel.*

[57] H. Bosco, *L'Antiquaire* (Paris, Gallimard 1954), p. 306.

[58] Bosco has admitted that Géneval is modelled on the Luberon village of Vaugines; see André Bourin, 'En France avec Henri Bosco', *Nouvelles Littéraires*, 28 août 1959.

[59] H. Bosco, *op. cit.*, p. 268.

[60] It is perhaps not without significance that the earliest surviving document relating to the village of Géneval is said by Bosco (p. 114) to date from 1207, when preparations were already advanced for the Albigensian crusade which was directed against the *perfecti.*

RACINE'S UNTRANSLATABILITY AND THE ART OF THE ALEXANDRINE

by

W. McC. STEWART

Poetry—that element of language which is untranslatable
(ROBERT FROST)

FROM an early date the view came to be held that Racine was an author whose felicity was something so unique that he was to all intents and purposes untranslatable. La Grange-Chancel, whose chief title to fame was that he had (as he claimed) received encouragement and even help in his work from Racine himself, was perhaps the first to point out (in the preface to his *Amasis*) that it was thanks to the qualities of his style that the poet of *Phèdre* succeeded less well in translation than did his elder rival:

J'ai toujours remarqué que les pièces du premier n'étaient pas moins admirées dans la traduction que dans l'original; et que celles de l'autre, privées des ornements du langage, perdaient infiniment de leur prix.[1]

Whatever may be said of the great and varied qualities which helped to ensure the success abroad of the more prolific elder dramatist, one is permitted to doubt if Racine would have been happy to conclude, as his self-proclaimed disciple seemed by implication to do, that the other qualities of his tragedies would not survive the test of translation.

This is not the place to recall the hierarchy of the different elements of tragedy assumed by Racine in precept and in practice, which places diction last—and the verse in which it finds its definitive expression. But though a work at the moment of conception—or at least at first drafting—has often been held by poets, composers or painters to be already in existence, the final form given to any work—and this applies particularly to riming verse—is recognized as involving much labour and passionate application.

If Racine, then, accepted the obvious priorities in composition indicated in the *Poetics*, this does not for all that mean that he did not see the final realization in verse as something of inescapable and supreme importance for definitiveness of expression. It is unnecessary here to repeat the strong evidence we have regarding the trouble he took to achieve that final untranslatable perfection of verse-expression with which we are here concerned.

We must further remember that among the elements of his text, among the raw materials which he fashioned into his palpitating and perfect alexandrines, are not only the movements, reactions, thoughts, intuitions of the characters in the situations in which the powerful, purposeful action involves them: there are also the many happy turns of phrase, the conceits, the images which he takes over and adapts from earlier poets—from those of Greece and Rome to those of his own time. These set a further problem to the would-be translator of Racine—as R. C. Knight has pointed out in his sensitive and scholarly paper 'On translating Racine'—contributed to the volume of studies presented to the late P. Mansell Jones.[2]

Indeed, I find myself in agreement with every one of the stylistic points made in Professor Knight's paper; but I allow myself to query two related conclusions: the first implicit in his conditional: '. . . if we wish ever to have a Racine to put into the hands of readers and producers' (i.e. a Racine in English)—which means that Racine's tragedy can and should be accessible and effective in a language other than that in which it is written; and, second, that, this being so, translation—as far as English is concerned, should be into (fairly strict) blank verse, incorporating of course as many of the overtones analogous to those of Racine as the lofty English decasyllable used by Shakespeare, Milton, Dryden and Gray can command.

As to the first of these conclusions: I am convinced that the essence of Racinian tragedy cannot be conveyed in a language other than that in which it is written. This is not because the dramatic construction and characterization are not in every way effective and powerful; and indeed they can provide and have provided inspiration and offered examples of dramatic rigour to which the response has been notable. Rather is it because Racine leaves no freedom, no rough edges—nothing which would enable the would-be translator to treat him as raw material. I have ventured elsewhere[3] to make something of the evidence which goes to show that Racine never seriously contemplated taking over a subject of Sophocles and adapting it to his purposes just because of the perfection which he realized to be there: he had less qualms about Euripides, much as he admired his tragic appeal. The perfection and finality of Sophocles' dramatic dialogue—just because it is in a metre described in the *Poetics* as being the closest to ordinary speech, the iambic trimeter—while it has simplicity, finality and a beauty at once natural, varied and austere, has not the particular gloss and finish which the French line derives from the simple circumstance that it rimes—and often with great effect.

Taking over and perfecting the line established for tragedy by a century of usage and already handled with triumphant mastery by Corneille, Racine creates a particular combination of harmonies and felicitous counterpoint for which the unrimed decasyllable can offer no equivalent.

I will not contest that blank verse is in itself a more satisfactory medium for poetic drama. The circumstance that poets may still (*pace* T. S. Eliot) use it for dramatic purposes in English to-day proves the point, combined with the negative circumstance that, though French poets continue to write alexandrines, no French dramatist, however drawn he may be to an ideal of poetic tragedy, will think of writing a play in rimed alexandrines. *La Jeune Parque* is a wonderful and moving verse monologue. It does not claim to be drama.

It must, further, be conceded to Professor Knight that the only two versions of Racine which have enjoyed serious success upon the stage in a Germanic language have used blank verse: the first and indeed the only version of a Racine tragedy to have achieved real success upon the English stage was a blank-verse adaptation of *Andromaque*, presented by Ambrose Philips under the title of *The Distrest Mother*—a play which received at its launching the weighty support of Addison, who devoted two letters of the *Spectator* to it, and of Steele who wrote the Prologue, while it gained a meretricious attraction from Eustace Budgell's mildly improper Epilogue (constantly re-demanded), held the stage for a century and provided tragic roles for the leading actors and actresses of the day, from Mrs. Oldfield and Powell to Mrs. Siddons and Kemble. And if it was parodied by Fielding, it deeply moved and shocked Richardson's Pamela.[4]

But though the triumph of the original play under Louis XIV is evoked in the Prologue, the *Distrest Mother* was not primarily presented as a translation. Though it transposes some of the expository moments in Racine's play into effective and business-like blank-verse, and though it presents some of the great moments effectively, e.g. part of Hermione's denunciation of Orestes, the diction lapses at times into sub-Shakespearean hyperbole and above all the tragic emphasis is characteristically altered by the circumstance that the final accent is placed upon a triumphant Andromache establishing law and order and rewarded for her constancy.

Leaving aside the earlier and impossible *Phaedra and Hippolytus* (1706) of Edmund Smith, which Samuel Johnson put above Euripides and Racine, we have in 1734 a fine and generally correct rendering of *Athalie* (with riming choruses) by James Dunscombe. Much more recently we have the versions by Masefield of *Esther* and *Berenice* and various stricter versions of all or most of the tragedies of the Racinian canon, produced in our own time, which deserve attention, particularly those of Kenneth Muir and James Cairncross. R. C. Knight, in making a strong case for the use of blank verse, himself provides a distinguished rendering of a passage of *Andromaque*, which certainly does as much as the incompatibility of aims he refers to allows, to achieve a scholarly blank verse equivalent.

I have pointed out above the factors which helped to make of the *Distrest Mother* the success it was. What about Schiller's *Phädra*—translated by him nearly a century later for the Weimar Theatre at Goethe's request? It is a faithful version in so far as the medium allows; it has the lofty distinction to be noted in everything that Schiller wrote: and it was certainly helped by the prestige of the two greatest names in German literature. But though it is occasionally performed in Germany and was even presented some years ago, at French invitation, by a German company, on the boards of the Théâtre Français, it has not, in the German-speaking world, become a constantly performed classic—like the major plays of Shakespeare, generally presented in the felicitous Schlegel-Tieck translation, in which of course the relation between the style of this blank-verse version and the original is very close indeed. Schiller's distinguished and vigorous play does not and cannot have the particular symmetries and other beauties achieved by Racine's riming alexandrines.

The alternative of rendering this measure by English heroic verse would seem at first blush an obvious one, particularly as drama in this measure was felt in the age of Dryden to offer its equivalent. But Catherine Phillips's *Pompey* (for Corneille) and Otway's three-act adaptation of *Berenice* (for Racine) provide disappointing results.[5]

The American poet, Robert Lowell, has expressed the regret that Dryden and Pope (master-handlers of the heroic couplet) had as translators neglected the great works of French classical tragedy in favour of the inaccessible Homer and Virgil. The greatest master of a perfected classical style in this medium is undoubtedly Pope and (as I have ventured to suggest elsewhere) something akin to the peculiar Racinian blend of unity of tone, clarity, precision, tenderness, passion and respect for the proprieties is more easily found in Pope's verse heroid, *Eloisa to Abelard*, than in any dramatic work of the English Augustan age.[6]

In his own version of *Phèdre*—in post-Keatsian rimed decasyllables—Robert Lowell has avowedly not sought the rigour of style and taste which his above-quoted remark postulates.

Indeed, the best version of Racine in heroic verse that I have encountered is that of *Britannicus* by Harold Bowen, which I witnessed in the Rudolf Steiner Hall in London in the late 40's and later heard in part on a Third Programme transmission. But it was undoubtedly more effective in the epigrammatic effectiveness of single lines and couplets than in the sweep of passionate utterance.[7] The late Lord Longford's *School for Wives*, also in heroic couplets, has a brilliance surpassing at times that of Molière himself, and brings out the potentialities for comedy of a metre which celebrated its highest Augustan successes in the satiric genre. A comparison in our time between the rimed *Tartuffe* of another American poet, Richard Wilbur, and Robert Lowell's *Phaedra* brings out the potentialities of the rimed decasyllable for high comedy rather than for tragedy.[8]

What then about the alexandrine itself—as the most obvious line to use in the impossible attempt to convey the particular beauties of Racine? It comes to us, of course from France—as did the decasyllable; and it is interesting to find John Puttenham, in his *Art of English Poesie* (1589), presenting it as a 'metre of twelve syllables . . . with our modern rimers most usual'. 'They are for grave and stately matters.' Spenser used this line to conclude the stanza he invents for his *Faerie Queen* (8 decasyllables and 1 alexandrine), where it comes, with its greater length and division into two equal halves of six syllables each, to round off each successive stanza. Not infrequently the finality achieved has a didactic character and sometimes a lyrical lift. Leaving aside its use by lesser poets, we note that Shelley will not only use the Spenserian stanza with its concluding alexandrine for a long quasi-epic narrative, *Laon and Cythna*, but for his great elegy on Keats, the *Adonais*, and will bring in the alexandrine as the long fifth and final line of the stanza he invents for one of the most exultant poems in the English language, his *Ode to the Skylark.*

Sydney—so alive to all the potentialities of English poetry, though no doubt primarily here under direct French influence—opens his *Astrophel and Stella* series with a sonnet in alexandrines, whose quality, at once sententious and lyrical, is undoubted:

> Loving in truth, and fain in verse my love to show,
> That she, dear she, might take some pleasure of my pain,—
> Pleasure might cause her read, reading might make her know,—
> Knowledge might pity win, and pity grace obtain,—

I sought fit words to paint the blackest face of woe;
Studying inventions fine, her wits to entertain,
Oft turning others' leaves, to see if thence would flow
Some fresh and fruitful showers upon my sun-burn'd brain.

But words came halting forth, wanting Invention's stay;
Invention, Nature's child, fled step-dame Study's blows;
And others' feet still seem'd but strangers in my way.
Thus, great with child to speak, and helpless in my throes,
Biting my truant pen, beating myself for spite;
Fool, said my Muse to me, look in thy heart, and write.

But among poets of that age known to fame, Drayton alone employed the alexandrine for 'grave and stately matters' in his historico-geographical epic, *Polyolbion*; and though his poem has its undoubted qualities, the continuous use of the riming six-stress line with its equal division, makes one realize its heaviness as a medium of expression in a sustained poem. Indeed such use of the alexandrine will not survive the Elizabethan and Jacobean age; but the line appears occasionally as a 'vers à effet' to provide a lyrical or sententious conclusion to any given development or to conclude a tirade. Its use in this way is disturbing and destructive of illusion, since it upsets the ear which has accepted the decasyllabic convention—all the more so if it is added to a riming couplet with the same rime. At times it appears e.g. in Otway's above-mentioned *Berenice*, where Titus' couplet in the second act:

Non, Madame, jamais, puisqu'il faut vous parler,
Mon cœur de plus de feux ne se sentit brûler.

is thus translated:

No, Madam, no: my heart, since I must speak,
Was ne'er more full of love nor half so like to break.

The occasional 12-syllable line thus used had become a bore by the time Pope gave it its *coup de grâce* in his *Essay on Criticism* with the famous couplet:

A needless alexandrine ends the song,
That like a wounded snake drags its slow length along.

This line is obviously not only slower but heavier and less

varied than the French line, which generally has no more than two stresses in each half-line or four in all, and which moreover admits of considerable variation in the place where the first and third stresses fall. The abundance of metrically valid mute e's contributes, too, to making the French line much lighter and less charged with material.

It is not surprising, then, that the alexandrine did not establish itself in English as a line for dramatic or narrative poetry—and that it only achieved effectiveness at the end of some lyrical or quasi-lyrical sequence.

It may be argued that the history of this verse in German poetry deserves attention before we dismiss it too summarily, particularly as English shares with German the original Germanic stress on the root-syllable, which was the basis of Old High German as of Anglo-Saxon poetry, while each tongue has adapted itself to syllabic metres, come from late Latin and Old and Middle French. The Germans produced some effective alexandrines in the seventeenth century under the influence of the Pléiade, and the alexandrine established itself as the recognized line for tragedy in German and held this position for nearly two centuries. Even the young Goethe wrote a play in alexandrines. But Lessing, conscious of the ineffectiveness of these long couplets for poetic drama as he conceived it—on Shakespearean lines, wrote his *Nathan der Weise* in blank verse; and from this time onward the line of Shakespeare will replace that of Corneille, Racine and Voltaire, which disappears from the German tragic stage—and, with very few exceptions, the great plays of Goethe, Schiller, Kleist, Grillparzer and Hebbel will use this form.

And yet, despite the example which Schiller set with his above-mentioned blank-verse *Phädra*, German interpreters will revert to the alexandrine in order to provide an equivalent for the French line—and that not only for tragedy but for high comedy.[9]

A notable example of this return is to be found in the *Berenice* and *Athalie* rendered into alexandrines by a German poet of our own times, Rudolf Schröder. Moreover, he and other translators revive the practice of presenting alternating single and double rimes, as corresponding to the alternating masculine and feminine rimes required by French verse—the German verse becoming thus even more obviously decorative in its patterns than the French. It is true that German has retained more unstressed final syllables than English; and so the line is not so heavily charged with words and meaning as a corresponding English alexandrine almost has to be; and the alternating double-rimes are more natural in German than would be their equivalent in English.[10]

Moreover the whole German development is to be understood inside a pattern which involved a French cultural hegemony in the Germany of the seventeenth and eighteenth centuries, with its many courts—each of them echoing, more or less skilfully, the procedures and ceremony of the court of the Roi Soleil. The English Restoration no doubt took much from France—but history would have had to be very different before we could conceive—in the country of Shakespeare and Milton, the Civil War and 'Restoration drama' as it actually was—the triumph of a drama of decorum, whether in the field of tragedy or comedy: a kind of drama analogous to the high comedy of Corneille and Molière and the tragedy of Corneille and Racine.

The unique felicity of strict verse expression in drama achieved by Racine was never aimed at by Elizabethans, or Jacobeans or English Restoration dramatists. Racine's own concern with perfection in a lofty verse style no doubt contributes to explain his transfer of his second tragedy from Molière's theatre to the Hôtel de Bourgogne, whose grandiose tradition of verse diction he can be said to have taken over with a view to its purification and refinement. There is enough evidence regarding the pains he was at to ensure that the interpreters of his great roles spoke his verses as he conceived and felt they should be spoken; and his concern that the metre should be respected finds expression much later in the testimony of his elder son that his father rejected the 'manière trop *unie*' of recitation, desiring that his verses should have 'un certain son qui, *juste à la mesure et aux rimes*, se distingue de la prose'.[11] It is only inside a convention fully accepted and in virtue of an art thoroughly mastered that the full tragic poetry of Racine lives again in all its loftiness and in all its subtle poignancy.

The Théâtre Français inherits a unique tradition—and fortunately still accepts it as a duty and challenge to present the masterpieces of the French classical age. However much we may regret the inadequacy in one respect or another of a given production or performance, we can always live in hope that something will emerge which is closer than what we have witnessed hitherto to the poetic and dramatic reality enshrined in the verses of the author of *Bérénice* and of *Phèdre*. It is more or less true that in all countries contemporary fashion, though it often leads to a revival in the production of great drama of a given age, just as often results in some violation of the essentials of the masterpieces of the past;[12] and poets, scholars and critics will always tend to be disappointed—often unduly—by even genuine and skilful efforts to achieve something which corresponds to the tragic poet's own intention—such is inevitably the nature and destiny of an art tied so closely to our human condition and to the particular social realities that all drama presupposes or postulates.

Recalling the purism of those lovers of the exquisite art of Mozart which led to the foundation of Glyndebourne, where operatic works are always produced in the original language and in a spirit which respects, *mutatis mutandis*, the creator's intention in the matter of presentation and interpretation, one might conceive of a Glyndebourne for the great drama of the past, performed only in the original tongues. In such an establishment Racinian tragedy would have its assured place, though even such conditions could never ensure for any great work of the past that it would be fully enjoyed and appreciated, since the factors which secure such an experience are so various. But, leaving aside the chances of worthy productions being accessible—and the usefulness of good recordings, much can be done to equip the genuine student of French poetry with the means for achieving that enjoyment and appreciation for himself—which he will never do if he is unalive to verse *in his own tongue* and unresponsive to the higher kinds of imitation which tragic poetry offers.

And so, though I may seem to have been running away from the challenge suggested by my title, I must come back in conclusion to the question: can anything be done to convey something of the tragic music of Racine in English—as the Germans since the time of Goethe have done to convey the tragic music of Sophocles by their use of the iambic trimeter—or Professor G. Bickersteth, crowning a distinguished English tradition of Dante translation, has done by offering his English counterpart to the *terze rime* of the *Divine Comedy*? Such a rendering must have the characteristic of presenting the main structural features of the metre of the original, however different the character of the language in question, though only in so far as the essential features of the language into which translation is made, allow.

The two essential features in the case of the alexandrine are rime and the division of each line into two syllabically equal halves, each having an even number of syllables. The potentialities for balance and antithesis which this line offers—and which bad poets so often abuse—are entirely lost when blank verse is used and partly when rimed decasyllables are used.

Many conditions—obviously unrealizable and which only a considerable degree of fancy can conjure up—would have to be realized before we found English actors interpreting to an English-speaking audience a *Phaedra* in English alexandrines.

The only example I can offer (drawn, as it were, from such an imaginary performance) is a rendering of the first part of Phèdre's declaration of her love to Hippolyte—the 'indirect' part of that wonderful declaration, for the first two thirds of which Racine draws on Seneca. His Phèdre follows the movement of the Roman Phaedra up to the point where she sees herself accompanying this younger, innocent Theseus into the Labyrinth. It is at this point that Racine's heroine, carried forward by her love and by a movement of utter engagement, leaves Seneca's heroine behind and pictures herself as advancing before him into the Labyrinth:

> Mais non, dans ce dessein je l'aurais devancé...

ending with the final evocation:

> Moi-même devant vous j'aurais voulu marcher;
> Et Phèdre au Labyrinthe avec vous descendue
> Se serait avec vous retrouvée, ou perdue.

Aware as I am of the inadequacy of these English alexandrines, I offer them none the less, fortified by the recollection that they met with the indulgent approval of the scholar to whom this volume is dedicated, and with a view to exemplifying, both positively and negatively, the points made above:

True, Prince, Theseus it is for whom I long, I burn.
I love him—not that one seen by the Nether Shades,
The fickle light-of-love of countless escapades,
Who hath of the dread God of Death the bed defiled,
But faithful, stirred with pride, shy—nay a little wild,
Charming and young and fair, enthralling every vow,
Ev'n as they paint the Gods, or as I see you now.
He had your port, your eyes, he spoke as now you speak,
That noble modesty was mantling in his cheek
When he traversed the seas and stepped ashore in Crete,
A worthy prize—and one for Minos' daughters meet.
What exploits fired you then? Without Hippolytus
Why rallied he the flower of Hellas' heroes thus?
Why—O too young as yet—could you not, with his host,
Enter upon the ship which brought him to our coast?
By you the Minotaur had perished in his blood
Deep in the fastnesses of his immense abode.
To disencoil the maze and arm you with the clue
My sister would have passed the fatal thread to you.
But no, I should have been the first to make the move—
To me the thought had come at once, inspired by love.
I prince, Oh I it is, who through the dreaded maze
Had taught you safe to walk the Labyrinth's dark ways.
What tender care I'd spent upon that charming head!
My love would not have clung contented to a thread.
No—entering the pit to face the Minotaur,
Your peril's comrade, I had gladly marched before
And through the Labyrinth advancing at your side
Would have returned with you—or with you would have died.

NOTES

[1] *Œuvres* (1754–5), t.II, p. 5.

[2] *Studies in Modern French Literature* (Manchester University Press 1961). P. France's valuable *Racine's Rhetoric* (Oxford 1967), provides further warning regarding the factors involved.

[3] 'Racine, Sophocle et la norme tragique', Actes du IV Congrès d'Esthétique (Athens 1960), reprinted in W. McC. Stewart: *Aspects of the French Classical Ideal* (1967).

[4] Katherine E. Wheatley: *Racine and English Classicism* (Austin, University of Texas Press 1956), pp. 133–8.

[5] Reasons are suggested and some quotations given in W. Stewart, 'Poésie française — poésie anglaise' in *Actes de l'Académie de Bordeaux*, 4e Série, 1955. For a detailed comparison between Otway's and Racine's *Bérénice*, see K. Wheatley: *Racine and English Classicism* (University of Texas Press 1956). W. Stewart comments (with examples) on Masefield's translations in 'Racine vu par les Anglais depuis 1800' in Racine Tercentenary number of the *Revue de littérature comparée*, 1939, as does R. C. Knight, who also surveys critically most of the blank-verse translations available (op. cit.). To those he mentions should be added those of Agnes Tobin (*Phèdre*, 1958) and George Dillon (*Andromaque, Britannicus* and *Phèdre*, 1961)—while at the moment of going to press my attention has been drawn to one of all the plays by Samuel Solomon, with an introduction by Katherine Wheatley (Random House, 1968), favourably reviewed by Lon Tinkle.

[6] See first article mentioned in preceding note.

[7] The text has not, to my knowledge, been published. Over the wireless I noted the following very successful single lines, each of which, of course, gained finality by riming with the line which preceded it:

'I loved the very tears I made her shed'
'My mother has her plans and I have mine'
'My rival I embrace—to stifle him'
'On Caesar's countenance composed their own'
'He watched his brother die without a qualm'

and the concluding line of the play:

'Would this might prove the last of his misdeeds'.

[8] R. Lowell, *Phaedra—A Verse Translation of Racine's Phèdre* (Faber 1961). R. Wilbur's verse versions of *Le Misanthrope* and *Tartuffe* are also published by Faber.

[9] Translation of Corneille's *Menteur* (*Der Lügner*) by Hans Schiebelhuth (Heidelberg 1954).

[10] Parts of these versions appear in R. A. Schröder's *Racine und die Deutsche Humanität*, dedicated to Karl Vossler. The following example, taken from his *Berenice*, may help to bring out the points made ('De cette nuit, Phènice, as-tu vu la splendeur?'):

Phönize! Sahst du nicht des Opferfestes Pracht,
Steht dir vor Augen nicht die Grösse dieser Nacht?
Der Fackeln grelles Licht, des Scheiterhaufens Flammen,
Liktorenstab und Aar, Volk und Armee mitsammen,
Der Könige Gefolg, die Konsuln, der Senat,
Der allen Glanz von ihm allein entliehen hat?

[11] My italics. I accept R. C. Knight's emendation of 'unie' for 'vraie' in this text. Command of the verse-medium, on which everything depends in tragic poetry, varies tremendously from actor to actor in every language.

[12] Examples concerning Racine will be found in the present writer's 'La mise-en-scène d'*Athalie*', published in the Royaumont symposium devoted to *La Mise-en-scene des œuvres du Passé* (Paris, C.N.R.S. 1957).

[13] Blackwell 1965.

LE PARDON D'AUGUSTE: POLITIQUE ET MORALE DANS *CINNA*

par

F. E. SUTCLIFFE

COMME il estoit dans la Gaule [dit Sénèque] on l'advertit que L. Cinna, homme au reste de peu de sens, luy avoit dressé des embusches; on luy dit le lieu et le temps, et comment il devoit estre attaqué, et celuy qui luy donna cet avis estoit l'un des conjurez. Auguste résolut aussitost de s'en venger; il fit assembler ses amis pour leur demander conseil; il passa la nuict dans des inquiétudes extrèmes, en se représentant qu'il falloit condamner un jeune homme de grande maison, qui estoit nepveu de Pompée, et à qui l'on ne pouvoit reprocher que cette faute. Il n'avoit pas alors le courage de condamner seulement un homme à la mort, bien qu'autrefois en soupant il eust dicté à M. Antoine l'arrest des Proscriptions. Il ne pouvoit s'empescher de jetter de grands soûpirs, tantost il disoit une chose, et tantost il en disoit une autre qui estoit contraire à la première.

«Quoy donc», disoit-il, «souffriray-je que mon assassin se promène librement, et sans crainte, tandis que je suis en inquietude et en peine?...» Enfin, après avoir demeuré quelque temps sans parler, il témoignoit par une voix plus forte et plus eslevée, qu'il estoit plus en colere contre luy mesme que contre Cinna. «Pourquoy vis-tu encore», ce disoit-il à soy-mesme, «puisqu'il est de l'interest de tant de monde que tu perisses? Quand sera-ce que finiront tant de supplices, et qu'on cessera de verser du sang?... Ma vie est-elle si considerable, et me doit-elle estre si precieuse, que pour m'empescher de perir, tant de monde doive perir?» Enfin Livia sa femme l'interrompit, et luy parla en ces termes: «Voudriez-vous bien escouter le conseil que vous donneroit une femme? Faites ce que les Medecins ont accoustumé de faire; lorsque les remedes ordinaires ne produisent point d'effet, ils se servent des contraires, et bien souvent ils reussissent. Jusqu'icy vous n'avez rien avancé par la severité.... Essaye le remede de la clemence. Pardonnez à L. Cinna, il est descouvert, il n'est plus en estat de vous nuire, mais il peut beaucoup contribuer à vostre gloire.»[1]

Jusqu'ici Corneille suit ponctuellement le récit de Sénèque, mais alors que Sénèque poursuit:

Auguste fut bien aise d'avoir trouvé un si sage conseiller, il en remercia sa femme, il fit venir Cinna dans sa chambre... (et) il luy parla plus de deux heures, pour le faire souffrir plus long-temps, ne voulant luy imposer que cette peine,

Corneille nous montre un Auguste qui repousse avec mépris les conseils de Livie[2] et qui, lorsqu'il convoque Cinna, n'est nullement décidé d'avance à lui accorder le pardon. Il faudra encore la révélation de la trahison d'Emilie d'abord, de celle de Maxime ensuite pour que, la colère de l'empereur étant portée au paroxysme et toute chance de salut semblant s'être évanouie, le pardon soit, contre toute attente, prononcé devant les complices confondus. Pardon, suivant les uns, dont la gratuité n'est qu'apparente et qui ne saurait traduire qu'une intention machiavélique; pardon, suivant les autres, dont la gratuité est telle que seule l'intervention de la grâce peut l'expliquer. D'où un débat qui n'est pas près de prendre fin: Auguste, chez Corneille, agit-il selon les préceptes de Machiavel, ou bien cède-t-il à une impulsion venue d'en haut? Est-il l'instrument d'une puissance mystérieuse qui, à son insu et malgré lui, éteint sa colère, lui révèle le néant de son expérience acquise et, en un éclair, lui dévoile l'existence de valeurs que jusque-là il avait ignorées? Machiavéliste avant la lettre ou élu du ciel: telles sont les branches de l'alternative. Napoléon, on le sait, voyait dans la clémence d'Auguste un chef-d'œuvre de ruse politique. «Une fois, Monvel, en jouant devant moi, m'a dévoilé le mystère de cette grande conception. Il prononça le *Soyons amis, Cinna*, d'un ton si habile et si rusé, que je compris que cette action n'était que la feinte d'un tyran, et j'ai approuvé comme calcul ce qui me semblait puéril comme sentiment».[3] D'autres, répugnant à prêter à l'empereur un comportement aussi vil, ont insisté sur ce que le pardon a d'inattendu et en ont déduit qu'il est inexplicable dans une optique purement humaine. Les bontés antérieures d'Auguste, dit Louis Herland, n'avaient été que des bontés intéressées. Cette fois, cependant, toute considération d'intérêt est exclue. Comment expliquer alors un acte si peu conforme à ses habitudes? Il faut y voir une inspiration du ciel. Auguste n'a-t-il pas dit, en prenant congé de sa femme: «Le ciel m'inspirera ce qu'ici je dois faire»? Et puis, chose invraisemblable, Emilie pardonne au meurtrier de son père, Emilie qui a été l'âme du complot et à qui Cinna n'a obéi qu'à contre-cœur. Auguste pardonne; Auguste est pardonné: il y aurait là deux miracles.[4] Ajoutez à cela que la pièce se situe chronologiquement juste avant *Polyeucte*; la tentation est donc grande d'en faire comme une première ébauche de la grande tragédie de la grâce. Ces deux positions opposées ont, chez d'autres encore, fait l'objet d'une tentative de synthèse. Ainsi Bernard Dort prétend qu' «il n'y pas à rechercher la ou les significations de la clémence d'Auguste», et il ajoute: «Cette clémence est à elle seule source de toutes les significations. Elle n'est ni générosité, ni politique. Elle est la politique et la générosité.»[5]

On n'a pas suffisamment remarqué que si Livie commence par faire valoir à son mari le profit qu'il y aurait à retirer d'un acte de clémence,[6] elle n'y revient plus dans la suite. Les deux autres arguments qu'elle met en avant font état de considérations plus nobles:

> C'est régner sur vous-même, et, par un noble choix
> Pratiquer la vertu la plus digne des rois.

et, dans une formule qui réunit les deux vertus complémentaires de la clémence,

> ...forçons-le de voir
> Qu'il peut, en faisant grâce, affermir son pouvoir;
> Et qu'enfin la clémence est la plus belle marque
> Qui fasse à l'univers connaître un vrai monarque.[7]

Auguste, ayant rejeté ses conseils, la quitte pour aller s'entretenir avec Cinna. Leur entrevue se termine, comme l'on s'y attendait, sur une menace de mort:

> Fais ton arrêt toi-même, et choisis tes supplices.

C'est ensuite la révélation de la trahison d'Emilie qui le touche jusqu'à le faire souffrir. Atteint, au plus profond de lui-même, va-t-il faiblir? Le

> O ma fille! Est-ce là le prix de mes bienfaits?

est un cri de douleur plutôt que de rage. Mais l'absence totale de repentir chez Emilie, la surenchère à laquelle se livrent les deux coupables pour revendiquer chacun pour soi l'honneur du crime réveille en Auguste son projet de vengeance et de nouveau une menace de mort, plus précise que jamais, clôt la discussion.

> ...Je vous unirai, couple ingrat et perfide.
> Il faut bien satisfaire aux feux dont vous brûlez;
> Et que tout l'univers, sachant ce qui m'anime,
> S'étonne du supplice aussi bien que du crime.

Il reste encore à l'empereur une dernière étape à franchir dans la voie de l'humiliation pour que, soudain, il cède à la mansuétude dont il subissait la tentation depuis le début de la pièce. Ainsi, dans les anciens mystères, la Pitié attend-elle patiemment son heure avant de l'emporter sur les rigueurs de l'implacable Justice. Dans le récit de Sénèque, Auguste a juste besoin d'une parole de sa femme pour s'estimer en droit de céder à un mouvement qui déjà avait germé en lui. Dans la pièce de Corneille, le pardon n'intervient qu'au terme d'une triple épreuve, épreuve de nature à faire revenir Auguste sur ses velléités de clémence et à l'ancrer plus solidement dans cet esprit de rigueur politique dont il ne s'est jamais départi. Pourquoi cet écart entre les deux récits? C'est à la pensée politico-morale de l'époque de Louis XIII qu'il faut emprunter les éléments d'une réponse.

* * *

La clémence est une des vertus éminentes. «La piété plantée en l'âme de celuy qui a la charge de commander, écrit Camus du Tertre, le peut porter à des actions qui ressentent moins l'humanité, que la divinité...la clémence n'a moins de pouvoir».[8] Le prince clément se fait aimer et respecter non seulement de ceux à qui il laisse la vie sauve, mais encore de tous les hommes.[9] «L'amour et la bienveillance des sujets, dit encore Camus du Tertre,...

s'acquiert...plutost par la clémence, que par aucune autre vertu».[10] Mais si cette vertu chrétienne est partout reconnue comme ayan, un caractère divin, encore faut-il que, dans la civilisation militaire et féodale dans laquelle elle s'insère, elle évite un écueil majeur: le soupçon de lâcheté. «Octroyer facilement le pardon, c'est un acte qui tient de la divinité», dit Sorel.[11] Soit, mais le pardon est aussi un acte politique, et le héros qui l'accorde n'est pas Dieu, encore qu'il soit, de tous les mortels, celui qui s'en rapproche le plus. Or Dieu ne peut déchoir de sa divinité. Mais le héros ne coïncide avec l'héroisme qu'à la condition de renouveler constamment ses exploits, de rechercher sans cesse la victoire qui fait de lui un héros. L'héroïsme n'est jamais un état acquis une fois pour toutes. Que le pardon soit trop facilement octroyé, il apparaîtra comme une démission. Et si Auguste avait pardonné à Cinna à l'issue de sa conversation avec Livie, comme cela se passe chez Sénèque, son geste aurait prêté à équivoque. Bref, pour qu'elle acquière ses titres de noblesse, la clémence doit se présenter comme une vertu mâle. Un des moralistes les plus représentatifs de l'idéologie aristocratique, Georges de Scudéry, ne reculera pas devant l'affirmation que toutes les vertus, la clémence y comprise, reposent en dernière analyse sur le courage.[12]

Un deuxième écueil à éviter, c'est que le pardon ne profite pas. Car le pardon humain n'est pas un acte totalement désintéressé. Chez le prince, il est de toute nécessité une option politique, jugée en l'occurrence comme plus efficace que le recours aux rigueurs de la justice. Son caractère est donc double, de grandeur et d'utilité, et son utilité provient de sa grandeur puisque la reconnaissance de la supériorité morale de l'homme clément a pour effet d'engendrer la honte «qui arreste le cours des vices, et qui retient la main des meschans».[13] En revanche, là où l'acte de clémence, au lieu d'être le gage de la grandeur, apparaît comme l'effet de la lâcheté, il y a fort à craindre qu'il ne donne lieu à de nouveaux crimes. Pour que la clémence soit authentique, il faut qu'elle soit salvatrice. Elle comporte donc toujours une marge d'incertitude.

Une dernière dimension de la clémence est celle qui est constituée par la notion de vengeance. On pourrait s'en étonner. Mais il est bien évident qu'il s'agit ici d'un des aspects de l'accommodation de l'idéologie noble avec les impératifs de la doctrine chrétienne. Ainsi la comtesse de Aranda affirme que la vengeance la plus profitable et la plus grande est de pardonner,[14] et Sorel prétend qu'en pardonnant, le roi «fait mourir moins cruellement et plus utilement ceux qui ne l'affectionnent pas comme ils doivent».[15] Enfin, Gonzalo de Cespedes y Meneses dit que donner la liberté et la vie à l'ennemi lorsqu'on peut le tuer ou l'emprisonner, c'est la plus grande des victoires et le genre le plus noble de vengeance.[16] Lorsque l'acte de clémence amène le coupable à récipiscence, lorsqu'il lui fait changer de projet sous l'effet de la honte, on peut, à la rigueur, parler de vengeance, mais encore faut-il que cette condition soit remplie. Par conséquent, chaque fois que le prince se trouve dans le cas d'avoir à opter pour le châtiment ou pour le pardon, il choisira en fonction des chances de succès. Et c'est à sa prudence qu'il demandera de le guider.

La prudence. Ici encore nous nous trouvons devant une notion extrêmement équivoque. Il y a une bonne prudence, il y en a une mauvaise. La bonne ne va pas sans droiture morale. «La vertu de prudence, dit Jean-Pierre Camus, présuppose la prud'homie, car sans ceste qualité, c'est une pure finesse et accortise».[17] La bonne prudence fait passer le souci de l'honnête avant celui de l'utile, mais il est bien évident que le souci de l'utile entre aussi en ligne de compte. Des trois temps qui compose la prudence: le conseil, le choix des moyens et l'exécution, c'est le second qui risque de la faire tomber au rang de simple astuce.[18] L'action d'Auguste telle que Napoléon l'interprétait relève d'une prudence qui est répréhensible parce que destinée à tromper. Il suffit donc d'écarter l'hypothèse de la mauvaise foi pour y voir l'effet d'une prudence saine. Mais comment peut-on parler de prudence, avec tout ce que la notion comporte, obligatoirement dirait-on, de réflexion, de pondération, de sang-froid, lorsque ce pardon tombe des lèvres d'un homme à qui la colère est sur le point de faire perdre tout contrôle? Comment expliquer ce revirement, cette véritable métamorphose de la personne qui s'opère sous nos yeux? Subite irruption dans l'âme d'Auguste d'une sorte de grâce divine, ou triomphe de la volonté sur les passions?[19] Ni l'un ni l'autre à notre avis, mais victoire de la prudence.

La réflexion philosophique, nous l'avons dit, distingue une bonne et une mauvaise prudence. L'idéalisme aristocratique, lui, tout en maintenant cette distinction, fait état de deux sortes de prudence, toutes deux également bonnes, mais répondant à des conditions et à des conjonctures profondément différentes. D'une part la prudence ordinaire, à base de réflexion, de calcul, de mûrissement; d'autre part la prudence extraordinaire qui ressemble à s'y tromper à un acte gratuit, mais qui est en fait la réponse adéquate à un problème dont la solution ne saurait tolérer de retard. On dirait un coup de tête, une réaction de désespoir, mais en réalité, c'est de la prudence, de la prudence héroïque, seule capable de faire face à une situation exceptionnelle.[20] La clémence d'Auguste est la réaction d'un homme supérieur qui comprend la nécessité de céder aux circonstances pour en triompher.

Auguste agit en un éclair. Sur quoi se règle-t-il? Sur le projet déjà formé et que les conseils de sa femme étaient venus renforcer, à savoir, de rompre avec son passé et de se conduire désormais selon d'autres principes. S'il faut absolument parler d'une inspiration divine, il faut la situer, non à l'instant même de l'acte de clémence, mais bien avant, lorsque, dès le deuxième acte, on voit l'empereur à la recherche d'un au-delà de l'ambition assouvie, des fades satisfactions du pouvoir: la haine que Rome voue aux rois lui est devenue insupportable. Et au quatrième acte, lorsqu'il opère un retour sur lui-même, se reprochant d'avoir fait couler du sang avec l'intention indigne et illusoire de se faire craindre, son premier mouvement est de pardonner à ceux qui recherchent sa mort. Qu'il revienne aussitôt à des sentiments plus en rapport avec son éthique de tyran, peu importe: le projet de se faire aimer prendra progressivement de la consistance et s'exprimera dans sa conversation avec Livie.

> Cesse de soupirer, Rome, pour ta franchise;
> Si je t'ai mise aux fers, moi-même je les brise,
> Et te rends ton Etat, après l'avoir conquis,
> Plus paisible, et plus grand que je ne te l'ai pris:

Si tu veux me haïr, hais-moi sans plus rien feindre;
Si tu me veux aimer, aime-moi sans me craindre.[21]

Non seulement donc l'empereur est déjà disposé à écouter la voix de la clémence, mais encore la balance commence à pencher en faveur du pardon. Si, après avoir subi les bravades de Cinna et d'Emilie, après avoir entendu l'aveu, si humiliant pour lui, de Maxime, Auguste trouve en lui la force de pardonner, c'est que la clémence a déjà pris racine dans son âme. Il n'a plus qu'à l'appeler à son secours quand la conjoncture lui fait une nécessité d'opter, en l'espace d'une seconde, pour la mansuétude ou pour la sévérité.

Si nous refusons de voir dans le pardon d'Auguste la trace d'une inspiration du ciel, nous n'en refusons pas moins de l'attribuer à la seule maîtrise de soi, à la victoire que la volonté aurait remportée sur la colère. Le triomphe sur la colère n'entraîne pas obligatoirement une clémence de la qualité de celle d'Auguste. A ce sujet, l'opinion d'un des nombreux commentateurs, au XVIIe siècle, de ce geste exemplaire[22], le père du Bosc, est du plus haut intérêt. Commentant le texte de Sénèque, et attribuant à Livie tout l'honneur de la clémence, le P. du Bosc ajoute: «Mais si Livia conseille à Auguste d'éprouver la voye de la douceur, elle ne conseille pas de se fier ensuite trop imprudemment à Cinna: ce qu'elle conseille est bon pour arrester sa haine, mais non pour se confier trop en son amitié».[23] Dans la clémence telle que l'entend Livie, il entre juste assez de méfiance, juste assez de calcul intéressé, et, pour tout dire, de mesquinerie, pour déflorer la générosité dont elle s'inspire. Rien de tel dans la clémence de l'Auguste cornélien. A partir du moment où la prudence héroïque lui insuffle le parti de la mansuétude, la prudence ordinaire n'a plus qu'à se taire. Le geste d'Auguste est plus large: il pardonne, mais il fait aussi don de sa personne. Le *Soyons amis, Cinna* ne signifie rien de moins que l'adhésion totale de l'empereur à une morale neuve, à un ordre de valeurs dont il n'avait fait, jusque-là, qu'entrevoir indistinctement l'existence. Et c'est ici, précisément, que le drame s'ouvre sur la morale chrétienne.[24]

Obtenir l'obéissance en faisant régner la crainte, quand bien même ce ne serait que la crainte qu'inspire le sain respect d'une loi juste mais inexorable, tel avait été le propre de la Rome républicaine. L'empire, lui, pose à nouveau le problème de la légalité et, avec la personnalisation du pouvoir, introduit dans l'aire politique un phénomène nouveau: les rapports d'homme à homme. En se vainquant soi-même, Auguste s'agrandit spirituellement. Désormais l'obéissance dépendra de la reconnaissance d'une supériorité rigoureusement personnelle, d'une supériorité inhérente à sa personne. C'est ainsi qu'il conquiert la seule puissance authentique, la puissance idéale. En s'élevant moralement au-dessus de ceux qui l'entourent, il fonde le pouvoir effectif sur les seules bases qui en font un pouvoir réel: l'amour. On reconnaît là un des thèmes majeurs des théoriciens de la monarchie française, monarchie chrétienne: le roi est le père de son peuple qui lui doit l'obéissance en échange de l'amour; le roi est, sur la terre, le lieutenant d'un Dieu d'amour.

> Gagner tous les cœurs enchantés et exercer sur tous les sujets une tyrannie sans violence, c'est un effect ordinaire de cette vertu (la clémence). N'être pas humain et plein de bonté, ce n'est pas être homme.... Partout on chérit un prince affable et tout rempli de bonté comme un lieutenant de Dieu qui nous est donné du ciel. On croit que le Tout-Puissant lui a commis son authorité en lui donnant sa clémence.[25]

Auguste n'aura plus dorénavant à redouter les conspirations contre sa personne. Solidement assise sur des valeurs transcendantes, son autorité ne sera plus contestée et l'on pourra reprendre à son sujet le beau mot de Paravicino, prédicateur des rois et roi des prédicateurs: «Vous n'êtes pas seulement, sire, miséricordieux parce que tout-puissant, mais aussi vous êtes tout-puissant parce que miséricordieux.»[26]

NOTES

[1] Sénèque, *De la Clémence*, tr. P. du Ryer (Paris 1651), p. 49 et suiv.

[2] Vous m'aviez bien promis des conseils de femme;
Vous me tenez parole, et c'en sont là, madame.
(IV, 3).

[3] Cité dans Corneille, *Théâtre complet*, Bibliothèque de la Pléiade, t. I, p. 1323.

[4] Louis Herland, *Le pardon d'Auguste dans «Cinna»*, La Table Ronde, février 1961.

[5] Bernard Dort, *Corneille dramaturge* (Paris 1957), p. 52. Sans doute est-il exact que, par ses effets, la clémence d'Auguste se révèle être la rencontre de la générosité et de la prudence, mais est-il sûr qu'elle se présente ainsi à Auguste lorsqu'il prononce le pardon. Celui-ci est-il encore à ses yeux, comme lors de sa conversation avec sa femme, simple calcul politique, ou est-il déjà autre chose? Toute la question est là. Louis Herland n'a pas tort de dire qu'on ne sait pas pourquoi Auguste pardonne. L'empereur le sait-il lui-même?

[6] IV, 3.

[7] Il est vrai que lorsque Livie prononce ces paroles, son mari a déjà quitté la salle. Mais il a bien entendu l'invitation à «régner» sur lui-même. Il n'est pas interdit de penser que l'idée va désormais cheminer dans son esprit et trouver un peu plus tard son point de résurgence.

[8] Camus du Tertre, *Le Gouverneur parfaict* (Paris 1604), fo. 61. Cp. Diego Guerrea, *Arte de enseñar hiios de principes y señores* (Lerida 1623), fo. 94. «que cosa mas digna de un Real pecho, que la Clemencia? que le haze, ou puede hazer mas gloriosso? Con que un Rey puede semejar mas a Dios, que perdonando las injurias, y mostrandose clemente, y misericordioso?»

[9] Scipion Ammirato, *Discours politiques sur les œuvres de C. Cornelius Tacitus*, tr. J. Baudoin (Paris 1618), p. 89.

[10] Camus du Tertre, *Ouvr. cité*, fo. 62.

[11] Charles Sorel, *Les Vertus du Roy*, s.l.n.d., p. 116.

[12] «Toutes les vertus, quand elles sont oysives, ne sont plus vertus, ou ne le paroissent plus estre». Et, plus loin, «Car encore que la valeur n'agisse pas toujours l'espée à la main, elle ne laisse pas d'agir continuellement: elle entre dans les Conseils, aussi bien que la Prudence: c'est elle qui prend les résolutions hardies, et c'est elle aussi qui fait les princes cléments... Auguste... ne se lassa des proscriptions et des massacres du Triumvirat, que par cette seule raison: estant certain que s'il n'eust esté brave et courageux, Cinna n'eust pas échapé du péril où sa conspiration l'avoit mis, malgré les persuasions de Livie: et tous les Grands hommes enfin n'ont presque rien fait d'héroïque, que la valeur n'en ait esté la principale cause. Les lâches n'oseroient se résoudre, ny à punir ny à pardonner». (Georges de Scudéry, *Discours politiques des rois* (Paris 1662), pp. 447, 454.)

[13] Daniel de Priézac, *Discours politiques* (Paris 1666), p. 445.

[14] Maria de Padilla Manrique y Acuña, comtesse de Aranda, *Idea de nobles y sus desempeños* (Saragosse 1644), p. 709.

[15] Sorel, *Ouvr. cité*, p. 120.

[16] Gonzalo de Cespedes y Meneses, *Fortuna variada del soldado Pindaro* (Madrid 1611), p. 90.

[17] J.-P. Camus, *Les Evenemens singuliers* (Lyon 1628), p. 172.

[18] «La astucia busca con medios aparentes el mismo fin que la prudencia». *Libro tercero i cuarto de los aforismos politicos de Juan de Chokier* (1617), p. 9.

[19] «Die Clementia des Augustus ist ein Triumph des freien, sich selbst bestimmenden Willens. Die Beherrschung der «passions» ist Zeichen des königlichen Ranges». Christiane Wanke, *Seneca, Lucan, Corneille* (Heidelberg 1964), p. 174.

[20] «Si le politique est l'ouvrier des chef-d'œuvres tardifs, le héros est parfois le virtuose des œuvres hâtives», dit Jankélévitch qui a fort bien montré la

distinction des deux prudences chez Gracián. V. Jankélévitch, *Le Je-ne-sais-quoi et le presque-rien* (Paris 1957), p. 105.

[21] IV, iii.

[22] Louis Herland est loin du compte lorsqu'il prétend que «les classiques écrivaient pour des spectateurs non prévenus, qui ne savaient pas d'avance pourquoi Auguste pardonnera pour l'avoir appris à l'école». Au contraire, d'innombrables gloses existaient pour le leur apprendre. La clémence d'Auguste est offerte en exemple par une foule de moralistes et de théoriciens de la politique.

[23] Le P. du Bosc, *La Femme héroïque* (Paris 1645), t. II, p. 474.

[24] «La maiestas cesárea, en la visión de Virgilio y de Augusto, acaba por adquirir una estructura precristiana. Bastaba con sustituir el dios César por Cristo, Hijo de Dios, para perfeccioner la estructura cristiana». Francisco Maldonado de Guevara, *La maiestas cesárea en el Quijote* (Madrid 1948), p. 31.

[25] Sebastien de Senlis, *Les Entretiens du Sage* (Paris 1647), p. 284.

[26] Cité par Maldonado de Guevara, *Ouvr. cité*, p. 102.

MALLARMÉ AND THE NOVEL

by

BERNARD SWIFT

MALLARMÉ's views on the novel could be inferred in general terms from the formal expositions of his ideals of literature,[1] but more particularly from his judgements on novels in his correspondence.

From the general tenor of Mallarmé's literary aesthetic there seems to be a virtually complete incompatibility between his visions of pure literature and the distinctive attributes of the nineteenth-century novel. This is evident from his occasional direct strictures on the novel—'Farceurs et scélérats, romanciers: vous les prêtres laïcisés'[2]—and is substantiated by the repeated rejection of certain features of literature which were, and still are, normally considered to be inherent in the novel form: sustained narrative, anecdotic material, extended characterization.[3] Mallarmé's main reservation precluded a literature of immediacy,[4] involving the reader in facile identification with the work,[5] and in an easy suspension of disbelief[6] by which real time and space—themselves foreign, ultimately, to Mallarmé's ideal[7]—are simply replaced by the evocation of imaginary dimensions. A literature of evasion is deplored, a literature of didacticism or social utility is impure: both are in the final resort a form of commerce reducing literature to a means, directed away from itself, and the effect is to condone and foster some degree of vanity and self-congratulation in both author and reader. The vigorous attack, in *Le 'Ten o'clock' de M. Whistler*, on commercialism and vulgarity of taste illustrates the intensity of Mallarmé's rejection of affectation in art. His literature of suggestion would exclude the 'anecdote maligne'[8] and the commonplace of clear detail,[9] features which are governed by *le hasard* and embodied in 'la parole, brut(e) ou immédiat(e)'.[10] At the same time, any fiction of the written word has the attribute that, whatever its basis in sensation and the anecdotic, it communicates through intellectualization. Writing of the transposition of novels into theatre, Mallarmé singled out their abstraction: 'Quelques romans ont, *de pensée qu'ils étaient*, en ces temps repris corps, voix et chair et cédé *leurs fonds de coloris immatériel*, à la toile, au gaz...'[11] Mallarmé was neither one-sided nor intolerant.[12] In elaborating his ideal he was at the elementary level picking his way between existing literary forms, which may therefore be regarded as at least provisional points of reference. The theatre was a major touchstone,[13] and the novel may have had some place, however indirect, in the process of self-assurance. Mallarmé's thinking was complex and tightly consistent: refusing the commonplace, he deprecated the banality of the press[14], a form of communication akin to the novel in its particularity and contemporaneity, yet he was fascinated by journalism and wrote *La Dernière Mode* and his own *Grands faits divers*; he generally rejected narrative fiction, but translated the *Contes Indiens* and composed *Les Dieux Antiques*, which often involve a concise story-line.[15] Similarly, whilst reacting against overt story-telling, the *conte*, he could envisage the heightened, absolute *Conte*, *Igitur*, as a literary form incorporating, like the theatre, some element of internal progression. Preoccupied with an absolute, Mallarmé was constantly aware of the relative. Since language itself appertains to the relative he was conscious of the dangers of his own expression: '...verbiage devenu tel pour peu qu'on l'expose, de persuasif, songeur et vrai quand on se le confie bas' (*Œuvres Complètes*, p. 407). Whatever the nature of the *Grand Œuvre* or the *Livre*,[16] it is evident that the novel, tending towards the diffuse and the accidental, was unsuited to Mallarmé's intentions at every stage of his development. Although his attitude towards the novel seems to undergo no evolution, it is closely bound up with his personal meditation on literature, itself evolving, and could not be isolated from it without distortion:

> Jamais pensée ne se présente à moi, détachée, je n'en ai pas de cette sorte...; les miennes formant le trait, musicalement placées, d'un

ensemble et, à s'isoler, je les sens perdre jusqu'à leur vérité et sonner faux... (*O.C.*, p. 883).

It is in his correspondence, not in the poetico-critical writings proper, that Mallarmé dealt to the greatest extent with questions of the novel. Against the background of his formal repudiation of essential features of the novel, the relatively informal comments on novels in his letters assume due proportion.[17] Mallarmé—'si lent à s'approuver soi-même, si prompt à complimenter les autres'[18]—was often willing to suspend his personal reservations and accept, for the purpose of commentary and appraisal, the criteria of the novelist. Yet if he sometimes praised with a certain facility, the formulas he used were equally often simple and restrained. Barbey d'Aurevilly's *Un prêtre marié* is 'un des plus beaux romans que je sache';[19] Daudet's *Contes du lundi* and Hervilly's *Mesdames les Parisiennes* are referred to as 'ces volumes, vraiment délicieux';[20] Mallarmé acknowledged Cladel's novel *Crête rouge* as 'cet excellent livre, qui a charmé à la campagne ma première convalescence'.[21] Such formulas are scattered liberally throughout the correspondence; but Mallarmé's approval was not always merely an act of easy politeness. When writing to the authors themselves he almost invariably included some critique of substance, however brief: this, from Mallarmé, could be regarded possibly as praise enough.

In evaluating the novelists' skill, Mallarmé was drawing in some degree on his own early experience. As a schoolboy he had written prose narrative, and his eventual severity may be considered in relation to his reaction against himself.

Enfant, au collège, je faisais des narrations de vingt pages, et j'étais renommé pour ne savoir pas m'arrêter. Or, depuis, n'ai-je pas au contraire exagéré plutôt l'amour de la condensation? J'avais une prolixité violente et une enthousiaste diffusion, écrivant tout du premier jet, bien entendu, et croyant à l'effusion, en style. Qu'y a-t-il de plus different que l'écolier d'alors, vrai et primesautier, avec le littérateur d'à présent, qui a horreur d'une chose dite sans être *arrangée*?[22]

In this perspective, Mallarmé could show forbearance with the pleasure which others might find in standard prose-fiction (although he rejected the obscene outright[23] and seems only to have tolerated novels of distraction[24]). Commenting on selections from English novelists, for children, he wrote in *La Dernière Mode*: 'Toutes ces lectures excitent d'abord l'intérêt grâce au ton familier du dialogue et du récit...' (*O.C.*, pp. 794–5). The recommendation, even here, is guarded: interest need not denote high achievement.

Mallarmé was constantly suspicious of the 'récit fait à l'imitation de la vie confuse et vaste' (*O.C.*, p. 345). His position was made clear in a letter to Cazalis: '... pourquoi prendre pour modèle éternel de l'Art l'inconsciente nature, et dire: "Soyons sales!" parce que l'océan écume? Est-ce assez absurde? La nature a souvent des ardèches, l'art n'a que des Parthénons' (*Corresp.*, I, pp. 115–16). In the novel, the imitation of nature involves spatial localization and progressive characterization. In both cases, the novelist deals in daily, anecdotic reality, however original his vision may be; but the banal could draw Mallarmé's attention. He wrote to Marius Roux:

> ... la remarque et l'analyse des mille riens, gestes et visions rapides, qui, après tout, finissent par faire notre âme quotidienne, surprennent toujours chez vous, sans fatiguer, dans les pages de province notamment; et dans l'existence si entièrement localisée des peintres, qui n'habitent qu'un coin de la vie. (*Corresp.*, II, p. 175.)

The references to painters and the provincial setting[25] show that Mallarmé accepted a concentration on the particular to be necessary in the novel. In this letter, he regretted that Roux, in *La Proie et l'Ombre*, had not extended his subject to include treatment of writers as well as painters, suggesting that his own pleasure in the novel might have been increased if the subject-matter, which would nonetheless have remained a simple reproduction of the particular, had been concerned with literature. His commentary is revealing:

> L'étude lente de votre personnage gradue à merveille toute l'évolution pénible de sa décadence. C'est dommage qu'on ne puisse transposer de la peinture en la littérature, où pareil drame mentale doit se passer plus fréquemment, cette sinistre aventure; car je crois que les arts manuels

(comme la peinture, à moins qu'on n'y soit un génie) comportent toujours une certaine brutalité et quelque chose de matériel qui rattrapent un homme prêt à sombrer ou s'évanouir en trop de rêves. Mais le roman y perdrait justement en intérêt, chez le lecteur qui ne croit qu'aux arts spéciaux et ouvriers; et vous traitez après tout votre sujet avec assez de généralité, pour qu'on y voie un des accidents menaçant l'artiste, quel qu'il soit. (*Corresp.*, II, p. 174.)

Mallarmé sympathized with the underlying problem raised by the novel, as distinct from the characters and story proper, and he therefore appreciated the particular dramatization: 'L'aventure est très-belle...' (*ibid.*, p. 175). He was uninterested in fictional peripeteia as such,[26] his attention being directed towards the basic themes. In a relatively effusive letter commenting on Cladel's novel *L'Homme de la Croix-aux-Bœufs* (*Corresp.*, II, pp. 177–8), Mallarmé expressed admiration for its 'très-haut et très-pur concept', and clearly found evidence for distinguishing *theme* from *pretext*, for he added that in relation to this concept 'certains faits de votre récit ne sont peut-être pas tout à fait d'accord'. Within the framework of the novel, Mallarmé expected verisimilitude, and he also applauded simplicity: both indicate the novelist's control over his material. Of Zola's *L'Assommoir* he wrote:

La simplicité si prodigieusement sincère des descriptions de Coupeau travaillant ou de l'atelier de sa femme me tiennent sous un charme que n'arrivent point à me faire oublier les tristesses finales: c'est quelque chose d'absolument nouveau dont vous avez doté la littérature, que ces pages si tranquilles qui se tournent comme tous les jours d'une vie. (*Corresp.*, II, p. 146.)

Mallarmé's reservations regarding the imitation of reality are implicit in this judgement, but they remain suspended, and he is able to appreciate, without irony, the unsensational features of the novel. Banality lends credibility, and in this perspective is a merit. Mallarmé recognized the effective reproduction of reality, the author's artistry in rendering the banal, in Léon Hennique's *Les Héros modernes*: *La Dévouée*, which, he wrote, he read through twice.

Depuis la promenade aux Moulineaux, où l'air, le vrai, le respirable circule de façon si palpable, jusqu'à tous les autres morceaux du volume, il y a une aisance et une recherche, de l'intensité avec de la légèreté de touche, bref tout ce qui fait l'artiste hors de ligne. (*Corresp.*, II, p. 181.)

Again, it is banality which gives truth, for after some criticisms of character, Mallarmé went on:

Tous les autres personnages sortent du livre, une fois fermé, marchent et rentrent dans l'existence, tant il sont (quelquefois) quelconques et vrais... Votre œuvre se tient avec sa perfection de vision et sa vie indéniable. (*Corresp.*, II, pp. 181–2.)

Characterization, skilfully handled, may create unity and consistency in the novel; so much so that, even over a series of many novels, the works of Dickens, Mallarmé could sense a vast unity, through the piecemeal accumulation of caricatures.[27] Length itself, however, tends to increase the accidental characteristics of a work, and Mallarmé undoubtedly had mental reservations when he congratulated Zola, on *Une page d'amour*, by remarking: '... l'on est content de songer que cela reviendra douze fois encore!' (*Corresp.*, II, p. 173). And yet, with his ideal of synthesis in literature, Mallarmé postulated the idea of drawing into unity the ramifications of an extended work, *after the reading*: the novel, in such a case, may project the consistency of a single state of mind. Nevertheless, like the theatre, the novel is a medium for the progressive exposition of character, whereas Mallarmé's problem was to evoke, in a literature which—no matter how concentrated —is by definition successive, a heightened state of mind 'sans avoir montré comment on s'élevait vers ces cimes' (*Corresp.*, *I*, p. 116): whence, for example, his idea of creating Hérodiade as 'un être purement rêvé et absolument indépendent de l'histoire' (*Corresp.*, *I*, p. 154). In the novel, on the other hand, unity will be a quality superimposed by the reader on the gradual, contingent presentation of character, and the risk of fragmentation may be offset by the creation of a sense of movement. Mallarmé praised the characterization in Hennique's *L'Accident de M. Hébert* for its mobility: 'Comme tous vos personnages sont mobiles, le type de chacun distribué à travers toutes les pages du livre, une touche ici, une là, ainsi qu'on se voit en réalité jour à jour!'

(*Corresp.*, II, p. 257). Unity may also reside in tone, in the representation of the mind of the author. This, too, Mallarmé found praiseworthy, although it is incompatible with the aesthetic of impersonality. There is therefore some subtlety, without malice, in the following judgements: to Roux, concerning his novel, *La Poche des autres*: 'Je crois que nulle part vous n'apparaissez aussi bien dépouillé de tout alliage même brillant, bref autant vous même, solide et fin' (*Corresp.*, II, p. 209); and to Cladel, on his collection of short stories, *Héros et Pantins*: 'Quelle atmosphère homogène et spéciale, dans ce livre... Vous prenez un sujet, un autre; c'est toujours votre voix ininterrompue depuis tant d'œuvres, qui, sur un rythme arrivé à sa perfection certaine, le proclame, glorieusement monotone' (*Corresp.*, II, p. 284). By Mallarmé's own standards the presence of the author's personality in his writing could be regarded as a non-literary intrusion; and the unity of tone which he singled out for praise is a limited merit. In any case, when dealing with prose-fiction, there is evident artificiality in isolating style or technique from subject-matter. It is a truism that the *livre sur rien* is *about* something.

Mallarmé considered the novel to be an overtly figurative art form, the objects figured being normally contemporary, and language and style constituting simply the substance of figuration. In this, Mallarmé was a man of his century. With the great *empty* novel of the nineteenth century, *Bouvard et Pécuchet*, he seems to have been relatively disappointed. He was sceptical about the interest of its subject-matter (*Les 'Gossips'*, p. 80), and seems to have found the style disconcerting: 'Style extraordinairement beau, mais on pourrait dire nul, quelquefois, à force de nudité imposante: le sujet me paraît impliquer une aberration, étrange chez ce puissant esprit' (*Corresp.*, II, p. 220). Mallarmé clearly expected the novel to draw the reader's curiosity by incident, by the interest aroused through character-in-situation. He wrote, more generally, with implied approval of 'l'art définitif de Flaubert' (*Corresp.*, II, p. 257), and stated: '... J'isole Flaubert, parmi plusieurs absolus' (*O.C.*, p. 524); but the artistic aims of Flaubert, whom Henri Mondor has called Mallarmé's 'frère en ascétisme',[28] scarcely resemble those of Mallarmé.[29] Mallarmé's admiration for Flaubert's *Salammbô*[30] demonstrates mainly his occasional taste for a literature of the exotic, that is of the non-contemporary and the non-didactic, together with his appreciation of rich and flowing style.

Be that as it may, exoticism is merely one form of representation, no different in kind from others. The opening sentences of Mallarmé's *Préface à 'Vathek'* illustrate his attitude:

Qui n'a regretté le manquement à une visée sublime de l'écrit en prose le plus riche et le plus agréable, travesti naguères comme par nous métamorphosé? Voile mis, pour les mieux faire apparaître, sur des abstractions politiques ou morales que les mousselines de l'Inde au XVIIIe siècle, quand régna le CONTE ORIENTAL; et, maintenant, selon la science, un tel genre suscite de la cendre authentique de l'histoire les cités avec les hommes, éternisé par le *Roman de la Momie* et *Salammbô*. Sauf en la *Tentation de Saint-Antoine*, un idéal mêlant époques et races dans une prodigieuse fête, comme l'éclair de l'Orient expiré, cherchez! sur des bouquins hors de mode aux feuillets desquels ne demeurent de toute synthèse qu'effacement et anachronisme, flotte la nuée de parfums qui n'a pas tonné. La cause: mainte dissertation et au bout je crains le hasard. (*O.C.*, p. 549.)

The subtlety of Mallarmé's position is embodied in this highly concentrated passage: his distaste for mere representation, even when it is masked and indirect; his sense of the futility of supposedly exact reproductions of historical, therefore anecdotic reality; his preference for a dovetailing of time and space, to transcend contingency; above all, his desire for a higher purpose in literature, the 'visée sublime'. At the same time Mallarmé found pleasure in *Vathek*, which reveals in its author 'un besoin de se satisfaire l'imagination d'objets rares ou grandioses' (*ibid.*). The subject-matter may be justified, within the limitations of the genre, by its handling; the reader's pleasure may derive largely from rhythm and language itself: 'Tout coule de source, avec une limpidité vive, avec un ondoiement large de périodes; et l'éclat tend à se fondre dans la pureté totale du cours, qui charrie maintes richesses de diction inaperçues d'abord...' (*O.C.*, p. 565). Rhythmed language may be a virtue in itself.[31] Mallarmé praised the rhythm of Balzac's *Séraphita* (*Corresp.*, I, p. 116); and, in poetry, he could even find that the rhythm of Des Essarts' *Les Elévations* compensated a little for the facility and platitude of the verse: the rhythm is 'très habilement manié, voilà ce qui rachète tant de grisaille et de bavardage...' (*Corresp.*, I, p. 153); but the compensation is slight, for if rhythm is a virtue it is not an end, and Mallarmé found *Les Elévations* detestable, particularly for their loose and approximate expression. In this perspective, a passing remark in a letter of rather easy congratulation to Cladel, that Cladel had written certain novels 'dont chaque mot est sacré' (*Corresp.*, II, p. 194), could indicate that to Mallarmé precision of language was all the more meritorious in a genre which may better tolerate the approximate.

Cladel and Roux are no longer well-known; but Mallarmé was applying to all serious novels the same stringent demands, and with the same tendency towards generous appraisal. It was to quality of mind reflected in writing that he deferred, not to the novel as such: whence his praise for Stendhal, 'cet esprit admirable' (*Corresp.*, I, p. 311), for the Goncourts (*Les 'Gossips'*, p. 19), or for Maupassant, of whom he wrote: 'Je l'admire, à cause de dons!... L'écrivain, conteur quotidien, est de race' (*O.C.*, p. 875). Quality of mind must, for Mallarmé, be incorporated in artistic achievement, and Maupassant's achievement is uneven: Mallarmé preferred his 'première manière, celle-là qui peut-être sera classique, du conteur, avant que ne l'amplifiât et ne l'inquiétât le romancier' (*O.C.*, p. 526). Mallarmé's preference for the *conte* seems to arise from his sense that the relatively short tale is, in contrast to the novel, a closer approach to a literature of the instantaneous and a more controlled and compact crystallization of state of mind.[32]

While Mallarmé's ideal precluded extended prose-fiction, there is some complexity in the position he assumed when commenting on it. The subtlety of his critical approach is perhaps best illustrated from letters to Huysmans and Zola, for where his praise was overtly at its highest, his strictures, stated or implied, were at their most telling.

Mallarmé's dislike for Huysmans' copious climacteric novel, *A Rebours*, has been amply demonstrated by Henri Mondor:

Mallarmé reprend parfois ce livre étonnant, où un fatras impitoyable, sans expérience, un dandysme sans distinction, des goûts et des dégoûts également contradictoires, n'arrivent pas à tarir une sève et une saveur qui continueront peut-être à l'emporter sur la menace d'illisibilité. Le goût n'y égale pas, hélas, le zèle d'imagination.

Dans cette lecture très attentive, Mallarmé n'est pas sans souffrir, lorsqu'il retrouve ce qui est écrit, dans le livre, de sommaire, de brut, d'un peu facile sur son *Après-Midi d'un Faune*...[33]

In writing to Huysmans, Mallarmé had expressed warm interest in the projected novel:

... rien ne saurait m'intéresser autant que le magnifique projet dont vous m'entretenez. Notre époque ne devait pas finir sans que le roman ne fût fait, à aucune autre, on ne pourrait le comprendre; et c'est bien vous seul qui devez vous en charger. Venez donc me voir, ...chercher un *Faune* qui vous attend... (*Corresp.*, II, pp. 233–5.)

Later Mallarmé enquired: 'Que devient le si noble Monsieur à qui je pense fréquemment, dans les livres et les fleurs?' (*ibid.*, p. 242). Mallarmé was evidently interested in Huysmans' idea of Des Esseintes, being drawn by the curiosity of seeing his outlook, which bears some analogies with his own, embodied in a novel. A similar interest had marked his comment on Roux's *La Proie et l'Ombre*; equally, he was attracted by a kindred sensibility in Octave Mirbeau's *L'Abbé Jules*[34]; and he was particularly interested in Camille Mauclair's novel *Le Soleil des Morts*, which purports to show Mallarmé in the character of Calixte Armel.[35] Mallarmé was therefore quite ready to envisage sympathetically a novel which would both illustrate ideas akin to his own and refer directly to himself. However, his eventual praise of *A Rebours* incorporated implicitly his view of its general limitations. Already, when he had written: 'Notre époque ne devait pas finir sans que le roman ne fût fait, à aucune autre, on ne pourrait le comprendre', he was pinpointing the novel's historical limitation and his view of its restricted appeal; in this light, the phrase: 'c'est bien vous seul qui devez vous en charger' is qualified acclaim. The same edge of criticism is discernible in Mallarmé's letter of congratulation to Huysmans on the publication of *A Rebours*

(*Corresp.*, II, pp. 261–2): 'Le voici, ce livre unique, qui devait être fait — l'est-il bien, par vous! — cela à nul autre moment littéraire que maintenant!' Mallarmé ended this letter by praising its conception:

Je ris en pensant à ceux qui croient tout connaître d'à présent; et qui n'ont jamais songé à rien de ce que contient ce manuel extraordinaire, *A Rebours*. Quelle surprise pour les simples romanciers, et comme ils vont ouvrir les yeux!

Yet the novel is a 'manuel',[36] dealing in a contemporary issue. The innuendo in 'les simples romanciers' relates to Mallarmé's expression of admiration for Huysmans' apparent subtlety in Des Esseintes:

... vous êtes arrivé, dans cette dégustation affinée de toute essence, à vous montrer plus strictement documentaire qu'aucun, et à n'user que de faits, ou de rapports, réels, existant au même point que les grossiers; subtils et voulant l'œil d'un prince, voilà tout. Mais auxquels, jouir exigeant qu'on dépouille de plus en plus son plaisir, aboutira, certainement, quiconque est intense et délicat.

In effect, Mallarmé had here singled out, not some difference in kind between *A Rebours* and other novels, but simply a difference in subject-matter. *A Rebours* has in common with other novels a basis in documentary realism, and Mallarmé was suspending obvious reservations: 'L'admirable en tout ceci, et la force de votre œuvre (qu'on criera d'imagination démente, etc.) c'est qu'il n'y a pas un atome de fantaisie...' Similarly Mallarmé was waiving his central aesthetic of creation by suggestion when he wrote:

Vraiment, fermé comme je le vois sur ma table, alors que se recueille, sous le regard, tout le trésor de ses savoirs, je ne le conçois pas autre; vous savez, à cette heure de rêverie qui suit la lecture, quand un livre différent, presque toujours, se substitue, même à celui qu'on admire.... On ira là même et pas plus loin et pas autrement; s'arrêtant au point constaté par vous. Ainsi, votre ouvrage prend, à l'esprit, un aspect effrayant; posant quelque chose de définitif.

Mallarmé felt that participation by the reader was excluded and that the author's presence was prominent: whatever finality the novel has represents only a particularity of the author. This letter embodies a double point of view, picking out certain features which by the standards of the novel genre could be considered admirable, but each of which, by implication, Mallarmé rejected. Even the pleasure which Mallarmé mentioned, 'de se voir, lecteur d'un livre exceptionnellement aimé, soi-même apparaître du fond des pages', is by his own criteria literarily impure.[37]

Mallarmé's reservations about *A Rebours* apply also in his appraisals of novels by Zola, 'cet homme de vue si simple' (*O.C.*, p. 320). He recognized Zola's

qualités puissantes: son sens inouï de la vie, ses mouvements de foule, la peau de Nana, dont nous avons tous caressé le grain, tout cela peint en de prodigieux lavis, c'est l'œuvre d'une organisation vraiment admirable! (*O.C.*, p. 871.)

He stated that several novels by Zola were 'tous livres de haute valeur' (*Les 'Gossips'*, p. 22); and, for example, he wrote to Zola, of *La Conquête de Plassans*: '... je désire vous dire un jour combien j'admire, mais tout-à-fait, cette œuvre magistrale...' (*Corresp.*, II, p. 51). However, if this shows high esteem for Zola's achievement within his genre, Mallarmé rejected Zola's premises and his exclusive view of literature.[38] Mallarmé's approach is described succinctly in the editors' introduction to the second volume of the correspondence: 'Il entretient une correspondance active avec Emile Zola, jugeant avec une sympathie lucide, et parfois une ironie insidieuse et à peine perceptible, cet art si différent du sien' (*Corresp.*, II, p. 9).

Whatever his misgivings about the novel as an artistic medium, and his own proclivity towards the abstruse, Mallarmé seems to have recognized for the novel the virtue of easy readability.[39] Of Zola's *Une page d'amour* he wrote: '... Je ne crois pas qu'auteur ait à ce point laissé parler le papier et fait que les pages se retournent d'elles-mêmes et magiquement jusqu'à la dernière' (*Corresp.*, II, p. 172). He had read *L'Assommoir* 'd'un trait' (*ibid.*, p. 146), and he made a similar remark about *Son Excellence Eugène Rougon*:

Le volume entre les mains, je l'ai lu d'un trait; puis, refermé, je l'ai ouvert pour l'étudier, fragment par fragment, pendant quelques jours.

Ces deux façons de goûter une œuvre, qui sont, l'une, l'ancienne, du temps des romans faits comme des pièces de théâtre et l'autre, la moderne, alors que les conditions de la vie obligent à prendre un tôme, [*sic*] à le quitter, etc.; *Son Excellence Eugène Rougon* s'y prête également: car un intérêt profond s'y dissimule admirablement sous le hazard [*sic*] plein de plis et de cassures avec lequel le narrateur d'aujourd'hui doit étoffer sa conception. (*Ibid.*, pp. 106–7.)

Quick reading is an imperfect pleasure: the dominant anecdotic features of the novel may obscure its basic interest and intention, the 'concept si profond' which Mallarmé here approved. So although Mallarmé responded to the 'style, rapide et transparent, impersonnel et léger comme le regard d'un moderne' (*ibid.*, p. 107), it is evident that this kind of readability denotes weakness as well as strength. The strength is in drawing the reader's curiosity; the weakness lies in the prominence given to arbitrary detail. Mallarmé's praise was implicitly qualified when he wrote:

Dans l'attrayante évolution que subit le roman, ce fils du siècle, *Son Excellence*... marque encore un point, formidable: là où ce genre avoisine l'histoire, se superpose complètement à elle et en garde pour lui tout le côté anecdotique et momentané, hazardeux [*sic*]. (*Ibid.*)

The evolution is towards historical particularity, social and political documentation; and Mallarmé went on to say that the task of the future historian would be, by contrast, simply to draw large syntheses.[40] Since it is this task which would no doubt have been closer to Mallarmé's own ideal, the words 'attrayante évolution' are deceptive; and the phrase 'le roman, ce fils du siècle', embodies the same veiled criticism—of historical limitation—that Mallarmé later implied of *A Rebours*.

A similar reservation applied in *Une page d'amour*. Mallarmé observed that the meticulous detail in this novel was organized to render faithfully 'l'impression de la vie' (*Corresp.*, II, p. 173); but this involves the discontinuous and accidental, whereas Mallarmé sought, even in novels, meaningful relationships between the disparate elements. His explicit stricture on the novel singles out an absence of necessary relationship between the story and its setting:

C'est un grand succès. Toutefois (ma seule critique, mais faite, il est vrai, à un point de vue de composition tout différent du vôtre, qui jouez le hazard!) [*sic*] je n'arrive pas à trouver le lien moral ou dû à une nécessité du sujet, qui existe en cette juxtaposition des ciels, de Paris, etc. et du récit...[41]

Mallarmé would have preferred a setting meaningful in function of character: 'choisir un objet et en dégager un état d'âme', (*O.C.*, p. 869). In this way, otherwise accidental material in the novel could become objective correlative. In effect, he found here that the descriptive passages obtrude: '... à ces moments où d'ordinaire on lève les yeux après un épisode du récit, pour songer en soi et se reposer, vous apparaissez avec une tyrannie superbe et présentez la toile de fond de cette rêverie' (*Corresp.*, II, p. 173). Superb by the novelist's standards; tyrannical to Mallarmé, since it blocks the artist mind which seeks active participation in literary creation. The *completeness* in the novel, as in *A Rebours*, was to Mallarmé a fundamental weakness: this he implied also in his statement of the novel's effect: '... tout est dit et le poëme est contenu, tout entier, dans le livre comme en l'esprit du lecteur, sans que *par une lacune quelconque* on puisse y laisser pénétrer *de soi*, ni rêver à côté.'[42] Consistency and all-inclusiveness are therefore both merits, in the novel *qua* novel, and defects, in relation to Mallarmé's own position: 'L'homogénéité du milieu et de son atmosphère, ainsi que votre art à en donner l'impression totale et épuisée, est extraordinaire' (*ibid.*, p. 172). Some of Mallarmé's main strictures on all novels are embodied economically in this letter of congratulation.

When praising novels, Mallarmé occasionally wrote of their *poetic* quality. In his reply to Huret, Mallarmé called the great works of Flaubert, the Goncourts and Zola 'des sortes de poëmes' (*O.C.*, p. 871), meaning, it seems, that they belong to 'l'art évocatoire' (*ibid.*), by the stylistic evocation of states of mind. This is a form of creation which to Mallarmé was not a 'véritable littérature'; but if creation—that is, *la poésie*—resides in suggestion, musicality and condensation, it is possible to perceive occasional poetic features within given novels. Mallarmé therefore used the word 'poetic' as a relatively broad term of praise for the evocative power of the novel. His own position was normally more rigorous, condemning

> l'emploi trop courant du mot poésie: la poésie d'un paysage, d'une robe, du langage d'un auteur! Il faut, lorsqu'on veut exprimer cette sorte d'atmosphère supérieure spéciale, créée par les âges et accrue sans cesse par les imaginations, dire *fiction*...[43]

Mallarmé implied (*Corresp.*, II, p. 107) that the English term 'fiction' contained this sense, and that it does not apply to the documentary aspect of *Son Excellence Eugène Rougon.* He could therefore write that *Une page d'amour* is 'Un poëme, car c'en est un, sans interruption; et un roman, pour [qui] voudrait n'y voir qu'une peinture juste de la vie contemporaine' (*Corresp.*, II, p. 172); and he could, with some justification, though perhaps excessive generosity, praise the absence of objective correlative as itself a source of suggestion: '... Je sais bien que cette simple présence d'un être placé près de la vaste ville, sans rien de commun avec elle, est, déjà, d'une grande poésie!' (*Corresp.*, II, p. 173). The novelist combines evocation and objective precision. Elsewhere, Mallarmé stated that Roux's *L'Homme Adultère* showed a 'vision exacte, mais toujours poétique des choses, avec une émotion très communicative' (*Les 'Gossips'*, p. 69), and wrote: '... combien je sympathise avec votre façon de voir puis de peindre, le poëte chez vous ne perdant jamais pied partout où le mène l'analyste, puisque ce sont là les deux rôles inséparables du romancier' (*Corresp.*, II, p. 106). His praise of Hennique's *L'Accident de M. Hébert* was couched in similar terms: 'Vous avez absolument réussi, et illustré la formule du roman cherché par tous aujourd'hui. C'est dans son impeccable objectivité, quelque chose d'aussi attrayant qu'un poème' (*Corresp.*, II, pp. 256–7). Yet if the novelist is to be both 'poëte' and 'analyste' his art will be hybrid,[44] and Mallarmé's own criterion was clear. In 1876 he wrote to Anatole France: '... si j'ai un principe quelconque en critique, c'est qu'il faut, avant tout, rechercher la pureté des genres...' (*Corresp.* II, p. 116). This position could account for Mallarmé's remark in 1885 about *La Mauvaise Ouverture* by Camille de Sainte-Croix: 'Vous venez d'écrire un livre inattendu. Etions-nous assez las du roman qui n'est ni un poëme ni un récit assimilé à ce qu'on nomme l'existence! Vous avez rompu le compromis...' (*Corresp.*, II, p. 307).[45] Mallarmé then went on to congratulate the author of this realist work, characteristically, singling out *a*-poetic elements which he himself rejected:

vous avez osé... écrire des phrases qui soient du discours, mais combien divers et vivant et qui, comme les faits, n'ait rien de chantant en dessous. Telle forme des Mémoires à laquelle vous êtes revenu droit avec un flair certain et logique, vous devait cela, de vous fournir un tel parler, enrichi à vrai dire de tout le prestige moderne; comme est d'autre part relevé par une admirable composition le laisser-aller de l'aventure. (*Corresp.*, II, pp. 307–8.)

This reference to modernity echoes another aspect of Mallarmé's evaluation of the novel. Sometimes his comments were generously phrased as if to disculpate the novelist himself, by suggesting that his part of responsibility in the genre is diminished by his need to acquiesce in the demands of the public, the recipients. In Mallarmé's letters on the novel, the attribution of *modernity* reads like praise, but, as is clear from *Le Genre ou des Modernes*, it represents a withdrawal of sympathy on Mallarmé's part. When observing that Hennique's *L'Accident de M. Hébert* illustrates 'la formule du roman cherché par tous aujourd'hui', Mallarmé had already qualified his remark by writing: '... outre que cette œuvre est faite pour le plus grand succès, vous n'avez pas douté qu'elle dût ravir, avant personne, quelques délicats que vous aimez' (*Corresp.*, II, p. 256). Popular success does not necessarily preclude real interest to a minority, although popularity in itself may be a sign of literary weakness. Similarly, in appraising *Son Excellence Eugène Rougon*, Mallarmé referred to the interest hidden beneath certain accidental features 'avec lequel le narrateur d'aujourd'hui *doit* étoffer sa conception'.[46] Mallarmé explains this mitigating *doit* in an ambiguous sentence: 'Un livre que son esthétique spéciale met d'accord absolument avec le mode d'en user que peuvent apporter ses lecteurs, est un chef-d'œuvre...' (*Corresp.*, II, p. 107). Again, in discerning poetic qualities in *Une page d'amour*, Mallarmé wrote to Zola that this novel was not merely 'une chose magnifique, ... mais exactement ce que vous considérez comme le type de l'œuvre littéraire moderne' (*Corresp.*, II, p. 172). In this context, the popularity of a work derives from its evocation of truth; the public demands the illusion of reality; and the novelist best succeeds where the illusion is at its greatest. Mallarmé's praise of *L'Assommoir* was therefore muted when he wrote:

> Voilà une bien grande œuvre; et digne d'une époque où la vérité devient la forme populaire de la beauté! Ceux qui vous accusent de n'avoir pas écrit pour le peuple se trompent dans un sens, autant que ceux qui regrettent un idéal ancien; vous en avez trouvé un qui est moderne, c'est tout. (*Corresp.*, II, p. 146.)

No doubt Mallarmé's premises involve a distinction between various possible publics. Such statements as: '... je crois que l'art n'est fait que pour les artistes' (*Corresp.*, I, p. 168), together with the judgements in *Hérésies artistiques: l'art pour tous*, belong only to the elaboration of Mallarmé's particular conception of art. The aesthetic of literature as suggestion, his interest in the theatre as an artistic medium, the idea of the *Livre* associated with liturgical form,[47] the self-evident fact that the fate of a book remains in the hands of the purchaser,[48] such factors show that Mallarmé did not lose sight of the diverse social extensions of art. The problem lies in the nature of the communication and the receptivity of the particular public to which it is addressed. Nineteenth-century novelists normally aspired to clarity and immediacy of communication, directing their works towards a wide public; but at the same time, literary hermetism itself, far from being the destruction of communication, is ultimately a guide to meaning and a form of creation. Mallarmé rejected the novel—documentary, evocative and accidental—as impure communication for an artistically inactive public. Paradoxically, he had even contemplated writing an appendix to his *livre de 'beauté'* in the form of a 'Nouvelle' attacking the complacency of the bourgeois, and evidently *destined for* the bourgeois. In 1867 he wrote to Villiers de l'Isle-Adam:

> C'est simplement 'la symbolique du *bourgeois* ou ce qu'il est par rapport à l'Absolu'. Lui montrer qu'il n'existe pas indépendamment

de l'Univers — dont il a cru se séparer — mais qu'il est une de ses fonctions, et une des plus viles — et ce qu'il représente, dans ce Développement. S'il le comprend, sa joie sera empoisonnée à jamais. (*Corresp.*, I, p. 261.)

No trace of this 'Nouvelle' has been found, although its tenor is embodied in much of Villiers' own work. Did Mallarmé abandon the project as essentially non-literary communication, obstructed by the nature of the recipient?

The problem centres on the function of language and the thematic of the novel, communicating something adventitious and other than itself: this is quite distinct from the ideal of a complete embodiment of theme in actual creation and therefore in the reader's re-creation. The literary and artistic climate to which Mallarmé contributed profoundly, together with subsequent developments in the meditation on literature—particularly in relation to the place of Time in successive narrative, which Mallarmé examined, though not in respect of the novel—have influenced stylistic procedures and techniques of fiction in the twentieth century, when novelists have struggled with the problem of the novel as literature and reached various forms of compromise. For his own art, Mallarmé did not compromise; but despite the rigour of his ideal, his criticism of the novel was a mellow combination of sharpness and sympathy, arising from an intimate concern for the intellectual and creative life of others. The accuracy or inaccuracy of his judgements on contemporary novels is perhaps less important than the nature of these judgements, at once engaging and reserved, intuitive and clinical. His occasional inclination to suspend his own preoccupations, for the purpose of criticism, echoes his desire to withdraw his personality in the main body of his hermetic poetry. It postulates that tendency towards anonymity which can be the mark of both the original creator and the scholarly critic.

NOTES

[1] In, for example, *Crayonné au théâtre*, *Variations sur un sujet*, *Richard Wagner: rêverie d'un poëte français*, or *Le 'Ten o'clock 'de M. Whistler*. References in this essay are principally to Stéphane Mallarmé, *Œuvres complètes*, texte établi et

annoté par Henri Mondor et G. Jean-Aubry (Paris, Gallimard 1961), (Bibliothèque de la Pléiade), abbreviated as *O.C.*; to Stéphane Mallarmé, *Correspondance, 1862–1871*, recueillie, classée et annotée par Henri Mondor avec la collaboration de Jean-Pierre Richard (Paris, Gallimard 1959), and to Stéphane Mallarmé, *Correspondance, 1871–1885*, recueillie, classée et annotée par Henri Mondor et Lloyd James Austin (Paris, Gallimard 1965), abbreviated respectively as *Corresp., I*, and *Corresp., II*.

[2] See J. Scherer, *Le 'Livre' de Mallarmé* (Paris, Gallimard 1959), p. 7(A).

[3] 'Quoi! le parfait écrit récuse jusqu'à la moindre aventure, pour se complaire dans son évocation chaste, sur le tain des souvenirs, comme l'est telle extraordinaire figure, à la fois éternel fantôme et le souffle! quand il ne se passe rien d'immédiat et en dehors, dans un présent qui joue à l'effacé pour couvrir de plus hybrides dessous', *O.C.*, p. 318. See also the celebrated passage: 'Narrer, enseigner...' etc., *O.C.*, pp. 368 and 857–8.

[4] '... vulgaire l'est ce à quoi on discerne, pas plus, un caractère immédiat', *O.C.*, p. 384.

[5] 'Artifice, tel roman, comme quoi toute circonstance où se ruent de fictifs contemporains, pour extrême celle-ci ne présente rien, quant au lecteur, d'étranger; mais recourt à l'uniforme vie. ...*et nous comprenons que c'est nous.*

Voilà ce que, précisément, exige un moderne: se mirer, quelconque...', *O.C.*, pp. 374–5 (italics in text).

[6] See Mallarmé's comments on a theatre of verisimilitude, 'commandant de croire à l'existence du personnage et de l'aventure — de croire, simplement, rien de plus', *O.C.*, p. 542. On the illusion of realism and the facility of a literature of sentiment, see notably Valéry's essay on Mallarmé, in Paul Valéry, *Œuvres*, t. I, édition établie et annotée par Jean Hytier (Paris, Gallimard 1962), (Bibliothèque de la Pléiade), pp. 660–80.

[7] See, amongst others, J. Starobinski, 'Mallarmé et la tradition poétique française', in *Les Lettres*, t. III (1948), pp. 40–1: G. Poulet, *La Distance Intérieure* (Paris, Plon 1952), esp. pp. 298–9, 311–13, 334–5; Suzanne Bernard, *Le Poème en Prose de Baudelaire jusqu'à nos jours* (Paris, Nizet 1959), p. 315; J.-P. Richard, *L'Univers imaginaire de Mallarmé* (Paris, Editions du Seuil 1961), pp. 601–5.

[8] *O.C.*, p. 850. See also *O.C.*, pp. 544–5.

[9] 'Le désir de voir, pour le fait de voir est, quant à la masse, le seul à satisfaire: de là sa jouissance du détail', *O.C.*, p. 574. It is only the true artist '(qui) ne se borne pas à copier oiseusement, et sans pensée, chaque brin d'herbe, comme l'en avisent des inconséquents...', *O.C.*, p. 575. See also, for example, *O.C.*, pp. 318, 445.

[10] *O.C.*, p. 368. For Mallarmé's aesthetic of suggestion, the text of his reply to Huret's *Enquête* is of capital importance (*O.C.*, pp. 866–72).

[11] *Le Genre ou des Modernes*, *O.C.*, p. 317 (my italics). The phrase is taken up again, with slight changes, in *Notes sur le théâtre: IV*, *O.C.*, p. 342.

[12] See *Corresp.*, II, p. 51: '...je ne connais pas un point de vue en art qui soit inférieur à un autre; et je jouis partout *ainsi qu'il sied*' (my italics); and n. 1. See also the editorial introduction to H. Mondor et L. J. Austin, *Les 'Gossips' de Mallarmé* (Paris, Gallimard 1962), p. 16: 'Peut-être que l'impression dominante qui se dégage de toutes ces notes, c'est l'amour des Arts et des Lettres et la

volonté de favorisertous ceux qui lesservaient, quel que fût leur génie ou leur simple talent.'

[13] On Mallarmé's appreciation of the theatre, and his misgivings, see L. J. Austin, 'Mallarmé, Victor Hugo et Richard Wagner', in *Revue d'Histoire Littéraire de la France*, avril-juin, 1951, pp. 154–80, esp. pp. 162–4. See also Edouard Dujardin, *Mallarmé par un des siens* (Paris, Messein 1936), pp. 78–82. The misgivings relate principally to anecdote and the physical particularity of characters and material décor. This is an important instance of Mallarmé's use of another art form—Wagner's—as a *point de repère* in elaborating his own ideal, here an 'idéal, quelque peu nébuleux' (L. J. Austin, *art. cit.*, p. 164).

[14] Mallarmé deplored the lack of vitality of the press and its superficiality (see *O.C.*, pp. 386, 407). See also J. Scherer, *op. cit.*, pp. 46–9. At the same time, Mallarmé recognized the possible utility of the press in promulgating works of merit (see *O.C.*, p. 329, on Octave Mirbeau, and *O.C.*, pp. 524–5, on Maupassant); and he admitted the inevitability of journalism for the writer: 'Nul n'échappe décidément, au journalisme...', Mallarmé, *Divagations* (Paris, Bibliothèque Charpentier 1949), p. 17.

[15] J.-P. Richard appreciated the complexity of Mallarmé's attitude towards contemporary society: 'Il faut... considérer *la Dernière Mode* comme les *Contes Indiens* de notre société... Mallarmé s'y approprie rêveusement les qualités d'une humanité socialement idéale; il s'y intègre à une sorte d'Olympe contemporain' (*op. cit.*, p. 301). On the *Contes Indiens* see H. Mondor, *Vie de Mallarmé* (Paris, Gallimard 1941), p. 676: 'Mallarmé s'est plié aux règles traditionnelles du conte....' Commentators have examined the extent to which Mallarmé incorporated anecdote and *récit* into his own creative writing, especially in *Igitur* and the prose poems, which Mallarmé entitled 'poèmes ou anecdotes' (*Divagations*, p. 17). See, for example, G. Poulet, *op. cit.*, p. 325; J. Scherer, *op. cit.*, p. 13; J.-P. Richard, *op. cit.*, pp. 491–2, 556–9.

[16] See, for example, J. Scherer, *op. cit.*; Suzanne Bernard, *Mallarmé et la musique* (Paris, Nizet 1959); A. R. Chisholm, *Mallarmé's 'Grand Œuvre'* (Manchester University Press 1962). L. J. Austin (in 'Mallarmé et le rêve du livre', *Mercure de France*, janvier 1953, p. 101), lists the theatre, ballet, mime and music, as elements in Mallarmé's meditation on the *Livre*: the novel has no part in it.

[17] Since Mallarmé considered that his letters were inconsistent with his desire for perfection in writing, there could be danger in placing too much faith in the correspondence and in accepting his critical judgements entirely at their face value. See E. Noulet, *L'Œuvre poétique de Stéphane Mallarmé* (Paris, Droz 1940), p. 4. Valéry quickly noted Mallarmé's amiability, but was not deceived: 'Les quelques lignes qu'il m'a adressées sont charmantes.... (O combien je suis loin de blâmer les hommes illustres qui répondent par des banalités!) Ce qu'il me dit contient une subtile moelle', Paul Valéry, *Lettres à quelques-uns* (Paris, Gallimard 1952), p. 32 (letter to Pierre Louis, 1 November 1890).

[18] H. Mondor, *op. cit.*, p. 537; see also *ibid.*, p. 698.

[19] *Corresp.*, I, p. 170. This judgement is evidently a cliché: in the same letter to Lefébure, Mallarmé had just referred to Shelley as 'un des plus grands poètes que je sache.' In the *Literary Gossip* of 9 January 1876, Mallarmé called Barbey 'L'un des maîtres du roman en France', *Les 'Gossips'*, p. 55.

[20] *Corresp.*, II, p. 79, letter to O'Shaughnessy. See also *Les 'Gossips'*, p. 21.

[21] *Corresp.*, II, p. 210, letter to Cladel.

[22] *Corresp.*, I, p. 155, (italics in text).

[23] See *Corresp.*, II, p. 81: '...Belot, auteur de romans obscènes et sans intérêt.'

[24] Mallarmé referred occasionally to the reading of his family: *Corresp. I*, p. 269, *Corresp.*, II, p. 273; and, half-humorously, of his daughter Geneviève: 'Je crains qu'elle ne lise trop de romans', *Corresp.*, II, p. 244.

[25] Mallarmé recognized the possible interest of depiction of the provinces. See *Les 'Gossips'*, pp. 40, 69.

[26] See for example, *Les 'Gossips'*, p. 80, mentioning 'incident' in Flaubert.

[27] See 'Beautés de l'anglais', in H. Mondor, *Autres précisions sur Mallarmé et Inédits* (Paris, Gallimard 1961), p. 92. Mallarmé saw Dickens primarily as a great creator of characters: 'des personnages, vivant d'une vie intense ou légère, bien celle du roman' (*ibid.*).

[28] H. Mondor, *Vie de Mallarmé*, p. 277.

[29] J.-H. Bornecque considered there to be some continuity between Flaubert's idea that 'le monde n'existe vraiment que pour que nous en donnions des images', and Mallarmé's declaration that 'le monde est fait pour aboutir à un beau livre' ('Rêves et Réalités du Symbolisme', in *Autour du Symbolisme* (Paris, Corti 1955), p. 8). There may be some common-ground, here, in subjectivism, but it is imprecise; on the other hand, Mallarmé's *intention* in literature seems to differ radically from Flaubert's.

[30] See H. Mondor, *Vie de Mallarmé*, pp. 133, 145–6. Consult also *Corresp.*, I, p. 122, n. 4, and the note on *Hérodiade* in *O.C.*, p. 1441.

[31] On rhythm see for example *La Musique et les Lettres, O.C.*, pp. 642–57; and Suzanne Bernard, *Le Poème en Prose de Baudelaire jusqu'à nos jours.*

[32] Mallarmé praised Villiers de l'Isle-Adam's short stories: '...une centaine environ de courts récits, juste le temps d'épuiser un état d'âme, opulent et bref' (*O.C.*, pp. 505–6). Of the *Contes Cruels* he wrote: 'La langue d'un dieu, partout! Plusieurs des nouvelles sont d'une poésie inouïe et que personne n'atteindra: toutes, étonnantes' (*Corresp.*, II, p. 239).

[33] H. Mondor, *Vie de Mallarmé*, pp. 435–6.

[34] See H. Mondor, *op. cit.*, p. 530.

[35] *Ibid.*, pp. 793–5. Mallarmé's letters to Mauclair in 1898, quoted by Mondor, reveal his great interest in this attempted dramatization of himself.

[36] Similarly, Mallarmé, who reciprocated Villiers de l'Isle-Adam's view of life, was content to call Villiers' novel *L'Eve future* a 'pamphlet par excellence' (*O.C.*, p. 503), a demonstration of something other than itself.

[37] On the relationship between Huysmans' Des Esseintes and Mallarmé's *Prose pour des Esseintes*, see *Corresp.*, II, pp. 262–3, n. 2.

[38] Mallarmé's catholic approach to literary criticism was not matched by Zola. See Mallarmé's remark to Henry Roujon: 'que dites-vous de *Morale et Patriotisme* (c'est-à-dire ne lisez que moi) dans le *Voltaire?*' (*Corresp.*, II, p. 192), which contrasts sharply with Mallarmé's position as expressed to Zola himself: see *supra*, n. 12.

[39] This view was later developed by Valéry, who wrote that the novel knows only one law: 'Une seule loi, mais sous peine de la mort: il faut — et, d'ailleurs, il suffit — que la suite nous entraîne, et même nous *aspire*, vers une fin...', *Hommage à Marcel Proust*, in Paul Valéry, *op. cit.*, p. 771 (italics in text). Valéry's

reflections on literature and the novel, in for example *Variété* and *Tel Quel*, resemble Mallarmé's views in many respects, but are more insistent and thoroughgoing.

[40] Mallarmé repeated this idea immediately afterwards in the *Athenaeum*: see *Les 'Gossips'*, no. 29, p. 68; for a review of a work of history, see *ibid.*, no. 34, p. 74.

[41] *Corresp.*, II, p. 173; and see n. 1, calling this a 'critique symboliste', and referring to *La Musique et les Lettres* and to Mallarmé's reply to Huret.

[42] *Corresp.*, II, p. 172 (italics in text), and see n. 2. The editors accurately describe this as 'une subtile critique de la part de celui pour qui comptait surtout ce qu'on lit entre les lignes d'un texte....'

[43] H. Mondor, *Vie de Mallarmé*, p. 705 (italics in text).

[44] On the osmosis of poetry and prose-fiction in the late nineteenth-century see especially Suzanne Bernard, *Le Poème en Prose de Baudelaire jusqu'à nos jours.*

[45] In *Corresp.*, II, p. 307, n. 2, the editors ask: 'Mallarmé n'aurait-il pas écrit plutôt 'attendu'?...'; 'inattendu' makes equally good sense in the context of the then prominent mixed genre.

[46] See *supra*, p. 266 (my italics).

[47] See, amongst others, A.-M. Schmidt, 'Mallarmé fondateur de religion,' in *Les Lettres*, t. III (1948), pp. 106–13; J. Scherer, *Le 'Livre' de Mallarmé*; J.-P. Richard, *L'Univers imaginaire de Mallarmé*, pp. 363–4.

[48] See *Préface à 'Vathek'*, *O.C.*, pp. 563–4.

ROUSSEAU OU LE SOCRATE MODERNE

par
JACQUES VOISINE

DANS la confuse tentative de synthèse qui s'observe depuis la Renaissance entre la foi chrétienne et la culture gréco-latine, tout comme dans le courant libertin, le personnage de Socrate joue un rôle éminent. Vers le temps où les premières éditions du Dictionnaire de Moreri, dans un article *Socrate* par ailleurs insignifiant, rapportent le mot d'Erasme, qui ne pouvait presque s'empêcher de dire «Saint Socrate, priez pour nous», les champions des Lumières, à la suite de Bayle,[1] admettent ouvertement qu'on peut être vertueux sans être chrétien, et s'en réfèrent volontiers pour exemple à Socrate et à Caton — la préférence accordée d'abord au second ne devant être que passagère.

La jeunesse autodidacte de Jean-Jacques Rousseau, né en 1712, est contemporaine de l'apparition de périodiques d'inspiration morale dont le titre illustre la popularité croissante de la figure du Sage d'Athènes: c'est sous le titre *le Spectateur ou le Socrate moderne* que paraît la première traduction française du *Spectator* de Steele et Addison; l'Allemagne a bientôt son *Socrate* en langue française (Leipzig, 1725) puis en 1748 son *Teutscher Sokrates.*

Dans les années où l'enfant Jean-Jacques lisait Plutarque avec son père, comme le rapporte le premier livre des *Confessions*, Rome et les Romains étaient à la mode plus qu'Athènes, et il en sera longtemps ainsi au cours d'un siècle qui fera un grand emploi des mots *patriote* et *patriotisme*. Le «sage» Caton (l'Ancien) se confond un peu dans les imaginations avec son arrière-petit-fils pour incarner l'idéal de la liberté politique. Caton d'Utique, héros de la liberté, doit au succès européen de la tragédie d'Addison — prototype de la tragédie civique que cherche à créer Voltaire —

une grande part de son prestige. Mais du même coup on voit en lui le Héros plus que le Sage; Socrate, par sa mort non moins héroïque que celle de Caton, n'a rien à lui envier. On s'explique que la figure du Philosophe d'Athènes supplante graduellement celles des deux Catons dans l'admiration d'un siècle épris de vertu héroïque mais aussi et surtout de raison, et professant généralement peu de respect pour l'esprit de conquête, difficilement séparable de la grandeur romaine. Chez Voltaire lui-même, dès 1750, le motif de la mort de Socrate a remplacé celui de la mort de Caton dans son poème dramatique *Socrate*.

Le premier écrit imprimé de Rousseau, *le Verger de Mme la Baronne de Warens*, composé en 1737 ou au plus tard en 1738, contient deux vers révélateurs, dans leur naïveté et leur audacieuse chronologie, du glissement contemporain de l'idéal de Caton (sans qu'on sache bien de quel Caton il s'agit) à l'idéal de Socrate:

> Ou bien avec Socrate et le divin Platon
> Je m'exerce à marcher sur les pas de Caton.

Même association des deux noms dans le *Discours sur les Sciences et les Arts*, une dizaine d'années plus tard:

> Socrate avait commencé dans Athènes, le vieux Caton [*cette fois la précision est donnée*] continua dans Rome, de se déchaîner contre ces Grecs artificieux et subtils qui séduisaient la vertu et amollissaient le courage de ses concitoyens.

Mais alors que Caton n'a droit qu'à cette brêve mention, Rousseau vient de donner la parole pour plus d'une page au «plus savant des Athéniens[...] faisant l'éloge de l'ignorance». Montaigne, et Jean-Louis Guez de Balzac dans son *Socrate chrétien*, lui avaient fourni l'idée de placer dans la bouche de Socrate, sûr de sa seule ignorance, une diatribe contre les dangers d'un savoir indifférent à la vertu. Cette première apparition sérieuse de Socrate sous la plume de Rousseau indique déja la dette à l'égard du sage d'Athènes qu'accusera la ligne même de la pensée du philosophe de Genève, aboutissant à la recherche de plus en plus dépouillée de la connaissance de soi avec les *Confessions*, les *Dialogues* et les *Rêveries*. En quelques lignes, il est fait deux fois allusion à l'oracle de Delphes et à l'interprétation qu'en donne Socrate:

Me mettant à la place de l'oracle, et me demandant ce que j'aimerais le mieux être, ce que je suis ou ce qu'ils [= *les prétendus savants*] sont, savoir ce qu'ils ont appris ou savoir que je ne sais rien, j'ai répondu à moi-même et au dieu: Je veux rester ce que je suis[...] De sorte que toute cette supériorité de sagesse qui m'est accordée par l'oracle se réduit seulement à être bien convaincu que j'ignore ce que je ne sais pas.

Rousseau ne cessera désormais d'inviter les hommes à «se connaître eux-mêmes» — jusqu'au jour où il croira découvrir, comme il l'écrit dans le premier préambule des *Confessions*,[2] que

il faudrait souvent pour connaître le sien même [*son cœur*] commencer par lire dans celui d'autrui —

découverte qui expliquerait, à l'en croire, comment il a été amené à écrire ses *Confessions*, car il poursuit:

Je veux tâcher que pour apprendre à s'apprécier, on puisse avoir du moins une pièce de comparaison; que chacun puisse connaître soi et un autre, et cet autre ce sera moi.

Avant d'en arriver là, il développait le précepte socratique du «connais-toi toi-même» dans le paragraphe d'ouverture du *Discours sur l'origine de l'Inégalité*. Rappelons, avant de citer ce texte, en quels termes le Huitième livre des *Confessions* évoque la composition de ce *Discours*, né de méditations au sein de la forêt de Saint-Germain au cours desquels Rousseau, exalté, invitait ses semblables à rentrer en eux-mêmes:

Je leur criais d'une faible voix qu'ils ne pouvaient entendre: Insensés, qui vous plaignez sans cesse de la nature, apprenez que tous vos maux vous viennent de vous.[3]

Cri auquel fait écho, en effet, le début de la Préface du Second *Discours*:

La plus utile et la moins avancée de toutes les connaissances humaines me paraît être celle de l'homme; et j'ose dire que la seule inscription du temple de Delphes contenait un précepte plus important et plus difficile que tous les gros livres des moralistes.

Il serait intéressant de suivre à travers les grands ouvrages, *Nouvelle Héloïse*, *Contrat Social*, les traces de l'enseignement socratique, ou d'examiner ce que la pédagogie de l'*Emile* peut devoir à la maïeutique; mais ce n'est pas notre propos. Concluons par ce bel et émouvant aveu d'échec qui, dans sa modestie sceptique, reste fidèle à la leçon de Socrate: il figure au début de la Quatrième promenade des *Rêveries*:

> [...] le «connais-toi toi-même» du temple de Delphes n'était pas une maxime si facile à suivre que je l'avais cru dans mes *Confessions*.

Léon Brunschvicg n'avait pas tort de voir en Rousseau l'initiateur du retour à Socrate.[4]

* * *

Comment Rousseau, disciple de Socrate, allait-il accueillir le mouvement qui se dessine à partir de 1760 et tend à actualiser la boutade d'Erasme en élevant Socrate à la sainteté tout en rabaissant souvent Jésus au niveau d'un simple sage?

Un des auteurs contemporains les plus assidûment pratiqués par Jean-Jacques est le Bernois Jean-Béat de Muralt,[5] dont les *Lettres fanatiques* présentent Socrate comme un véritable chrétien. Les *Lettres fanatiques* sont de 1739; et dix ans plus tôt, le professeur zurichois J. J. Zimmerman avait publié une *Meditatio de praestantia religionis Christianae collatae cum philosophia Socratis*,[6] premier exemple de ce parallèle entre Socrate et Jésus que popularisera la *Profession de Foi du Vicaire Savoyard*. Il serait fort étonnant que Rousseau n'en eût jamais entendu parler, ne serait-ce que par les réactions qu'elle suscita à Genève, où Charles Bonnet notamment se refusera à mettre Socrate sur le même plan que le Christ. Mais ce qui paraissait sacrilège avant 1750 sera presque banal à la fin du siècle: Johann Georg Hamann, après avoir publié en 1759 des *Sokratische Denkwürdigkeiten*, leur ajoute un supplément intitulé «Beilage zu den Denkwürdigkeiten des *seligen* Sokrates.» Diderot, peu suspect de favoriser la religion chrétienne, n'ose pas aller si loin dans l'article *Philosophie socratique* qu'il a rédigé lui-même pour le tome XV, paru en 1765, de l'*Encyclopédie*; il se contente d'une allusion discrète à l'actualité qui laisse transparaître la fierté personnelle, sinon l'invitation à une identification possible, lorsqu'il remarque que Socrate fut accusé d'impiété parce que sa religion n'était pas celle de sa patrie. Mais Marmontel n'hésite pas à se demander dans *Bélisaire* (1769) si l'on ne pourrait pas à bon droit reconnaître à Socrate le titre de saint — question qui devait soulever dans les milieux religieux des Pays-Bas une vive polémique qu'on a appelée la *guerre socratique*.[7]

Avec les progrès du déisme et l'audace croissante de l'incroyance, c'est en effet dans un climat européen, et non plus en tant que curiosité isolée, que se présente dans le dernier tiers du siècle, au lendemain de la *Profession de Foi du Vicaire Savoyard*, la question de la «sainteté» de Socrate.

On sait comment Rousseau y a répondu dans ce texte célèbre: «Si la vie et la mort de Socrate sont d'un sage, la vie et la mort de Jésus sont d'un Dieu». Il est possible que son refus d'une assimilation entre le sage et le dieu ait été renforcé par sa querelle personnelle avec les Philosophes, qui pour la plupart sont prêts à accepter cette assimilation. L'homme qui a défendu quelques années plus tôt contre Voltaire la notion de Providence divine, qui vient de rompre avec Diderot, qui combat le matérialisme d'Helvétius et d'Holbach, n'a pourtant pas contre lui que les incroyants; dira-t-on qu'il pensait de bonne foi que sa *Profession de Foi* serait acceptable aux églises chrétiennes, et qu'il n'aurait pas hésité, s'il avait cru le contraire, à placer sur le même plan Socrate et Jésus? S'il n'y avait là qu'une simple précaution, pourquoi par la suite Rousseau, condamné à la fois par l'église catholique et par l'église calviniste, aurait-il persisté à se réclamer du christianisme? Il n'y a pas de raison de douter sur ce point de la sincérité de Rousseau, pas plus que de celle de Herder un peu plus tard — deux grands noms qui représentent une énergique opposition dans le courant général qui tend alors à rapprocher jusqu'à les confondre la figure de Socrate et celle de Jésus, quand ce n'est pas à mettre Socrate au-dessus de Jésus, comme le fait Gibbon.[8]

Si Rousseau n'accepte pas de poursuivre jusqu'au bout la comparaison entre Socrate et Jésus, il ne répugne pas plus que tel de ses contemporains à un autre genre de comparaison auquel l'admiration pour Socrate, en un siècle qui fait grand usage du terme de philosophe, devait inévitablement donner lieu. La tentation est grande, non seulement de chercher en ce siècle des Socrates, mais même, quand on se dit «philosophe», de ne décourager que faiblement les admirateurs qui osent vous comparer à lui...

Le rapprochement était suggéré dans le passage de Diderot cité plus haut. Diderot ne s'en est pas tenu là, comme l'a montré J. Seznec dans ses *Essais sur Diderot et l'Antiquité*: captif à Vincennes, il traduit l'*Apologie de Socrate* dans laquelle Platon présente Socrate entretenant ses disciples dans la prison; dans le traité *De la Poésie dramatique*, dans les comptes rendus des *Salons*, dans un projet de drame, jusque dans l'usage d'un sceau à cacheter portant le portrait du sage, Diderot apparaît fasciné par la personnalité de Socrate et son sort de martyre de la vérité, et suggère en plus d'un cas le rapprochement entre le philosophe du XVIIIe siècle et celui du Ve siècle avant J. C. Mais dans ses dernières années Diderot, selon J. Seznec, aurait transféré de Socrate à Sénèque son admiration — dont témoigne entre autres l'*Essai sur les règnes de Claude et de Néron*.

L'histoire des rapports entre Diderot et Rousseau, encore qu'éclairée par plusieurs études récentes, demeure encombrée de bien des incertitudes, mais il reste qu'après les années d'étroite amitié et de quotidiens échanges intellectuels entre les deux hommes, ce qu'on sait de Diderot peut contribuer à éclairer l'interprétation de tel aspect encore obscur du comportement ou des écrits de Rousseau. On pourrait ainsi se demander, devant la saisissante démonstration présentée par J. Seznec de l'évolution des sentiments de Diderot à l'égard de Socrate, si Rousseau n'aurait pas évolué de façon analogue, Le célèbre parallèle contenu dans la *Profession de Foi* marquerait-il le début d'un détachement progressif à l'issue duquel la figure de Jésus supplanterait, aux yeux de Rousseau, celle de Socrate? C'est ce qu'avance J. Seznec lui-même. Je ne puis le suivre sur ce point.

Tant pis pour la symétrie, mais les choses ne sont pas si simples. Cette substitution d'un modèle à un autre impliquerait d'ailleurs, contrairement à ce que nous savons des convictions religieuses de Rousseau, qu'il s'agit simplement là de deux maîtres à penser, interchangeables parce que de même nature. Mais nous avons en outre bien des témoignages qui prouvent que l'admiration de Rousseau pour Socrate — et sa satisfaction devant les comparaisons instituées entre Socrate et lui-même — loin de diminuer après la publication de l'*Emile*, ne fait au contraire que se développer.

* * *

On pourrait croire que cette complaisance à se comparer implicitement à Socrate n'est qu'un exemple de plus de cette monstrueuse vanité qu'on a si longtemps et si inutilement reprochée à Jean-Jacques. Il n'en est rien, car Rousseau, à qui l'on a non moins gratuitement dénié tout sens de l'humour, prend soin, dans les deux passages des *Confessions* où il suggère le rapprochement, de le présenter par son petit côté, tandis que dans d'autres écrits il est allé lui-même au-devant de ses ennemis qui, indignés de la comparaison avec Socrate, associaient les noms de Rousseau et de Diogène.

J'ai signalé ailleurs ces deux textes des *Confessions*,[9] dont l'un est une note datant au plus tôt de la fin de 1770, puisqu'elle a été ajoutée dans les manuscrits de Paris et de Genève. Mme de Warens dans le premier, Thérèse Levasseur dans le second, y sont mises en parallèle respectivement avec Aspasie et Xanthippe, telles que les jugeait Socrate. On verra qu'il est intéressant de mettre ces deux passages en relation avec un texte de Hume qui sera cité plus loin.[10] Je voudrais seulement signaler ici que, selon un rythme qui implique précisément un certain humour, et qui est en même temps caractéristique du tempérament de Jean-Jacques (on en trouverait aussi des exemples chez Diderot), Rousseau, qui sur le plan de l'action voit lui-même l'enfant qu'il était, tantôt en Achille, tantôt en Thersite,[11] se compare plus souvent et plus facilement à Diogène qu'à Socrate. Il faut dire toutefois qu'il présente moins Diogène en cynique débraillé, comme le font ses contemporains, qu'en sage méprisant les vaines conventions du monde élégant et seulement préocuppé de trouver l'homme vrai. Il insiste sur la lanterne plus que sur le tonneau. Le personnage de Diogène apparaissait en 1751 au début du *Discours sur la Vertu la plus nécessaire aux héros*, et chose curieuse, pour exprimer une aspiration analogue à celle que le Rousseau du premier *Discours* mettait deux ans plus tôt dans la bouche de Socrate: être soi-même.

> Si je n'étais *Alexandre*, disait ce conquérant, je voudrais être *Diogène*. Le philosophe eût-il dit: si je n'étais ce que je suis, je voudrais être *Alexandre?* J'en doute: un conquérant consentirait plutôt d'être un sage, qu'un sage d'être un conquérant.

C'est surtout dans les dernières années de Rousseau que la comparaison avec Diogène revient souvent; le motif de la *lanterne* est fréquent dans la correspondance et dans les *Rêveries*, comme l'a remarqué R. Grimsley.[12]

Ce sont les malheurs du Rousseau «persécuté», à partir de la condamnation de l'*Emile* et du *Contrat Social*, qui vont imposer à ses admirateurs le précédent illustre de Socrate, injustement condamné pour avoir enseigné la recherche de la vérité. En France, à Genève, aux Pays-Bas, les livres de Rousseau sont publiquement livrés au feu par le bourreau. De partout s'élèvent les protestations indignées de ses admirateurs — tandis que les détracteurs, contestant aux premiers le droit de comparer leur grand homme à Socrate, dénoncent en lui un nouveau Diogène insultant à la société, pis encore un Timon ennemi de l'humanité, à l'occasion un Erostrate assoiffé de publicité.

A Genève, c'est au lendemain même de la condamnation de Rousseau que, pour éviter les incidents dans un climat d'intense agitation, la police interdit la représentation d'une pièce de Sauvigny, riche en allusions à l'actualité, et intitulée *la Mort de Socrate* (fin juin 1762). Un apocryphe qui circule en France à la fin de 1762, fait beaucoup pour vulgariser le parallèle dans l'opinion: c'est la *Lettre de Jean-Jacques Rousseau de Genève qui contient sa renonciation à la société civile, et ses derniers adieux aux hommes, adressée au seul ami qui lui reste dans le monde.*[13] Elle annonce qu'il ne reste plus à l'auteur qu'à «mourir comme Socrate et comme tant d'autres victimes de l'erreur et de la méchanceté».

Le compliment était perfide, et l'invitation cruelle. On voit bientôt, de fait, que le parallèle avec Socrate ne se justifie plus.

En regard du respect manifesté par Socrate, au prix de sa propre vie, que penser de l'attitude de Rousseau, dans sa vie privée, sur les questions du mariage et de la paternité? Encore que la chose ne fût pas, avant 1765, de notoriété publique, nous savons maintenant que dès 1751 il écrivait à Mme de Francueil la lettre célèbre dans laquelle il se justifiait de l'abandon de ses enfants.[14] Que penser surtout du comportement du Citoyen de Genève dans l'affaire des *Lettres de la Montagne*? Il est caractéristique que son ancien ami, l'abbé de Mably, lui reproche dans une lettre du début de 1765 de n'avoir pas, étant injustement condamné comme Socrate, imité Socrate, au lieu de chercher à se venger en prêchant la sédition contre ses juges. Une lettre du même Mably à un tiers, circule anonymement à Genève vers le même temps; elle contient cette phrase:

> Cet homme finit par être une espèce de conjuré. Est-ce un Erostrate qui veut brûler le temple d'Ephèse? Est-ce un Gracchus?

On voit là le point de départ d'une autre comparaison...[15] C'est à partir de 1765, en effet, que, Rousseau ajoutant en sa personne la gloire du rebelle à celle du martyre, les comparaisons désobligeantes vont se développer parmi ses détracteurs — encore que Voltaire n'ait pas attendu si longtemps pour le qualifier à plusieurs reprises de «singe de Diogène» dans les *marginalia* dont il orne son exemplaire du *Discours sur l'Origine de l'Inégalité*.[16]

Avant d'en venir à la plus intéressante de ses comparaisons, associant Rousseau à Timon le Misanthrope, citons encore deux exemples significatifs du parallèle avec Socrate. En décembre 1766, c'est Brooke Boothby, jeune admirateur anglais — et futur éditeur du premier des *Dialogues* — qui lui écrit:

> Voltaire est un homme qu'on doit regarder comme le fléau du siècle, et pour qui j'ai toujours eu le mépris le plus profond. Au reste souvenez-vous que Socrate avait son Aristophane.[17]

Quelques mois plus tard, Rousseau reçoit du Jésuite Jean-Nicolas de Grou, par l'intermédiaire du libraire Rey, une flatteuse requête. Rey, libraire de Rousseau à Amsterdam, va publier une traduction des *Lois* de Platon due à de Grou, et que celui-ci souhaite dédier à Rousseau. Le volume, publié à Amsterdam en 1769, contiendra en effet une épître dédicatoire de cinq pages, où l'on peut lire:

> [*Socrate fut*] condamné à boire une coupe de cigüe pour avoir travaillé à éclairer les Athéniens sur leurs véritables devoirs[...] Comme Socrate vous avez tâché de répandre partout des principes de vertu, quelle en a été la récompense? Peu s'en est fallu que vous n'ayez été obligé d'avaler la coupe de ciguë[...] Semblable à Socrate, vous avez supporté courageusement les infortunes auxquelles vous avez été exposé par la malignité des hommes corrompus[...] Je prévois que la génération future vous rendra la même justice qu'on a rendu dans tous les siècles à cet ancien philosophe que l'oracle de Delphes a dit être le plus sage des Grecs.

La dédicace ne passa pas inaperçue. Deux lecteurs allemands, Michael Leuchsenring et son ami Friedrich-Heinrich Jacobi, sont connus pour avoir envoyé à l'éditeur des félicitations enthousiastes.[18]

Parmi les textes qui avaient contribué à rendre familière aux lecteurs français du XVIIIe siècle la figure de Socrate, était le dix-huitième *Dialogue des Morts* de Fénelon, qui se déroule entre Socrate, Alcibiade et Timon, et oppose au premier, «juste, égal, sincère», le troisième, «chagrin de tempérament», et «plus sauvage que détaché».

Il était naturel que Diderot, composant son article *Philosophie socratique* pour l'*Encyclopédie*, songeât à mettre en relief la figure de Socrate par un contraste avec celle du Misanthrope son contemporain. Mais il est moins naturel que le portrait de Timon termine l'article. En le lisant, on devine qui, dans l'esprit de Diderot, est ce Timon ennemi des hommes:

> Cet homme crut qu'il fuyait la société de ses semblables parce qu'ils étaient méchants, il se trompait, c'est que lui-même n'était pas bon[...] Quel jugement porter sur celui qui se sauve d'une ville ou Socrate vivait, et où il y avait une foule de gens de bien, sinon qu'il était plus frappé de la laideur du vice, que touché des charmes de la vertu?[...] Le triste et mélancolique Timon détourne ses regards farouches [*du juste*], lui tourne le dos, et va, le cœur rempli d'orgueil, d'envie et de fiel, s'enfoncer dans une forêt.

Si l'on doute que Diderot identifie ici avec Timon son ancien ami Jean-Jacques, on va bientôt en avoir confirmation. Quant à l'identification entre Diderot lui-même et Socrate, vraisemblable si l'on rapproche ce texte de ceux qu'a cités J. Seznec, elle me paraît encore renforcée par la façon dont Diderot parle, dans cet article, de la tolérance de Socrate à l'égard de l'acariâtre Xanthippe. Toute une colonne est consacrée à une anecdote illustrant cette générosité; n'est-il pas permis de penser que Diderot revendiquait le même mérite pour lui-même en face de sa Toinette que Rousseau appelle quelque part «une harengère»? Le peintre J. C. de Mannlich, qui a connu Diderot vers 1770–75, lui reproche de faire jouer à sa femme le rôle de Xanthippe pour jouer lui-même celui de Socrate — et cela dans un écrit destiné à défendre Rousseau contre l'auteur de l'*Essai sur les règnes de Claude et de Néron*![18bis]

Revenons, pour conclure sur ce point, à Timon le misanthrope. On a remarqué l'analogie entre la description qui en est donnée ici et la fameuse phrase du *Fils naturel* qui est à l'origine de la querelle entre Diderot et Rousseau «il n'y a que le méchant qui soit seul». Un récent article de R. Niklaus, (qui ne fait pas état de l'article *Philosophie socratique*) intitulé précisément *Le méchant selon Diderot* confirme en produisant d'autres citations que le méchant, c'est bien Rousseau.[19] Une dernière confirmation nous est fournie par Rousseau lui-même, qui s'est évidemment reconnu dans le Timon de Diderot. Alors que dans une lettre à Tronchin de 1759 (et donc antérieure au texte cité) il partageait l'opinion commune et considérait Timon comme un misanthrope, le second des *Dialogues* contient cette note, à quelques lignes de distance d'une phrase où Rousseau reproche de nouveau à Diderot la formule «Il n'y a que le méchant qui soit seul»:

> Timon n'était point naturellement misanthrope, et même ne méritait pas ce nom. Il y avait dans son fait plus de dépit et d'enfantillage que de véritable méchanceté: c'était un fou mécontent qui boudait contre le genre humain.[20]

* * *

La mort de Rousseau et les rumeurs auxquelles elle donna lieu allaient donner un nouvel élan au parallèle entre Rousseau et

Socrate. On sait que le bruit d'un suicide résista aux témoignages les plus sérieux attestant que Jean-Jacques était bien mort de mort naturelle. Vers 1820 encore, Musset-Pathay, biographe et éditeur de Jean-Jacques, défendra avec acharnement la thèse du suicide. Une des versions les plus en faveur voulait que Rousseau, dont on connaissait le goût pour l'herborisation, se fût empoisonné. Merveilleuse coïncidence avec la fin tragique du Sage d'Athènes! Et du même coup, était tenu l'engagement moral qu'impliquait, quelque quinze ans plus tôt, la *Lettre au seul ami.*

Ainsi se créait un terrain favorable à la légende qui allait être, sous le régime révolutionnaire, un des aspects du culte de Rousseau. Une estampe contemporaine représente l'arrivée de J.-J. Rousseau aux Champs-Elysées: Socrate, Platon, Montaigne, Plutarque et d'autres philosophes s'avancent sur les bords du Léthé pour le recevoir, et c'est Socrate qui lui tend la main, tandis qu'au premier plan est assis Diogène à côté de sa lanterne.[21] Sébastien Mercier, dont l'influence fut grande en ces années, en Allemagne plus encore qu'en France, rapproche à plusieurs reprises, dans son livre sur Rousseau, la morale et la religion de Socrate de celles de Jean-Jacques.[22] Bernardin de Saint-Pierre ira plus loin, mettant Rousseau le constructeur au-dessus de Socrate le destructeur.[23] Le parallèle, avant lui, était devenu un lieu commun, qu'on retrouve dans les *Eloges* alors à la mode, comme celui de Longueville; et l'«abbé» Brizard, un des éditeurs de la grande édition révolutionnaire des œuvres de Rousseau, avait même composé un parallèle qu'il n'utilisa pas, dans lequel les Philosophes français, modernes *sophistes* jaloux du nouveau Socrate, étaient tenus pour responsables de sa mort.[24]

Des exemples ont déja été donnés de la faveur qu'a rencontré le parallèle auprès des lecteurs allemands. Mercier n'est pas le seul de ces agents de liaison intellectuels entre la France et l'Allemagne qui ont été en même temps de fervents rousseauistes: Nicolas Bonneville, dans la préface de ses *Petits poèmes imités de l'allemand*, publiés peu avant la Révolution, insérait une lettre où il comparait les idées de Rousseau sur le théâtre, dans la *Lettre sur les Spectacles*, à celles de Socrate dans le *Gorgias* et l'*Ion* de Platon.

Le phénomène révolutionnaire, dans son aspect européen,

est encore plus difficilement dissociable du phénomène Rousseau que sur le plan français. C'est en Allemagne, précisément, que dans le premier enthousiasme né de la contagion révolutionnaire, la transfiguration de Rousseau, favorisée d'abord par le parallèle avec Socrate, va le dépasser pour aboutir, chez Hölderlin, à un véritable mythe de Rousseau dans un décor emprunté à la Grèce antique. Nous ne suivrons pas notre héros jusque là. Qu'il suffise de citer deux pièces inspirées par la tombe de l'Ile des Peupliers. L'une, composée par Gotthold Stäudlin, ami de Hölderlin, et publiée en 1790, est une *Elégie sur la Tombe de Rousseau* dans laquelle le «Socrate de la Gaule» est proclamé bienheureux (*selig*) et désigné à sept reprises par le terme *der Weise*, le Sage, dans un poème qui se prolonge sur vingt pages! L'autre est du jeune Schiller, et publiée en 1783, sous le titre *Rousseau*. Mais des quatre-vingt-quatre vers qu'elle comptait alors, douze seulement ont été retenus dans les éditions des œuvres d' un Schiller bientôt soucieux d'oublier un compromettant passé de «jacobin». Des deux strophes qui subsistent ainsi dans les éditions modernes, la seconde (qui était la septième dans la version originale) est intéressante:

> Wenn wird doch die alte Wunde narben?
> Einst war's finster, und die Weisen starben!
> Nun ist's lichter, und *der* Weise stirbt.
> — Sokrates ging unter durch Sophisten,
> Rousseau leidet, Rousseau fällt durch Christen,
> Rousseau — der aus Christen Menschen wirbt!

On s'étonne même que la respectabilité «Biedermeier» ait laissé subsister une accusation aussi hardie contre les Chrétiens responsables de la mort de Rousseau, et une échelle des valeurs dans laquelle l'Humanisme est placé plus haut que le Christianisme.

L'Angleterre du temps, où l'action de Rousseau ne fut pas moins profonde, mais s'exerça dans d'autres directions, n'offre pas d'exemples de cette glorification mythique de Rousseau. Mais la popularité du parallèle Rousseau-Socrate y est attestée par les défenseurs de Rousseau comme par ses plus redoutables adversaires, en même temps que s'affirment les sympathies des premiers pour la Révolution française combattue par les seconds. Edmund Burke dans sa *Lettre à un Membre de l'Assemblée nationale* dénonce le «Socrate fou de l'Assemblée nationale», et Capel Lofft, lui répliquant dans ses *Remarks on the Letter of Mr. Burke* [...] utilise adroitement, pour l'appliquer à Rousseau, un passage du *Discours sur les Sciences et les Arts*:

> Parmi nous, il est vrai, Socrate n'eût point bu la ciguë; mais il eût bu dans une coupe encore plus amère la raillerie insultante, et le mépris, pire cent fois que la mort. *Discours sur cette question, si le rétablissement,* [...]

Mais chez Capel Lofft, qui admire aussi Voltaire, c'est Burke qui joue le rôle d'Aristophane![25]

* * *

C'est parce qu'il voit en Rousseau un philosophe — peu importe que Rousseau se soit dissocié du *parti* des philosophes — que Capel Lofft, comme la plupart des radicaux anglais de ce temps, et beaucoup de «patriotes» un peu partout en Europe, se refuse à le séparer de Voltaire dans son admiration. Plus que Voltaire, plus que Diderot, Rousseau par ses malheurs et par l'élévation de sa pensée a mérité, aux yeux du Siècle des Lumières, d'être comparé à Socrate. Mais dans le climat nouveau, sensible en Allemagne plus tôt et à un plus haut degré que dans les pays voisins, un Rousseau champion de la Raison ne suffit plus à enflammer les imaginations. Il devient le héros, transfiguré par la légende, de ceux qui se refusent à la médiocrité hypocrite du conformisme social et voient en lui le chantre et la victime de la passion, le prophète des temps nouveaux. On attend désormais d'un Sage qu'il soit un Voyant. Le parallèle Rousseau-Socrate n'a plus sa place dans le Romantisme littéraire.

Mais il portait justement en lui le facteur de renouvellement de la légende de Jean-Jacques. Il faut ici revenir en arrière et citer une curieuse lettre de David Hume, écrite au moment de la plus grande intimité entre les deux hommes, à la veille de leur départ ensemble pour l'Angleterre — fatal voyage qui sera l'occasion de leur rupture, et pour Rousseau d'une nouvelle série de malheurs:

To Hugh Blair, Paris, 28 December 1765.

. . . I am well assured, that at times he believes he has Inspirations from an immediate communication with the Divinity; he falls sometimes into ecstasies which retain him in the same posture for hours together. Does not this example solve the difficulty of Socrates' genius and of his ecstasies? I think Rousseau in many things much resembles Socrates. The Philosopher of Geneva seems only to have more genius than he of Athens, who never wrote anything; and less sociableness and temper. Both of them were of very amorous complexions: but a comparison in this particular turns out much to the advantage of my friend . . .[26]

On notera au passage l'observation sur le tempérament amoureux, qu'on est tenté de rapprocher des passages des *Confessions* signalés plus haut,[27] du moins du premier, figurant au livre V, dont le brouillon sinon davantage, existait à la fin de 1765: il est possible que le rapprochement ait été suggéré à Hume par Rousseau lui-même. Mais c'est surtout l'allusion au *démon* de Socrate — popularisé par Plutarque — qui nous intéresse, parce qu'en rapport, non seulement avec la notion de *génie* pour laquelle on commerce alors à se passionner, mais aussi avec une philosophie et une conception de la vie dont Goethe va être le plus grand représentant: la croyance au *démonique*, représentation du destin individuel, après avoir plus ou moins obscurément dominé ses entretiens avec Schiller sur la notion de tragique et sur l'interprétation des tragédies de Shakespeare, va finir par prendre une place prépondérante dans sa vie individuelle, au point qu'il élimine toute idée de hasard dans les affaires humaines.[28]

On voit, dans ce climat du début du XIXe siècle, comment va se rompre au profit de Rousseau l'équilibre établi par le parallèle: à défaut d'entrer de plain pied, comme Goethe, dans un paganisme serein, la religiosité des poètes romantiques réclame un démon christianisé, c'est-à-dire inspirateur de passion. Rousseau et Socrate vont se séparer, tandis que le parallèle rousseauiste entre Socrate et Jésus continue son chemin.[29] Le moins romantique des romantiques français, Lamartine, compose une *Mort de Socrate* dans le ton du platonisme chrétien; il y présente un Socrate désincarné, et au mépris de la tradition lui prête un visage rayonnant de beauté, en prenant le soin de préciser dans une note que «Socrate eut deux femmes, Xanthippe et Myrto», ce qui permet de passer complètement sous silence l'encombrante Xanthippe, et ce tempérament amoureux que rappelait le bon David Hume. Ce Socrate-là n'a rien de Rousseau! Quant au Rousseau des plus romantiques parmi les romantiques — Shelley, George Sand, Nerval — quels que soient leurs sentiments à l'égard du Sage d'Athènes, c'est l'auteur de la *Nouvelle Héloïse* et des *Confessions*, l'homme de la passion plus que l'homme de la pensée.

Post-scriptum (octobre 1968)

La rédaction de cet article était terminée depuis plusieurs mois lorsque m'est parvenue la remarquable et très complète étude de M. Raymond Trousson, *Socrate devant Voltaire, Diderot et Rousseau* (Paris, Minard 1967), 154 pp. L'attitude de Rousseau vis-à-vis du personnage de Socrate y est traitée de façon plus détaillée que je ne le fais ici, et illustrée par d'intéressantes citations (notamment sur le parallèle Caton-Socrate et sa prolongation). Mais je ne puis souscrire à la thèse de M. Trousson (qui reprend et développe celle de M. Seznec) selon laquelle Rousseau, qui n'aurait peut-être admiré Socrate que sous l'influence de Diderot, se serait graduellement détaché du philosophe grec à partir des années 1750 pour «rompre» définitivement avec lui dans l'*Emile*. Les choses sont moins simples, comme j'ai essayé de l'indiquer.

NOTES

[1] Le *Dictionnaire* de Bayle ne contient pas d'article *Socrate*.

[2] Ed. J. Voisine (Paris, Garnier 1964), p. 787 (toutes autres réferences aux *Confessions* renvoient à cette èdition).

[3] *Ibid.*, p. 460.

[4] *Le progrès de la conscience* (Paris 1927), I, p. 295; cité par P. Burgelin, *La philosophie de l'existence de Jean-Jacques Rousseau* (Paris 1952), dont l'index contient de nombreuses références à Socrate.

[5] v. A. Ferrazzini, *Béat de Muralt et J.-J. Rousseau...* (La Neuveville 1952).

[6] Dans ses *Amoenitates litterariæ*, Bd. XI (1729). Sur l'ensemble de la question v. Benno Boehm, *Sokrates im achtzenten Jahrhundert* (Leipzig 1929). Je ne crois pas avoir vu signalés dans cet important ouvrage les deux volumes de Joh. August Eberhard, *Neue Apologie des Sokrates, oder Untersuchung der Lehre von der Seligkeit der Heiden* (Berlin 1772–8).

[7] v. W. Gobbers, *J.-J. Rousseau in Holland. Een onderzoek naar de invloed van de mens en het werk* (Gand 1963), pp. 19, 353, etc.

[8] Dans une lettre datée de Bourgoin, 15 janvier 1769, Rousseau reprend le parallèle entre Jésus et Socrate pour faire courtoisement reproche à son correspondant de la préférence qu'il accorde au second sur le premier, et rend hommage à «l'homme divin» dont on ne peut lire la vie sans «verser des torrents de larmes», et dont l'exemple et la parole transformèrent les disciples. — Gibbon dans son *Decline and Fall*... ira jusqu'à reprocher à Rousseau son «eloquent but indecent parallel between Christ and Socrates», comme injuste envers Socrate (Everyman's Library, 1928, vol. V, p. 8 n. 2).

[9] *Confessions*, pp. 228 et n. 1, 326 et n. 1.

[10] V. p. 290.

[11] *Confessions*, p. 98. Depuis le livre d'A. Schinz sur *la Pensée de J.-J. Rousseau* (1929), M. Raymond, B. Munteano et d'autres critiques ont insisté sur cette dualité du tempérament de Rousseau et ce rythme d'alternance.

[12] *J.-J. Rousseau, A Study of Self-Awareness* (Cardiff 1961), p. 221 n. Une mention de Diogène et de sa lanterne se rencontre chez Rousseau dès avant 1740: v. *Correspondance*, éd. R. A. Leigh, I, p. 72.

[13] A. Lebois s'est récemment demandé, sans apporter d'arguments déterminants, s'il convenait de «rendre à Rousseau la *Lettre au Seul Ami*».

[14] *Correspondance*, éd. R. A. Leigh, II, p. 142, et éd. Dufour-Plan, I, p. 308.

[15] Sur ces lettres de Mably, et la reprise plus tard par Walpole de la comparaison avec Erostrate, v. *Conf.*, pp. 736 et n. 1, 1065; et mon *J.-J. Rousseau en Angleterre à l'époque romantique* (Paris, Didier 1956), p. 108.

[16] *Œuvres complètes* de Rousseau, Biblio. de la Pléiade (Paris 1964), t. III, p. 1358. La comparaison avec Diogène, devenue rapidement populaire, se retrouve chez Parini (*Mezzogiorno* (1765), vers 946–7), et plus subtile, chez Wieland, dont il ne faut pas toujours prendre au pied de la lettre l'indignation teintée d'ironie à l'égard de Rousseau, et qui ne vise pas expressément Rousseau dans ses *Dialogues sur Diogène* (1770) qui portent le curieux sous-titre *Sokrates Maïnomenos*, Socrate fou. Burke appellera ainsi Rousseau, vingt ans plus tard: v. ci-dessus, p. 289.

[17] *Correspondance*, éd. Dufour-Plan, XVI, p. 185.

[18] Sur cette affaire, v. J. Th. De Booy, «Autour d'une dédicace à J.-J. Rousseau», *Neophilologus*, XLV, 1961, p. 286. On trouvera dans le *Diderot en Allemagne* de Roland Mortier (Paris 1954), des renseignements sur ces deux écrivains allemands et leur intérêt pour Diderot et Rousseau. Sur Mannlich, v. R. Mortier, *op. cit.*, pp. 28–30.

[19] Dans le volume collectif *Saggi e ricerche di letteratura francese*, II (Milano, Feltrinelli 1961), pp. 141–2.

[20] *Œuvres complètes* de Rousseau (Pléiade 1959), I, p. 788 n., et commentaire de R. Osmont sur ce passage, *ibid.* p. 1667. La référence de la lettre à Tronchin y est donnée (*Corr.*, Dufour-Plan, IV, 201).

[21] v. Buffenoir, *Diderot, Salon de 1781*, éd. Assézat, XII, 71.

[22] *De Jean-Jacques Rousseau considéré comme un des auteurs de la Révolution française* (Paris 1791), II, pp. 157 n., 279, 283, 315.

[23] Bernardin de Saint-Pierre, *La vie et les ouvrages de J.-J. Rousseau*, éd. Souriau (Paris 1907), pp. 85–6.

[24] L'existence de cet inédit (MSS. Arsenal 6099) est signalée par J. Seznec, *op. cit.*

[25] v. mon *J.-J. Rousseau en Angleterre*[...] pp. 135 et 145; sur le terme employé par Burke, v. *supra*, n. 16.

[26] Hume's *Letters*, ed. Gregg, I, p. 530.

[27] *Supra*, p. 282 et n. 10.

[28] Après plusieurs critiques, R. Ayrault a récemment souligné cet aspect de la philosophie goethéenne dans son cours en Sorbonne sur *Egmont*, 1966–7.

[29] Une étude précise de l'influence de ce texte de Rousseau sur l'apologétique romantique est donnée par F.-P. Bowman dans son article «La *Confirmatio christianorum per Socratica* dans le romantisme français», *Revue des Sciences humaines* (Lille, avril–septembre 1966). V. en particulier p. 220 (sur la christianisation du *daïmon* de Socrate) et sur Rousseau pp. 217–19, 221 n. 5, 223.

THE CLASSICAL BACKGROUND TO RACINE'S *PHÈDRE*

by

T. B. L. WEBSTER

MY one experience of French classical tragedy on the stage was seeing *Phèdre* performed by the French Department in the Central Library at Manchester a year or two before the war. Eugène Vinaver as Thésée made an indelible impression: here was the power and rhetoric of French poetry. About the same time he had let me read Racine's annotations to his own copy of Aristotle's *Poetics*, and I was fascinated by the acuteness of Racine's comments. These are slender qualifications for being allowed to contribute to a volume of essays in honour of a great scholar and a friend whose kindness I have experienced now for well over thirty years.

Aricie is a stumbling block to the classical scholar. I am afraid my first crude idea was that her presence was due to French romanticism. Racine himself in his preface has a quite different explanation: according to the rules of Aristotle's *Poetics* the death of a blameless Hippolytos was not tragic but disgusting. Hippolytos is not mentioned in this connection by Aristotle himself, but is adduced as an example by Vettori, whose edition Racine used. Because of this Racine says that he decided to give Hippolyte a weakness so that his fall should seem less hateful, and the weakness was love for Aricie, the daughter and sister of his father's mortal enemies. (It does not matter that Aricia in Virgil, *Aeneid* VII, 761 ff., was a place and not a person; Donatus explained her as a person but the connection with the Pallantidae is Racine's own.) Racine may have acted for this reason, but Professor R. C. Knight (p. 66 of his edition, to which I owe much) thinks rather that he quoted the rule of the tragic fault to justify the introduction of Aricie. We are therefore free to speculate on his reason, though at the risk of adding to the 'nouvelle imposture'.

Racine says that his subject was taken from Euripides. He also admits in his preface knowledge of Seneca, and he describes what he has taken from Plutarch. He knew Diogenes Laertius' life of Socrates, but there is, as far as I know, no evidence that he had tried to form an idea of Euripides' earlier treatment of the theme or of Sophocles' *Phaidra*. We can now to some extent reconstruct the dramatic pedigree of *Phèdre*.[1]

Euripides' earlier play was called *Kalyptomenos*, which means that during the course of the action Hippolytos covered his head in shame (presumably when Phaidra made her approach to him). Phaidra made her approach direct, and that is why Aristophanes called her a whore. The setting was Athens, and the *deus ex machina* announced at the end that Hippolytos' chastity and piety should be rewarded by a cult in Athens. Phaidra justified her love for Hippolytos by 'the transgressions' of Theseus; Plutarch, to whom we owe this knowledge, regards her words as shameless and hopes that the young reader will see through them. It is very tempting to suppose that she quoted Theseus' love for Peirithoos: in Ovid's *Heroides* (4, 110) he is 'detained by the beauty of his Peirithoos' and in Seneca (93) he is gone to Hades to get Persephone 'in the service of his bold lover' (Peirithoos). We know that in Sophocles' *Phaidra* Theseus came back from Hades, but this does not mean that Euripides had not already given this reason for his absence, and his Phaidra may only have known that Theseus was with Peirithoos. Phaidra must also have tried magic to win Hippolytos since we know that she invoked the Moon. The fragments suggest that Phaidra first sent her nurse to approach Hippolytos: 'those who exceed in shunning Aphrodite are as sick as those who exceed in chasing her' (428N²) should be spoken to Hippolytos by the nurse. When the nurse fails, Phaidra makes her own attempt; she swears Hippolytos to secrecy (435N²) and suggests that he should seize the royal power (432, 433, 434N²) and presumably declares her love. Hippolytos covers his head in shame and rushes from the scene.

For the rest of the play there are four certain points. The chorus sing 'We women are a worse fire than fire, much more invincible' (429N[2]): they must be referring to a successful crime committed (or proposed) by a woman, and here this must mean that Phaidra has either already accused Hippolytos of attempted seduction to Theseus or that she has announced her intention of doing so.[2] Secondly, 'going straightway to the stables' (442N[2]) must be the beginning of the description of Hippolytos' fatal drive. Thirdly, 'Theseus, I give you the best advice: if you are wise, do not believe a woman, even if she speaks the truth' (440N[2]) sounds like the conclusion of the messenger-speech, which in the surviving play ends (1250): 'master, I will never believe your son is a criminal, not even if the whole female race were to hang itself and fill all the pines of Ida with accusations' (a reference to Phaidra's suicide letter, which had caused Theseus to curse his son). These three fragments confirm the sequence—return of Theseus, Phaidra's false accusation, Theseus' curse, messenger-speech on Hippolytos' disaster. The last fragment shows that Phaidra has not yet committed suicide, and this must happen now. Then Hippolytos is brought on dead and his cult is announced; the fact that he is addressed as 'Hero' shows that he is already dead; and there can have been no reconciliation between father and son.

We seem to see a play of clear outlines conducted on the human level. The tension mounts through Phaidra's admission of her love to the nurse, the nurse's approach to Hippolytos, Phaidra's approach to Hippolytos and his horrified rejection, the return of Theseus to hear Phaidra's false accusation and his prayer to Poseidon to destroy Hippolytos; the end brings death to Phaidra and Hippolytos and desolation to Theseus.

The basic situation—young wife of elderly king throws herself at the head of a young man—recurs in the *Cretan Women*, *Stheneboia*, *Phoinix* and probably *Peleus*, all of which belong to Euripides' first period, i.e. before the second and surviving *Hippolytos* of 428 B.C. The stories are all old and all different: in the *Cretan Women* the old King Atreus succeeds in a horrible vengeance on the young man who has yielded to his wife: Atreus kills and cooks and serves up Thyestes' babies to him. In the *Stheneboia* the young Bellerophon rejects Stheneboia, but when he returns after killing the Chimaira, pretends to accept her proposal of elopement and throws her into the sea. The young Phoinix is blinded by his father for the supposed seduction, but his subsequent healing is announced in the epilogue. The young Peleus seems to have escaped after a dangerous period. I like to think that Euripides was fascinated by the Aeschylean Klytemnestra when he saw the *Oresteia* three years before his own first production in 455 B.C., and that what he is doing essentially in these plays is to choose similar stories about passionate women and strip them of their heroic grandeur so that they become essentially contemporary situations (however much contradiction with the heroic world that may involve).

The formula of the second *Hippolytos* is the same, but Phaidra is quite different. To reinterpret the same stretch of story in a second play is as far as we know unique: the two *Melanippes* have nothing in common except the names of the heroine and her two sons, who are babies in one play and grown up but unrecognized in the other; the two *Alkmaions* deal with different parts of Alkmaion's life; we cannot be certain about the two *Phrixos* plays, but it is certainly simplest to suppose that they deal with different incidents.

Two reasons have been suggested to account for this rehandling and they may both be right. The first is that Sophocles answered the first play with his *Phaidra* and that Euripides wrote the second play as an answer to the *Phaidra*. This would give a sequence like the later sequence *Electra* of Euripides, *Electra* of Sophocles, *Orestes* of Euripides. It is certain that in Sophocles' play Theseus returned from Hades and Phaidra had believed him dead (686P), that Phaidra told the chorus that her love was a 'shameful thing sent by Zeus' and begged them to conceal her plans (679–80P). Presumably she used the nurse[3] as Hippolytos' rejection of her overtures was reported (678P, *cf.* 677P). Finally, 'children anchor a mother to life' (685P) sounds very much as though it may be part of Phaidra's decision to make a false accusation of Hippolytos; she must live herself to secure the succession for her children and therefore her good name must be preserved and the blame thrown on him. Sophocles seems to have made every excuse for his Phaidra; she thinks that Theseus is dead; love is a disease sent by the gods, which exempts mortals from responsibility; she accuses Hippolytos for the benefit of her own children. Perhaps even her love for Hippolytos was represented as a sort of loyalty to Theseus.[4] Sophocles counters Euripides' modernity with his own formula: what sort of basically admirable person could make this story work out so certainly that the gods can predict the end through their prophets and still be tolerable as gods.

Phaidra, Deianeira (in the *Trachiniæ*), and Oidipous (in the *Oedipus Tyrannus*) are all excused by fatal ignorance but nevertheless know that what they are doing is wrong. Phaidra does not know that Theseus is still alive, but also demands silence from the chorus for her plans; Deianeira does not know that the supposed love-charm is a poison, but she too demands silence from the chorus. Oidipous did not know whom he was killing, but also admits that he killed in furious haste. All could say, however, that if they had known they would not have acted as they did. Bruno Snell has supposed that Euripides in the *Medea* and second *Hippolytos* was asserting the untruth of Socrates' equation of knowledge and virtue: Medeia says that passion is in command of her intellect,[5] and the second Phaidra says (380) 'We know what is right and recognize it, but we do not work it out.' The comic poets evidently noticed that Euripides was concerned with this ethical problem when they alleged that Socrates helped him with his plays (an allegation which Racine accepts in the preface to *Phèdre*). Sophocles in the three plays mentioned gave his characters the excuse of ignorance, and in so far might be said to accept the Socratic equation which Euripides makes Medeia and Phaidra reject. Thus the two reasons suggested for Euripides rewriting the *Hippolytos* may both be true: he was reacting both to Sophocles' *Phaidra* and to the ethical problem which had recently been posed in paradoxical form by Socrates.

There is no need to analyse the surviving *Hippolytos* in detail. I merely want to point out the consequences of the new conception of Phaidra. This Phaidra has tried to repress her love, and the name of Hippolytos has to be extracted from her by the nurse. Her love is not, as in Sophocles, a heaven-sent disease, a force sent by Aphrodite and Eros to which even the gods succumb. Euripides' Aphrodite, who speaks the prologue, is only partly the traditional goddess; she is more really the hypostatization of the sexual urge. Phaidra knows that she has no excuse, and Theseus is only away for a predictable year's absence, which is nearing its end. She yields in a moment of supreme strain and weakness to the nurse; she could never approach Hippolytos herself, and when she overhears the nurse betraying her to Hippolytos she commits suicide. Somehow the story has to go on: to preserve her good name and the good name of her children she writes a letter accusing Hippolytos of seducing her. Theseus arrives to find her dead, and as soon as he reads the letter prays to Poseidon to destroy Hippolytos. The theme of Phaidra's good name and the good name of the children had certainly been used by Sophocles; Sophocles may have included a letter from Phaidra to Hippolytos;[6] if he did, this suggested the idea of the suicide letter to Euripides. Except perhaps in this device Euripides has been brilliantly successful in winning our sympathy for the new Phaidra, but it is at the expense of our sympathy with Hippolytos, who defends the celibate life not to his impassioned stepmother as in the first play but to his bereaved father in the depths of his misery. It is true that in Hippolytos' prayer to Artemis (which gives the second play its name, *Hippolytos the Wreath-bearer*) and in the little following scene with the old servant (which is a substitute for Hippolytos' scene with the nurse in the first play: 'those who exceed in shunning Kypris are as sick as those who exceed in hunting her') Euripides has shown how we should take Hippolytos: he is devoted to hunting and athletics to the exclusion of wine and women, and this devotion is hypostatized as Artemis, just as the sexual urge is hypostatized as Aphrodite. But this impression has become overlaid by our sympathy with Phaidra before we see him again, so that we hear his justifiable horror at the nurse's suggestions with Phaidra's ears and then find him cold and priggish when he faces the widowed Theseus.

Seneca went back to the old scheme: the double approach to

Hippolytus, return of Theseus, Phaedra's false accusation, Theseus' prayer, messenger-speech, Phaedra's suicide. This outline probably comes from Euripides' earlier play, but other sources[7] contribute to the detail and the whole is a play for reading, not a play for acting. Seneca has no respect for dramatic convention or theatrical convention; what matters is that every beautifully phrased line should make its maximum point when it is spoken. The play starts with a long monologue of Hippolytus: Seneca remembered Hippolytus' return with his huntsmen in the surviving play, but he makes Hippolytus order his huntsmen out into the most remote parts of Attica, and then pray to the huntress goddess Diana to accompany him: 'I am summoned to the woods' (82). Any Greek audience would expect him to be absent for the rest of the play, but he is back 350 lines later when Seneca requires him, and no reason is given for his return.

At the end of the messenger-speech (1105) we are told that Hippolytus' body was torn to pieces and the servants and dogs are laboriously reassembling it (Seneca has borrowed from Euripides' *Bacchae* here). In the next scene Phaedra is seen contemplating suicide over the body (1158), and later the chorus tell Theseus to recompose the pieces and bury the body (1245). But we have never been told that the body (whole or in pieces) has been brought in, and for it to be brought into the palace by a back door—so that the *ekkyklema* (roll-out platform) can bring it out with Phaedra lamenting over it—is contrary to all stage-convention. These plays were not written to be staged, and all explanations in terms of staging are wrong.

Similarly Seneca has no interest in psychological consistency; what matters is the momentary impact of the speech. The first scene with Phaedra and the nurse probably comes from the beginning of Euripides' first play: she hates Theseus and he is unfaithful to her, she loves Hippolytus, and finally when she threatens suicide the nurse consents to approach Hippolytus. Presumably she goes in, as the chorus (whose identity is never disclosed) sing their first song, and then ask the nurse, who conveniently comes out again, how Phaedra is. She describes Phaedra's fasting and her tears, and then we are supposed to see Phaedra on a throne asking to be dressed as a huntress so that she can go to the woods: this is a free adaptation of the dialogue between the second Phaidra and the nurse after the opening chorus (E. *Hipp*. 170–222). Then the nurse approaches Hippolytus and we are back in the first play: the debate between them has been Romanized, but in Euripides too she must have urged him to relax and enjoy wine and women in his youth (*cf*. 428N²), and he must have praised the simple life of the chaste hunter; the final statement of his hatred of women should also be Euripides (578).[8] The nurse has got nowhere; Phaedra rushes in and faints in Hippolytus' arms; there is no reason why this should not be Euripides.

But when Phaedra recovers we suddenly find a gentle Hippolytus who sympathizes with her, is prepared to listen to her secret, believes that Theseus will return from the Underworld, and promises to protect her and her children. Then she confesses (646): 'I love the face of Theseus, the face he had as a boy when he saw the blind house of the Cnossian monster; the face of your Phoebe or my Phoebus, and your own rather, such he was . . .; you have all your father and some part also of your fierce mother.' Pierre Grimal suggests here as a model either the earlier play of Euripides or Ovid, *Heroides*, 4, 67 ff.; but what in Ovid is a straight description of Hippolytus as he appeared when Phaedra first saw him at Eleusis is here a description of the young Theseus whom Phaedra saw again in his son. And Euripides' Phaidra who professes to hate Theseus because of his infidelity would hardly feel or state her love in this way. But Reinhold Merkelbach,[9] who also derives this theme from Euripides, pointed out the fact that Heliodoros also, if a likely transposition is accepted, speaks of 'my Hippolytos, the new Theseus'. This may only mean that the idea is a rhetorical commonplace, but it rather suggests that it had a Greek source.

I feel that we have here a new Phaidra as well as a new Hippolytus. Hippolytus' solicitude for Phaedra reminds me of Hyllos at the beginning of Sophocles' *Trachiniae* (64)—and in Hyllos the solicitude is no obstacle to a complete revulsion when he finds that his mother has in fact murdered his father (734). Could the new Phaedra also come from Sophocles? In the *Odyssey* (4, 142)

Helen sees a young Odysseus in Telemachos, and it would be just like Sophocles to allude to the likeness of a quite different Homeric situation. He uses the idea himself in the *Philoctetes* (357), where, when Neoptolemos arrives in Troy, the Greeks 'swore that they saw in him the dead Achilles alive again'. It seems to me that Sophocles might have introduced this idea as a mitigation of his Phaidra's guilt: Theseus was dead, as she believed, and she saw in his son the reincarnation of the young Theseus.[10]

Whether this is true or not, Racine's Phèdre can use the theme consistently, because she was at first happy in her marriage to Theseus (271). Then she saw Hippolyte, and the theme comes in then in reverse (289):

> Je l'évitais partout. O comble de misère!
> Mes yeux le retrouvaient dans les traits de son père.

By introducing after this the false report of Thésée's death, Racine in fact recreates the Sophoclean situation, and when Phèdre meets Hippolyte the theme recurs (634 ff.): 'I love Thésée, not as the underworld sees him now . . ., but faithful, proud etc.

> Tel qu'on dépeint nos dieux, ou tel que je vous voi.
> Il avait votre port, vos yeux, votre langage.

In Seneca the scene ends with Hippolytus' abrupt departure, leaving the sword in Phaedra's hands, and we do not see him again. Racine had therefore two ancient prototypes for Hippolyte: Seneca's Hippolytus, an inconsistent mixture of dedicated hunter, woman hater, and considerate stepson, and Euripides' second Hippolytos, who has no sympathy either with the stricken Phaidra or with his own bereaved father. I have tried to show why Euripides put his second Hippolytos in this position. In modern interpretations he is sometimes analysed as an Orphic mystic (as a result of Theseus' attack, which should not be taken as true); German romanticism speaks of 'the inner purity of his being'; he is chidden for being priggish, aloof and cold (should he then have behaved like Aigisthos in Euripides' *Electra*?); his peculiar psychology has been referred to his illegitimate status;

he has even been called a homosexual. Yet Euripides gives a similar scorn for the sexual urge to Theseus in the *Theseus*, Bellerophon in the *Stheneboia*, and Perseus in the *Diktys*; and, as we have seen, a son of Melanippe (Aiolos, the father of the Aeolians, or Boiotos, the father of the Boeotians) expresses a similar hatred of all women. None of the modern explanations of Hippolytos could be applied to any of them. Racine seems to have realized Euripides' intentions much better by introducing Aricie. For the classical scholar her chief value is neither that she provides a suitably complicated political ambience for the tragedy, nor that Hippolyte's admission of his love prevents Phèdre's confession, nor that Aricie plays something of the part of the Euripidean Artemis in enlightening Thésée, nor even what she adds to the drama of Phèdre, but simply that she completes and explains Hippolyte. His 'faiblesse' may or may not be desirable in Aristotelian theory; it is certainly desirable in human terms, and nothing is better in the play than his initial explanation of it.

NOTES

[1] See for recent discussions of Sophocles and Euripides W. S. Barrett, *Euripides Hippolytos* (Oxford 1964), p. 10 ff.; B. Snell, *Scenes from Greek Drama* (Berkeley 1964), p. 23 ff.; I have tried to justify my reconstructions in *Tragedies of Euripides* (London, Methuen 1967) Chapter II(d). References to fragments of Euripides are to Nauck, *Tragicorum Graecorum Fragmenta*[2]; for fragments of Sophocles I quote R. C. Jebb—A. C. Pearson, *Fragments* (C.U.P. 1917). I have adopted the convention of using the Greek form of the characters' names in the Greek plays, reserving the Latin forms for Seneca. I am very grateful both to my wife and to Dr. Liliane Fearn for reading my manuscript; the errors which remain are mine.

[2] I agree with those critics who believe that Seneca (704 ff.) has preserved the Euripidean sequence here: in her appeal to Hippolytus Phaedra seizes his sword which he throws away as contaminated. Theseus returns to find her pretending to commit suicide with the sword which he recognizes as belonging to Hippolytus and therefore accepts her story of Hippolytus' attempted rape and prays to Neptune to destroy Hippolytus. I have preferred to put in my text only what is certainly Euripides. Tragic incidents were often taken over by the poets of New Comedy; it looks very much as if in the *Misoumenos* of Menander (*cf.* E. G. Turner, *B.I.C.S., London, Supplement*, no. 17, 1965, 14 f.) a father drew a false conclusion from the recognition of a son's sword, and Menander might well have taken this idea from Euripides.

[3] Roman sarcophagi etc. (*cf.* W. H. Roscher, *Lexikon der Mythologie* (Leipzig 1897), vol. III, p. 2228) show Hippolytus throwing Phaidra's letter to the

ground when it is offered by the nurse. This seems more likely to come from Sophocles than anyone else (Lykophron has been suggested but only the title of his play is known and there is no evidence that any knowledge of it survived; Ovid's *Heroides* 4 is a letter from Phaedra to Hippolytus, but contains no hint of the nurse as a bearer; it seems to be, as Brooks Otis says, *Ovid as an Epic Poet* (C.U.P. 1966), p. 264, 'a clever retouching of Euripides'). Sophocles did not regard writing as unheroic: Herakles had left Deianeira written instructions in the *Trachiniae*.

[4] See p. 302.

[5] *Med.* 1079, as interpreted by H. Diller, *Hermes*, XCIV (1966), p. 267.

[6] *Cf.* above n. 3.

[7] Source-research is difficult. Take for instance 611f. 'Call me sister, Hippolytus, or servant—and servant rather; I will bear every service'. Pierre Grimal's very useful edition (Paris, Presses Universitaires 1965), offers us either Andromeda in Euripides' *Andromeda* (132N²) or Ariadne (Phaedra's sister) in Catullus 64, 158. We could also imagine that Euripides' Andromeda was modelled here on his first Phaidra. Similarly, when Hippolytus (578) says 'the one consolation for the loss of my mother is that I can now hate all women', we are referred to *Melanippe Desmotis* (500N²) 'except for my mother, I hate all the female race'. Did Seneca borrow from the *Melanippe* or had Euripides already used this idea in the *First Hippolytus*?

[8] *Cf.* above n. 7.

[9] *Rhein. Mus.* C (1957), p. 99.

[10] Ovid in the *Metamorphoses* 6, 621–2, makes Procne look at her son Itys with cruel eyes and say 'How like your father you are' before she kills him. This is the same idea with hatred instead of love. Ovid certainly knew and used Sophocles' *Tereus* but we have no proof that this came from there.

LIST OF SUBSCRIBERS

Mrs. Susan B. Adkins (née Jump), 3 Belfield House, West Road, Bowdon, Altrincham, Cheshire.

Ian W. Alexander, Department of French and Romance Studies, University College of N. Wales, Bangor.

Reginald Amonoo, Department of Modern Languages, University of Ghana, Legon, Accra, Ghana.

J. B. Andrew, 1 Framingham Road, Brooklands, Sale, Cheshire.

Mrs. Iris R. Anelay (née Gagg), 161 Lawton Road, Alsager, Stoke-on-Trent.

Mrs. Joanne Aram (née Neal), 7 Shepherd's Croft, The Grove, Easton, Portland, Dorset.

C. C. Ashdown, 44 Springcroft, Hartley, Longfield, Kent.

Brother Augustine, De La Salle College of Education, Middleton, Manchester.

James Austin, 14 Park Terrace, Cambridge.

L. J. and J. F. Austin, 14 Park Terrace, Cambridge.

M. M. Austin, Department of Ancient History, The University, St. Andrews, Fife, Scotland.

Miss Suzie Austin, 14 Park Terrace, Cambridge.

Miss Catherine Baddeley, 119 Mulgrave Road, Cheam, Surrey.

José E. Baldwin, 'Old Orchard', The Ruffit, Littledean, Glos.

D. J. Balhatchet, St. Mary's College, Strawberry Hill, Twickenham, Middx.

W. T. Bandy, 3415 West End Avenue, Nashville, Tennessee 37203, U.S.A.

W. H. Barber, Birkbeck College, London, W.C.1.

Miss Joan Bardsley, 33 Colemeadow Road, Coleshill, Birmingham.

H. T. Barnwell, Department of French, The Queen's University, Belfast.

Mrs. Jacquelyn Baumberg (née Taylor), 3568 Albion Road, Box 923, RR4, Ottowa, Ontario, Canada.

Mrs. Anne Berrie, Department of French, University of Manchester.

Peter J. C. Black, 23 Stoke Grove, Westbury-on-Trym, Bristol.

Miss F. and Mrs. J. Bogdanow, Department of French, University of Manchester.

Joseph Bonenfant, Faculté des Arts, Université de Sherbrooke, Sherbrooke, Québec, Canada.

Marco Boni, Direttore dell'Istituto di Filologia Romanza, via Zamboni 38, Bologna, Italy.
Miss Margaret Bramford, 71 Station Road, Pershore, Worcs.
Miss Sylvia Brookes, 5 Chartwell Avenue, Ruddington, Nottingham.
Harcourt Brown, Brown University, Providence, R.I. 02912, U.S.A.
Miss M. J. Brown, 'Hawthorns', 193 Beech Lane, Lower Earley, Reading.
F. F. Bruce, Faculty of Theology, University of Manchester.
Mrs. Enid Buck (née Brassington), 63 St. Francis Road, Keynsham, Bristol.
Philip F. Butler, Department of French, University College, Cardiff.
Miss Joan Butterworth, 41 Orchard Road W., Manchester 22.

Miss Margaret M. Callander, Department of French, University of Birmingham.
Mr. and Mrs. F. A. Casey, 8 Rosslyn Hill, Hampstead, London, N.W.3.
C. Chadwick, Department of French, University of Aberdeen.
Mrs. G. Clapperton, 2 Pearce Grove, Edinburgh 12.
Miss H. F. Clementson, 'Althill', Bryn-y-Bia Road, Llandudno.
Harry Cockerham, French Department, Royal Holloway College, Englefield Green, Surrey.
Mrs. Dorothy Coleman, New Hall, Cambridge.
Mrs. Marie T. Colitti (née Lams), Viale dell'Umanesimo 47, 00144 Roma, Italia.
Mrs. Barbara H. Corscaden, 54 Meadow Road, Newton, West Kirby, Wirral.
Mrs. Dilys Cossey (née Thomas), 19 Kenneth Court, 173 Kennington Road, London, S.E.11.
Jeffrey E. Coulthurst, 35 Lansdowne Avenue, Lincoln.
Brian Coultas, 29 Winchester Road, Highams Park, London, E.4.
Douglas G. Creighton, Department of French, University of Western Ontario, London, Ont., Canada.
Mrs. Mavis Crewe, 297 Windsor Road, Oldham, Lancs.
J. Stuart Crompton, 5 Judy Haigh Lane, Thornhill Edge, Dewsbury.
Mrs. Esther L. Cryer (née Shepherd), 8 Canynge Road, Bristol.
D. E. Curtis, 111 Compass Road, Beverley High Road, Hull.

G. Daniels, Department of French Studies, University of Manchester.
Mrs. M. E. Davies (née Wilkinson), c/o 83 Wickersley Road, Rotherham, Yorks.
R. A. Davies, 13 St. John's Road, Wrexham, Denbighshire.
F. K. Dawson, French Department, University of Nottingham.
Mr. and Mrs. K. Dawson, 85 Peascroft Road, Hemel Hempstead, Herts.

M. Delcroix, 59 rue Père Damien, Bruxelles 14, Belgique.
A. H. Denat, Department of French, University of Melbourne, Parkville, Vict. 3052, Australia.
R. F. E. Derôme, 'Arkel House', 19 St. Barnabas Road, Cambridge.
A. H. Diverres, Department of French, King's College, Aberdeen.
Margaret J. Draskau (née Chisnell-Watkin), Bangkok, Thailand.
Mrs. Josephine C. Dunford, 27 Chessel Avenue, Bitterne, Southampton.

Mrs. Janet Edgley (née Lewty), 23 Maltings Way, Great Barford, Beds.
Mrs. D. M. Evans (née Allen), 25 Maybrick Road, Hornchurch, Essex.
Cortland Eyer, French Department, Pennsylvania State University.

Miss Alison Fairlie, Girton College, Cambridge.
Miss Liliane Fearn, Birkbeck College, University of London.
John Featherstone, 66 Dingley Court, Peterborough.
J. M. Flint, Livingstone Tower, University of Strathclyde, Glasgow, C.1.
E. W. Foley, 8 Berrystead, Hartford, Northwich, Cheshire.
Leonard Forster, Selwyn College, Cambridge.
E. C. Forsyth, School of Humanities, La Trobe University, Bundoora, Vic. 3083, Australia.
C. Foster, 30 Willoughby Avenue, Didsbury, Manchester, 20.
Mrs. Helen Furnass, Brow Foot, Brigsteer, Kendal, Westmorland.

D. H. Gagen, Department of Spanish and Portuguese Studies, University of Manchester.
B. G. Garnham, Department of French, University of Durham.
Mrs. Sheila G. Gerard, 2871 Revelstoke Court, Vancouver 8, B.C., Canada.
Paul Ginestier, University of Hull.
Mrs. C. Wendy Good (née Jones), 20 Portland Crescent, off Belvidere Road, Shrewsbury, Salop.
C. J. Gossip, Department of French, University of Aberdeen.
Mr. and Mrs. G. E. Gwynne, Department of French, University of Manchester.
G. B. Gybbon-Monypenny, 15 Mabfield Road, Fallowfield, Manchester.

Mrs. S. M. Haas-Lovant, Apt. 7K, 100 Memorial Parkway, New Brunswick, N.J. 08901, U.S.A.
H. Raymond Halliday, 'Hazelwood', 13 Newcroft, Warton, Carnforth, Lancs.

R. D. Hawkes, 62 Belgrave Avenue, Gidea Park, Romford, Essex.
Miss Audrey Heraper, 166 Hinckley Road, Leicester Forest East, Leicester.
Mrs. Eva Hibbert, 7 Ashburton Road, Birkenhead, Cheshire.
Miss C. M. Hill, Department of French Studies, University of Manchester.
Miss Barbara Hirst, 8 Uxbridge Court, Kingston-upon-Thames, Surrey.
J. Brian Howarth, Forest School, near Snaresbrook, E. 17.
W. D. Howarth, Department of French, University of Bristol.
Jolyon M. Howorth, 6 Turnfields, Thatcham, Newbury, Berks.
M. A. Huddart, Acrewalls Deanscales, Cockermouth, Cumberland.
Lois B. Hyslop, French Department, The Pennsylvania State University.

Mrs. Marjorie N. Izquierdo, c/o A. Garcia Izquierdo, 38 Cranachstrasse, 4 Düsseldorf, Germany.

D. Michael Jackson, Department of French, Trent University, Peterborough, Ontario, Canada.
A. R. W. James, Department of French Studies, University of Manchester.
Miss Elsie Jenkins, 15 Telelkebir Road, Hopkinstown, Pontypridd, Glam.
Miss Caris Jones, 58 Gayton Road, Harrow, Middx.
Gwenllian Vaughan Jones (née Evans), 15 Stevelee, Coedeva, Cwmbran, Mon.
Rhys S. Jones, St. David's College, Lampeter, Cards.
Henri Jourdan, 'Le Rieu', 42 Noiretable, France.
Gérard Stheme de Jubecourt, Department of Romance Studies, University of Calgary, Alberta, Canada.
Mr. and Mrs. John D. Jump, 3 Belfield House, West Road, Bowdon, Altrincham, Cheshire.

Mrs. A. R. Kelly (formerly Jean Henshall), Ardenlee, West Main Street, Broxburn, West Lothian, Scotland.
E. M. Kennedy, St. Hilda's College, Oxford.
Mrs. Christine D. Kenyon, Limefield House, Hyde, Cheshire.
Erich Köhler, Romanisches Seminar der Universität Heidelberg.

Mrs. Annette Lavers, Department of French, University College, London.
F. W. Leakey, Park Lodge, 17 Charlotte Street, Helensburgh, Dunbartonshire.

Miss Margaret J. Lifetree, Department of French, Royal Holloway College, Englefield Green, Surrey.
Mrs. J. E. Loder (née Sims-Williams), 45 Thornton Road, Girton, Cambridge.
Anthony Lodge, Department of French, University of Aberdeen.
Mrs. Monica Lodge (née Beddow), School House, Ripon Grammar School, Ripon, Yorks.
J. Lough, 1 St. Hild's Lane, Gilesgate, Durham.
Miss Delphine Love, 82 Wharncliffe Road, Ilkeston, Derbyshire.
Miss Hazel N. Love, Dacre Banks, Nr. Harrogate, Yorks.

J. C. Mahoney, 6 Tenth Avenue, Saint-Lucia, 4067 Queensland, Australia.
Mrs. Georgette Marks, Department of French, University of Manchester.
Monsieur et Madame I. Masse, 4 Allée Florent Schmitt, 92 St. Cloud, France.
I. D. McFarlane, Department of French, The University, St. Andrews, Fife, Scotland.
Mrs. E. McLoughlin (née Timpson), 18 Wayside Drive, Poynton, Cheshire.
Miss Marjorie Measures, Rowden, Germansweek, Beaworthy, Devon.
Miss Margaret Mein, Westfield College, London, N.W.3.
I. D. L. Michael, Department of Spanish, University of Manchester.
Mrs. C. E. Micklem (née Arger), 11 Oaks Drive, Allerton, Bradford, Yorks.
Miss Hilary A. Mills, Maidix, Polefield Road, Prestwich, Manchester.
Miss Thelma Morris, University College, Cardiff.
Miss Joan I. S. Moss, 6 Chestnut Avenue, Southborough, Tunbridge Wells, Kent.
Mrs. O. de Mourgues, Girton College, Cambridge.
Miss Jean Mullineaux, 11 Parr Fold Avenue, Worsley, Manchester.

Mrs. Valerie Nelson (née Chalker), 5 Woodlands Crescent, Buckingham.
Vincent Nicholas, 6 Cranley Place, London, S.W.7.
Robert Niklaus, Department of French, University of Exeter.
Peter H. Nurse, Eliot College, Canterbury, Kent.

A. W. Openshaw, 26 Cheltenham Crescent, Lee-on-the-Solent, Hants.

Michael Pakenham, Department of French Studies, University of Lancaster.
Miss M. Parkin, 'Silver Mists', 75 Crow Tree Lane, Bradford 8, Yorks.

Mrs. Margaret Parry, 8 Fieldhead Drive, Guiseley, near Leeds.
Miss Jennifer Mary Payne, 12 Waller Avenue, Bispham, Blackpool, Lancs.
Alan G. C. Pedley, Flat 11, Pelham Lodge, 7 Pelham Crescent, The Park, Nottingham.
Mrs. M. J. Peel (Daloni Window), The Rectory, Iver Heath, Iver, Bucks.
C. E. Pickford, Department of French, University of Hull.
Miss Sylvia C. Plecer, 36 Buckingham Road, Brighton, Sussex.
Brian and Pauline Pocknell, McMaster University, Hamilton, Ontario, Canada.

Ann Rainford (Mrs. Light), 35 Raglan Street, Mosman, Sydney, N.S.W. 2088, Australia.
H. Ramsden, Department of Spanish and Portuguese Studies, University of Manchester.
Miss Elizabeth Ratcliff, Department of French Studies, University of Newcastle-upon-Tyne.
Mr. and Mrs. Garnet Rees, 88 Newland Park, Hull, E. Yorks.
J. W. Rees, Eryl Meirion, Harlech, Merioneth.
T. B. W. and J. M. H. Reid, 37 Blandford Avenue, Oxford.
Timothy J. Reiss, 313 William L. Harkness Hall, Department of Romance Languages, Yale University, New Haven, Conn. 06443, U.S.A.
Mrs. Mary Rhodes, c/o Mansergh Station Mess, B.F.P.O. 47, Gütersloh, Germany.
Adrian Ritchie, University College of N. Wales, Bangor.
Miss Judith Robinson, 31 Ellesmere Road, Chorlton cum Hardy, Manchester 21.
Mrs. Winifred Rogers, Horseshoes, The Heath, Weybridge, Surrey.
Miss Marion Rosenberg, 11 Oslo Court, London, N.W.8.
E. Rosenthal, French Department, Gipsy Hill College, Kingston Hill, Kingston-upon-Thames, Surrey.
Harold Rothera, Department of Education, University College of Swansea, Singleton Park, Swansea.
C. D. Rouillard, Department of French, University College, University of Toronto, Ontario, Canada.
Miss E. M. Rutson, St. Anne's College, Oxford.

D. Sadler, 11 Crewe Road, Shavington, Crewe, Cheshire.
R. A. Sayce, Worcester College, Oxford.
J. W. Scott, Department of French, University of Southampton.
Jean Seznec, All Souls College, Oxford.
Miss Marjorie Shaw, Department of French, Sheffield University.

D. J. Shirt, Department of French Studies, University of Newcastle upon Tyne.
Franco Simone, C°. Stati Uniti, 39, 10129-Torino, Italia.
John Stansfield, 27 Priors Walk, Morpeth, Northumberland.
Geoffrey R. Stone, 'Tryfan', 2 Almhouses Lane, Morley, Derby.
F. E. Sutcliffe, Department of French Studies, University of Manchester.
B. C. and C. R. Swift, 41 Hopetown Grange, Bucksburn, Aberdeen.

Mrs. Angela Thackeray Paterson (née Marr), 18 Howard Drive, Shipton Road, York.
Miss J. Thomas, 18 Hillside Avenue, Whitefield, Manchester.
C. E. M. Thompson, 36 Beechwood Avenue, Bottisham, Cambridge.
Raymond Thresh, c/o Lloyds Bank Europe Ltd., 43 Bd. des Capucines, 75 Paris 2ème, France.
H. W. Timm, 12 Rowsley Avenue, Didsbury, Manchester, 20.
Miss Nora M. Trott, 866 N. Arlington Mill Drive, Arlington, Va. 22205, U.S.A.
Mrs. Brenda E. Turpin (née Hunt), 100 Avon Court, Cranham, Upminster, Essex.

A. Kibédi Varga, Oostelijk Halfrond 64, Amstelveen, Holland.

Mrs. Helen F. Waites, 7 Durweston Street, London, W.1.
H. D. Walmsley, 12 Woodlands Crescent, Barton, Preston, Lancs.
F. Whitehead, St. Hilda's Road, Northenden, Manchester.
Mrs. Josephine Whitley (née Cunnah), 58 Manor Road, Great Crosby, Liverpool.
A. N. Wilde, 5 Braystan Gardens, Gatley, Cheshire.
Mrs. Monica R. Wilks, 7 Reyners Green, Great Missenden, Bucks.
Mrs. Elizabeth Williams (née Wolstenholme), The University of St. Andrews, Fife, Scotland.
Miss Gwenfron Williams, 14 The Lawn, Harlow, Essex.
Miss Nelly Wilson, Department of French, University of Bristol.
E. Worrall, 101 Dalston Drive, Manchester.
Miss Florence Worsley, 4 Clifford Road, Poynton, Stockport, Cheshire.
Miss Barbara Wright, 26 Trinity College, Dublin 2.

Mrs. Barbara Young (née Nowell), 70 Kenilworth Square, Dublin 6

G. Zuntz, Department of Hellenistic Greek, University of Manchester.

LIBRARIES

Aberdeen, King's College.
Armidale, New South Wales, University of New England.

Basel, Romanisches Seminar der Universität.
    Öffentliche Bibliothek der Universität.
Berlin, Freie Universität, Romanisches Seminar.
Berne, Séminaire de français, Université.
Birmingham, The Shakespeare Institute, The University.
Bochum, Romanisches Seminar der Ruhr-Universität.
Bonn, Englisches Seminar der Universität.
    Romanisches Seminar der Universität.
    Universitätsbibliothek.
Bristol, The University.
Bromley, Kent, Stockwell College of Education.
Bruxelles, Bibliothèque Moretus.
Bundoora, Australia, La Trobe University.

Cambridge, Faculty of Modern and Medieval Languages.
    Jesus College.
    Magdalene College.
    New Hall, The Library.
    St. Catharine's College.
Cambridge, U.S.A., Harvard College Library.
Canterbury, The University of Kent.
Chester, The College.
Clayton, Monash University Library.
Cork, University College.
Coventry, University of Warwick.

Dundee, The University.

Freiburg, Romanisches Seminar der Universität.
Fribourg, Bibliothèque Cantonale et Universitaire.

Göteborg, Universitetsbibliotek.
Grenoble, Bibliothèque Universitaire.

Haifa College, Israel.

Hamburg, Romanisches Seminar der Universität.
Staats- und Universitätsbibliothek.
Hull, Brynmor Jones Library, The University.

Illinois, State University, Milner Library.

Keele, The University.
Köln, Romanisches Seminar der Universität.

Lancaster, The University.
Lausanne, Bibliothèque Cantonale et Universitaire.
Leeds, The Brotherton Library, The University.
Leicester, The University.
London, Queen Mary College.
University, The Senate House.
Westfield College.
Louvain, Bibliothèque de l'Université.

Manchester, The University.
Mannheim, Romanisches Seminar der Universität.
Marburg/Lahn, Universitätsbibliothek.
Münster, Romanisches Seminar der Universität.

Newcastle-upon-Tyne, The University.
Norwich, University of East Anglia.
Nottingham, The University.

Ontario, The University of Waterloo.
Oregon, The University.
Oxford, Christ Church.
Oriel College.
Pembroke College.
Queen's College.

Padova, Istituto di Lingua e Letteratura Francese.
Pennsylvania, State University.

Reading, The University.

Salt Lake City, University of Utah Libraries.
Salzburg, Institut für Romanische Philologie der Universität.
Sheffield, The University.
Southampton, The University.
St. Andrews, The University.

Stanford, The University.
Stirling, The University.
Sudbury, Ontario, Laurentian University.
Sussex, The University.
Swansea, University College.

Torino, Istituto di Lingua a Letteratura della Universita.
Toronto, Victoria University.

Winchester, King Alfred's College.
Woodley, Bulmershe College of Education.

Zürich, Zentralbibliothek.